Ernst Moser · VOM GEISTESMENSCHLICHEN SEIN

Ernst Moser

VOM
GEISTESMENSCHLICHEN
SEIN

Verlag ARISTARCH AG Chur

ERSTER TEIL

UNSERE ZWECKE

ALLGEMEINES WESEN

Einführung

1.1 Wir wollen und erstreben, wir werten, ziehen vor, lehnen ab, wir handeln und verwirklichen. Was wir wollend erstreben und handelnd verwirklichen, sind Zwecke, Ziele. Und unserem Werten, Vorziehen, Ablehnen liegen Werte zugrunde.

Wie kommen wir dazu, gerade die konkreten Zwecke und Ziele wollend zu erstreben und handelnd zu verwirklichen, auf die unser inneres und äußeres Verhalten tatsächlich gerichtet ist? Warum werten wir so, wie wir es tatsächlich tun?

1.2 Wir wissen aus unserer inneren Erfahrung, daß wir in der Zielwahl häufig frei sind. Sind wir aber in aller Zielsetzung, -verfolgung und -verwirklichung und in allem Werten frei? Gibt es nicht Zwecke und Werte, die uns durch das allgemein-menschliche oder durch unser individuelles Wesen auferlegt sind?

So: Ist der Einzelne frei, seinen Hunger zu stillen und seinen Durst zu löschen? Steht das Verhalten gegenüber dem andern Geschlecht ganz in seiner Freiheit? Bestimmt er innerhalb des nach Recht und Sitte Zulässigen sein gesellschaftliches Verhalten ganz frei? Keine dieser Fragen kann ohne Vorbehalt bejaht werden: in allen diesen Fällen ist die Verhaltensfreiheit nicht vollständig, sondern — eben aus dem allgemeinen Menschenwesen oder der Besonderheit des Einzelnen — beschränkt.

Und weitere, Zwecke und Werte anderer Art und andern Ranges betreffende Beispiele: Bin ich frei — als der Einzelne, der ich tatsächlich bin —, der Wahrheit nicht hohen Wert zuzuerkennen und sie nicht gegebenenfalls zum Richtpunkt meines Verhaltens zu nehmen? Steht es in meiner inneren Freiheit, die Werke der bildenden Kunst, der Dichtung und der Musik, die ich für schön halte, als nicht schön zu werten? Steht es in meiner

Freiheit, die geschichtlichen Gestalten, die ich als groß werte, für nicht groß zu halten, sie nicht als Träger des Wertvollsten ihrer Zeit aufzufassen und das Vorbildliche, das sie verkörpern, nicht anzuerkennen? Habe ich die innere Möglichkeit, in dem nach meiner Auffassung Guten fortan ein Schlechtes zu sehen oder mich in Zukunft zu dem zu bekennen, was ich bisher ablehnte? Auch diese Fragen führen zur Einsicht, daß die Freiheit des Sicheinstellens beschränkt ist.

1.3 Soweit die verfolgten Zwecke und die maßgebenden Werte nicht in innerer Freiheit gewählt werden können, sind sie im Wesen ihres Trägers festgelegt: dieses weist eine entsprechende Struktur auf – eine Zwecke-und-Werte-Struktur.

Durch seine Zwecke-und-Werte-Struktur ist der Einzelne in den Zwecken und Zielen, die er hat, verfolgt und verwirklicht, und in den Werten, die für ihn maßgebend sind, zwar nicht vollständig, aber mehr oder weniger weitgehend bestimmt und geprägt. Beispiele: Bestimmtheit des Machtsüchtigen, des Künstlers, des Forschers, des Seligkeitsuchers durch je eine besondere Zwecke-und-Werte-Struktur.

Zur Terminologie: Vereinfachend wird man, wenn nur die Zwecke oder nur die Werte Gegenstand der Betrachtung sind, die Bezeichnungen »Zweckestruktur« und »Wertestruktur« verwenden.

1.4 Jene Zwecke sind zum Teil gleichen oder ähnlichen Inhaltes wie Zwecke, die von Tieren verfolgt werden, oder wie von Tieren in unbewußtem Lebensgeschehen zustande gebrachte Ergebnisse. Zwecke dieser Art werden hier »Vitalzwecke« genannt. Beispiele: Nahrungsaufnahme, Schutz vor Kälte, geschlechtliche Vereinigung, Vorsorge für die Kinder, Sicherheit vor Gefahr, Macht in der Gruppe.

Die mit den Vitalzwecken verbundenen Werte sind die »Vitalwerte«. Beispiele: Werte des Ernährungs-, des Sexual-, des naturhaften Sozialbereiches.

1.5 Viele Zwecke sind zwar nicht gleichen Inhaltes wie Ergebnisse des naturhaften Lebensgeschehens, aber in Hinsicht auf solche Ergebnisse dienend. Mittelhafte Zwecke werden beispielsweise verfolgt: beim Pflanzen, beim Pflügen, bei der Herstellung landwirtschaftlicher Geräte und Gebäude, bei der Anlegung von Flurwegen und Bewässerungsanlagen, bei der Gewinnung von Dünge- und Pflanzenschutzmitteln, — all dies ist in Hinsicht auf den Vitalzweck Ernährung dienend.

Solche Zwecke sind hier als »lebensdienliche Kulturzwecke« bezeichnet.

Auf der Ebene der Werte sind mit diesen Zwecken die »Werte des lebensdienlichen Kulturbereiches« verbunden: vor allem handelt es sich um Werte der Zweckmäßigkeit und Nützlichkeit.

1.6   Im Verhältnis zu den lebensdienlichen Kulturzwecken sind die Vitalzwecke Endzwecke. Endzwecke werden um ihrer selbst willen erstrebt: somit sind sie auch Selbstzwecke. Beispiele: Endzweck und Selbstzweck ist das Essen, — mittelhafte Zwecke sind das Bereitsein des Ackers, die Verfügung über den Pflug; Endzweck und Selbstzweck ist der Schutz vor Wetterunbilden, — mittelhafter Zweck ist der Besitz von schützenden Kleidern; Endzweck und Selbstzweck ist die wiederherzustellende Gesundheit, — mittelhafter Zweck ist es, durch Gebet und Opfer die Hilfe einer gesundheitschenkenden himmlischen Macht zu gewinnen.

Was Endzweck und Selbstzweck ist, hat seinen Wert in sich selbst; es erhält ihn nicht wie das Mittelhafte von einem andern her, in bezug auf welches es dienend ist. Das Endzweckhafte und Selbstzweckhafte ist darum auch das Eigenwerte.

1.7   Andere Zwecke sind weder gleichen Inhaltes wie Ergebnisse des naturhaften Lebensgeschehens noch in Hinsicht auf solche Ergebnisse dienend: vielmehr haben sie Inhalte, die sich ganz aus dem bewußten Wesen, der Geistigkeit des Menschen ergeben. Hier bilden eine erste Gruppe jene Zwecke, die als »eigenwerte geistige Zwecke«, »geistige Selbstzwecke« oder »selbstzweckhafte geistige Ziele« zu bezeichnen sind: z. B. Erkenntnis um ihrer selbst willen, Denken als eigenwerte und selbstzweckhafte geistige Tätigkeit, künstlerisches Schaffen als Selbstzweck, technische Leistung als Selbstzweck. In einer zweiten Gruppe

finden wir die »in bezug auf die geistigen Selbstzwecke mittelhaften Zwecke«: z. B. solche des künstlerischen Schaffens um der
religiösen Erhebung der Betrachter willen oder des technischen
Schaffens (etwa des Instrumentenbaues) im Dienste der auf
selbstzweckhafte Erkenntnis gerichteten wissenschaftlichen
(etwa astronomischen) Forschung.

Mit den geistigen Selbstzwecken sind die »geistigen Eigenwerte« verbunden: so z. B. die Wahrheit, die Tiefe der Erkenntnis, die Bedeutung des Geschaffenen und des Schaffens, — mit
den in bezug auf die geistigen Selbstzwecke mittelhaften Zwecken
wiederum Werte des mittelhaften geistigen Bereiches wie Zweckmäßigkeit und Nützlichkeit.

1.8   Häufig ist es unbestimmt, ob ein mittelhafter Zweck letztlich in Hinsicht auf einen Vitalzweck oder einen geistigen Endzweck mittelhaft sein wird. Zudem können mittelhafte Zwecke
in Hinsicht auf Endzwecke beider Arten dienend sein. Beispiel:
die Ergebnisse einer metallurgischen Untersuchung können bei
der Herstellung von Küchengeräten oder von astronomischen
Instrumenten oder von Erzeugnissen beider Gruppen angewandt werden.

1.9   Manche geistige Zwecke sind zugleich selbstzweckhaft und
mittelhaft: sie sind selbstzweckhaft für den einen Menschen und
mittelhaft für den andern, oder sie sind für den gleichen Menschen einerseits selbstzweckhaft und anderseits mittelhaft. Beispiele: eine bestimmte Forschung kann für den Forschenden
selbstzweckhaft und für den auftraggebenden Fabrikanten mittelhaft sein; für einen Künstler kann sein Schaffen zugleich
Selbstzweck und Erwerbstätigkeit sein.

1.10   Zwecke und Werte aller dieser Bereiche können Inhalt
von Zwecke-und-Werte-Strukturen werden. Vitalzwecke und
-werte gehören zum Wesen aller Menschen; geistige Selbstzwecke und Eigenwerte sind in manchen von großer und in
vielen von erheblicher Bedeutung. Zwecke und Werte des
mittelhaften geistigen Tuns sind in vielerlei durch Schulung und
Beruf verfestigten Prägungen wirksam.

1.11   Auch beim Bestehen einer Zwecke-und-Werte-Struktur kann es Freiheit des Zielsetzens geben. Drei Arten des freien Zielsetzens sind hier möglich:
— erstens Setzung von Zielen in Inhaltsbereichen, die von der bestehenden Zwecke-und-Werte-Struktur nicht erfaßt werden: z. B. Teilhabe an Künstlerischem durch einen Menschen, der, was das Kulturhafte anbelangt, innerlich nur auf wirtschaftlichen Erfolg festgelegt ist,
— zweitens Setzung von Besonderem zur Verwirklichung von Allgemein-Festgelegtem: z. B. Streben nach einer bestimmten Rangstellung als konkrete Anwendung der zum inneren Wesen gehörenden Ausrichtung auf soziale Geltung,
— drittens Setzung von Zielen in Inhaltsbereichen, für welche die Zweckestruktur die Freiheit der Entscheidung verlangt: z. B. freie Entscheidung über Politisches gemäß der Überzeugung des Freiheitsgläubigen.
Entsprechend sind drei Arten des freien Wertens auch beim Bestehen einer Zwecke-und-Werte-Struktur möglich:
— erstens freies Werten außerhalb des Festgelegten,
— zweitens freies Werten in Richtung auf nur allgemein Festgelegtes,
— drittens freies Werten in Ausübung der überzeugungsgemäßen Wertungsfreiheit.

1.12   Die bestehenden Zwecke-und-Werte-Strukturen können sich wandeln, entweder in allmählicher Entwicklung oder rasch, plötzlich, revolutionär, — letzteres vor allem unter dem Einfluß mächtiger Persönlichkeiten, welche an die Stelle bisher geltender Auffassungen neue setzen. Beispiel für die allmähliche Entwicklung: Ablösung der Jenseitsziele des christlichen Mittelalters durch die Diesseitsziele der Neuzeit. Beispiel für die rasche Wandlung: Setzung neuer Ziele durch Aufklärung und Französische Revolution.
Wo solche Wandlungen nicht zu neuen in Zwecke-und-Werte-Strukturen verfestigten Auffassungen führen, können zumindest die bisherigen Strukturen gelockert werden: was bisher selbstverständlich für richtig gehalten wurde, verliert an Bindungskraft und wird in Frage gestellt. Es erhebt sich so die

Freiheit, das bisher als verpflichtend Anerkannte zu beurteilen. Beispiel: Aufklärungsphilosophie kann einen Religiös-Gesinnten dazu bringen, daß er gegenüber dem, was für ihn bisher selbstverständliche Glaubensgewißheit war, kritisch wird.

1.13 Soweit Freiheit des Zielsetzens, Wertens und des Ziele- und-Werte-Beurteilens besteht, hat der Einzelne sich auf das Richtige zu besinnen. Die Notwendigkeit dieses Sichbesinnens besteht somit in mehrfacher Hinsicht:
— erstens in Hinsicht auf die Zwecke und Werte der Verwirklichungsbereiche, welche durch die bestehende Zwecke-und-Werte-Struktur nicht geregelt sind,
— zweitens in Hinsicht auf die praktisch-konkrete Verwirklichung oder Anwendung der in der Zwecke-und-Werte-Struktur nur allgemein festgelegten Ziele und Werte,
— drittens in Hinsicht auf die Verwirklichungen und Wertungen, die gemäß der Zwecke-und-Werte-Struktur in Freiheit zu bestimmen sind,
— viertens in Hinsicht auf Ungewiß-Gewordenes.

1.14 Zielverwirklichung — sei sie Verwirklichung von Zielen, die in der gegebenen Zweckestruktur festgelegt sind, oder von in Freiheit gesetzten oder angenommenen Zielen — erfordert, daß die entsprechende Verwirklichungsmöglichkeit tatsächlich besteht.

Demnach sind Ziele denkbar, die sich innerhalb der tatsächlich bestehenden Verwirklichungsmöglichkeiten befinden: das in ihnen Vorgenommene kann von Menschen, wenn auch vielleicht nur von wenigen, verwirklicht werden: z. B. astronomische Erkenntnis, Konstruktion eines Flugzeuges.

Anderseits sind gesetzte Ziele denkbar, die ganz oder teilweise die Verwirklichungsmöglichkeiten aller Menschen überschreiten: das in ihnen Vorgenommene kann von keinem Menschen verwirklicht werden: z. B. körperliche Unsterblichkeit des Einzelnen.

Drittens gibt es Ziele, bei denen die tatsächliche Verwirklichungsmöglichkeit ungewiß ist: z. B. Unsterblichkeit der Seele.

Der Bereich des Sichbesinnens wird dadurch erweitert: einzubeziehen ist die Verwirklichungsmöglichkeit.

Die Vitalzwecke

2.1   Der Mensch ist ein Lebewesen; er ist das Ergebnis langer Lebensentwicklung, die sich im Vormenschlichen, im Tierreich vollzog. Er steht darum zu allen Tieren in mehr oder weniger naher und enger Verwandtschaft.

Die Tiere wiederum sind Abkömmlinge der frühesten Lebewesen, von denen als andere Entwicklungslinie auch die zu den Pflanzen führende ausging: also sind die Tiere und auch der Mensch mit den Pflanzen wesensverwandt.

2.2   Alles Leben ist eine Geschehensgesamtheit, in der gemäß den artbesonderen körperlichen und seelischen Anlagen fortwährend Ergebnisse erzielt werden, welche letztlich die Erhaltung und Ausbreitung der betreffenden Art ermöglichen und sichern. Nur das solche Ergebnisse erreichende Lebende kann sich behaupten und fortpflanzen, – das hierin schwache Lebende unterliegt den lebensfeindlichen Einwirkungen.

Durch Mutation und durch Behauptung und Fortpflanzung der unter den bestehenden Bedingungen lebensstarken neuen Formen entstanden im Tier- wie im Pflanzenreich immer mehr Arten. Diese sind in ihren Anlagen vielfältig verschieden, aber doch in einem gleich: eben darin, daß das Leben die fortwährende Verwirklichung von Ergebnissen ist, welche das zur Arterhaltung ausreichende Überleben und Sichfortpflanzen seiner Träger sichern.

2.3   Versteht man unter »Zweck« das Ergebnis, das von einem lebenden Wesen wollend und also in einigermaßen deutlicher Bewußtheit erstrebt wird, so darf man die Ergebnisse des pflanzlichen Lebens, den Großteil der Ergebnisse des tierischen Lebens und auch viele Ergebnisse des menschlichen Lebens nicht als Zwecke bezeichnen: weil bei ihnen jene Bewußtheit fehlt.

13

Wie kommt es dann, daß die Lebewesen so deutlich erkennbar »zweckmäßig« eingerichtet sind? Die »Zweckmäßigkeit« besteht darin, daß nur Wesen mit leistungsfähiger lebensdienlicher Einrichtung sich behaupten und ausbreiten konnten: Lebendes ohne diese war lebensschwach und verschwand.

2.4 Die Ergebnisse des Lebensgeschehens sind inhaltlich überaus vielfältig: entsprechend der Vielfalt der körperlichen und seelischen Prozesse und der Verhaltensweisen. Für die Beschreibung und begriffliche Erfassung sind sie in Haupt- und Untergruppen zu gliedern.

Die Hauptgruppen sind: Selbsterhaltung, Fortpflanzung, Erhaltung von Gesellschaften.

2.5 In der ersten Hauptgruppe, derjenigen der Selbsterhaltung, sind die wichtigsten Untergruppen: Ernährung, Schutz vor Wetterunbilden, Schutz oder Ausweichen vor Gefahren und Feinden, Sieg über Feinde, Erhaltung und wenn nötig Wiederherstellung der Gesundheit, dazu bei einigen Arten Anlegung von Vorräten.

Ernährung, Schutz vor Gefahren und Feinden, Erhaltung und Wiederherstellung der Gesundheit sind für alles Lebende unerläßliche Ergebnisse des Lebensgeschehens. Nur die solcher Verwirklichungen fähigen Organismen konnten und können sich behaupten und fortpflanzen.

Ausweichen vor Gefahren setzt Beweglichkeit voraus, die eine Besonderheit der Tiere ist.

Schutz vor Wetterunbilden ist ein für die Erhaltung der Einzelwesen und der Arten unentbehrliches Ergebnis im Lebensgeschehen der Landpflanzen und -tiere.

2.6 In der zweiten Hauptgruppe, derjenigen der Fortpflanzung, sind die wichtigsten Untergruppen: Entstehung neuer Lebewesen aus den elterlichen, Vorsorge für die Jungen.

2.7 In der dritten Hauptgruppe, derjenigen der Erhaltung von Gesellschaften, sind die wichtigsten Untergruppen: das Eingeordnetsein der Einzelwesen und ihre Funktionenteilung.

2.8   Eine sehr wichtige Entwicklung im Tierleben war, daß Empfindungen und Gefühle entstanden, welche sich als lebenssichernde und -fördernde Kräfte bewährten und darum zu wesentlichen Vermögen der zu höherem Entwicklungsstand gelangenden Arten wurden.

Von den Gefühlen insbesondere gingen verhaltensbestimmende Einflüsse aus. Zunächst waren die Gefühle wohl überwiegend unlustbetont: sie bestimmten ihre Träger, das Unlustverursachende zu beseitigen oder zu vermeiden, — etwa Futter und Wasser zu suchen, sich zum Paarungspartner zu gesellen, vor dem Feind zu fliehen. Dann erhoben sich aber auch lustbetonte Gefühle: sie belohnten das lebensgünstige Verhalten.

Soweit diese psychischen Fähigkeiten und die durch sie ermöglichten oder bewirkten Verhaltensweisen lebenssichernd oder -fördernd waren, konnten sie zu artbesondern Vermögen oder Eigenschaften werden: weil die mit ihnen ausgestatteten Individuen in bezug auf Erhaltung und Fortpflanzung überlegen waren.

2.9   Empfindungen und Gefühle sind Bewußtheitszustände.

Anzunehmen ist, daß schon niedrige Tiere einige Bewußtheit in der Form von engbegrenzten, dumpferlebten Empfindungen und Gefühlen haben. Weiter, deutlicher bewußt sind aller Wahrscheinlichkeit nach die Empfindungen und Gefühle der Tiere höherer und höchster Entwicklungsstufen.

2.10   Teilweise ist die Verbindung zwischen Empfindung und Gefühl einerseits, Verhalten anderseits reflex- oder instinkthaft, also zwangshaft. Beispiele: eine Sehempfindung löst Picken, eine Hörempfindung Flucht, ein Schmerz Schonung des betreffenden Gliedes aus.

Jedoch kann diese Verbindung auch durch ein Wollen zustande gebracht sein. Beispiele: Hunger veranlaßt das Raubtier, sich seine Beute zu erjagen; von Durst getrieben sucht das Steppentier eine ferne Quelle auf. Soweit dies zutrifft, werden bestimmte Verhaltenserfolge in einigermaßen bewußtem Tun angestrebt: sie sind Zwecke.

2.11   Auch die Zwecke, als in mehr oder weniger deutlich bewußtem Tun angestrebte Erfolge, konnten nur dann artspezifisch werden, wenn sie den sie verfolgenden Individuen Überlegenheit in bezug auf Erhaltung und Fortpflanzung gaben: auch hier konnte sich nur das Lebensdienliche durchsetzen.

Zwecke sind im Tierleben immer inhaltlich besondere Einzelerfolge in Richtung auf die artspezifischen Ergebnisse des Lebensgeschehens: und zwar diesen Ergebnissen entsprechende oder ihnen dienende Einzelerfolge.

2.12   Es ist anzunehmen, daß bei den höchstentwickelten Tieren Zwecke in erheblicher Anzahl und Vielfalt entwickelt sind.

Die wichtigsten dürften die folgenden sein:
— Selbsterhaltung: Finden und Aneignung von Nahrung und Wasser, Bau von Nestern und Höhlen, Anlegung von Vorräten, Sich-in-Sicherheit-Bringen, Tötung oder Vertreibung des Feindes,
— Fortpflanzung: Finden des Paarungspartners, Fütterung der Jungen, Schutz der Jungen,
— Erhaltung von Gesellschaften: Leittierstellung, Erfolge des gemeinschaftlichen Handelns (so bei der Jagd und bei Wanderungen).

Allerdings ist wahrscheinlich, daß alle diese Zwecke nur undeutlich und beschränkt bewußt sind, — sicher nicht als Begriffe, aber vielleicht als wirkende Bilder.

2.13   Im Tierleben sind die Zwecke wohl auf Inhalte des nach außen gerichteten Verhaltens beschränkt: denn nur hier konnte sich die Bewußtwerdung als nützlich erweisen.

Nicht durch Zwecke gelenkt — abgesehen von demjenigen der Schmerzvermeidung — sind dagegen die sich im Inneren des tierischen Organismus vollziehenden Abläufe: da das Tier kaum die Möglichkeit hat, auf sein inneres Lebensgeschehen einzuwirken, bot hier die Entfaltung des Wollens im allgemeinen und der Zweckebildung im besondern keinen Nutzen.

2.14   Der Mensch besitzt, und das ist von Anfang an sein Besonderes, unter allen Tierwesen das höchstausgebildete Gehirn und damit die höchstausgebildete Fähigkeit, bewußt zu sein und Zwecke zu haben.

Inhaltlich aber besteht in der naturhaften Schicht des menschlichen Seins gegenüber den — andern — Tieren keine wesentliche Verschiedenheit: es wird lediglich manches, das von den Tieren in instinktivem Verhalten verwirklicht wird, vom Menschen bewußt und somit als Zweck angestrebt und erreicht. Zudem sind die meisten menschlichen Zwecke sehr viel deutlicher bewußt als die tierischen.

2.15   So sind die menschlichen Vitalzwecke und die mit ihnen verbundenen Werte naturhaften Ursprunges und Inhaltes: in ihnen ist ein Teil des Tierhaften des Menschen in eine besondere menschliche Form gebracht.

2.16   Die Vitalzwecke und die mit ihnen verbundenen Werte bilden im Einzelnen entweder eine in sich geschlossene, auf naturhafte Inhalte beschränkte Zwecke-und-Werte-Struktur — oder sie sind der naturhafte Teil einer inhaltlich weiteren, neben dem Naturhaften auch Kulturhaftes enthaltenden Zwecke-und-Werte-Struktur.

2.17   Jedoch sind die Einzelnen trotz ihres Durch-die-Vital-zwecke-Bestimmtseins selbst innerhalb der naturhaften Schichten ihres Wesens voneinander mannigfach verschieden: erstens bestehen die Strukturverschiedenheiten von Mann und Frau und zweitens können, beim Manne wie bei der Frau, die verschiedenen Vitalzwecke und -werte in verschiedener Stärke bestimmend sein.

Durch besonders starke Ausprägung je eines Vitalzweckes entstehen die folgenden Typen:

— der vorwiegend auf Essen und Trinken ausgerichtete und die damit zusammenhangenden Lüste suchende Mensch: der Eß-und-Trinkfreudige,

— der vorwiegend auf körperliches Behagen ausgerichtete Mensch: der Behagensuchende,

— der auf Besitz ausgerichtete und diesen als Wichtigstes auffassende Mensch: der Besitzsuchende,

- der seine Erfüllung vorwiegend im Erotischen suchende und findende Mensch: der Erotisch-Eingestellte,
- der auf das Kinderhaben und -aufziehen ausgerichtete, in der Familie naturhafte Erfüllung findende Mensch: der Familienmensch.
- der die Geborgenheit in Gruppe oder Volk suchende, von naturhafter Ein- und Unterordnungsneigung bestimmte Mensch: der Gehorsamsbereite, der Gruppenmensch,
- der auf Geltung, Ruhm oder Macht ausgerichtete und darin seine Erfüllung findende Mensch: der Geltungsuchende, Ruhmsuchende, Machtsuchende.

Sind zwei oder mehrere Vitalzwecke vorherrschend, so haben wir Typen vor uns, bei denen Wesenszüge von zwei oder mehreren der genannten einfachen Typen zusammen bestehen: z. B. der Besitz-und-Macht-Freudige, der Behagensuchende-und-Gemeinschaftsfreudige.

2.18   Eine Klarstellung ist hier einzuschalten: der Mensch ist in der Verwirklichung seiner Vitalzwecke keineswegs immer nur auf sich selbst bezogen, selbstsüchtig und egoistisch, — vielmehr ist er, weil das Naturhafte ihn auf die Fortpflanzung und die Erhaltung der Gruppe ausrichtet, in einem Teil seines Vitalwesens nicht-selbstsüchtig, altruistisch, für andere arbeitend und sogar sich für andere aufopfernd.

Auch die höheren Tiere sind ja, und zwar zutiefst in ihrem — unbewußten — Wesen, stark auf andere bezogen: weil alles nicht mehr einfachste Leben über seinen jeweiligen Träger hinausweist.

Die Kulturzwecke

3.1   Kultur ist die Gesamtheit der geistigen Tätigkeiten und Verwirklichungen des Menschen.

Entsprechend den Besonderheiten der geistigen Tätigkeiten und Verwirklichungen der verschiedenen Gesellschaften lassen sich verschiedene Kulturtypen oder »Kulturen« unterscheiden.

18

3.2   Da es Anfänge des Bewußtseins und also des Geistigen, damit auch der geistigen Tätigkeiten und Verwirklichungen, schon bei den höheren Tieren gibt, hat die Kultur Wurzeln im Vormenschlichen.

Aber erst beim Menschen ist das Geistige weitgreifend und leistungsstark geworden: darum ist die Kultur als ein Besonders-Menschliches, Nur-Menschliches aufzufassen.

3.3   Im Geistigen lassen sich sechs Hauptvermögen unterscheiden:
— Empfinden,
— Fühlen,
— Vorstellen,
— Denken (einschließlich des intuitiven Erfassens),
— Wollen,
— Handeln.

Alle diese geistigen Fähigkeiten haben ihren Ursprung im Vormenschlichen: der Mensch übernahm seine geistigen Grundanlagen von tierischen Vorfahren. Aber das Besonders-Menschliche war seit dem Beginn der Menschheit, daß unsere Art sehr viel leistungsstärkere geistige Vermögen besaß als irgendeine andere Art des Lebenden.

3.4   Vom Vorstellen und Denken, Wollen und (bewußten) Handeln gibt es auch bei den höchstentwickelten Tieren nur Anfänge; erst beim Menschen sind sie von großer Leistungskraft, so sehr, daß man sie als die besonders-menschlichen Vermögen auffassen muß. Der Mensch ist unter allen Lebewesen der Erde das einzige, das in weitem Umfange und mit großer Wirkungskraft vorstellen und denken, wollen und (bewußt) handeln kann.

Vorstellen: Vergegenwärtigung und Gegenwärtigsein von Inhalten, welche in innerem sinnlichem Erleben oder durch Miterleben erfaßt werden.

Denken: begriffliches Erfassen, Verbinden und Beurteilen von Dingen und Zusammenhängen, die dem Ich gegenwärtig sind.

Wollen: bewußte Anwendung der seelischen Energie, welche

dem Ich für die Verwirklichung seiner Zwecke zur Verfügung steht.

Handeln: Ausführung, Auslösung oder Beeinflussung von Geschehensabläufen in Hinsicht auf die Verwirklichung der verfolgten Zwecke.

3.5 Daß der Mensch in seinen geistigen Fähigkeiten allem andern Lebenden hoch überlegen ist, hat zwar entsprechende körperliche und seelische Anlagen zur Voraussetzung, ist aber auch Folge der Jahrtausende währenden, im Laufe der Zeit sehr wirksam gewordenen Anwendung dieser Vermögen.

Die menschliche Geisteskraft ist zum großen Teil Menschenwerk.

3.6 Ursprünglich stehen die geistigen Vermögen und das durch sie bewirkte Kulturhafte ausschließlich unter den Vitalzwecken: das Geistige ist Vermögen und das Kulturhafte ist Mittel zu erfolgreicher Vitalzweckverwirklichung.

Im Zusammenhang damit wird eine Zweckart wichtig, die bei den Tieren nur gering ausgebildet ist: ein großer Teil der geistigen Tätigkeiten hat die Herstellung von lebensdienlichem Mittelhaften zum Inhalt, unmittelbarer Zweck ist hier eben das Mittel. Beispiele: Zweck ist im Handeln des Bauern das einzubringende Erntegut, im Handeln des Gerätemachers das herzustellende Gerät, im Handeln des Hüttenbauers die zu errichtende Hütte. Die Kulturzwecke sind zunächst großenteils: lebensdienliche Kulturzwecke.

Es sind insbesondere die Verwirklichungen auf dem Felde der lebensdienlichen Kulturzwecke, was dem Menschen überlegene Macht in der Behauptung seiner Art gab.

3.7 Das lebensdienliche Kulturhafte ist überwiegend körperlicher Gegenstand: so Werkzeuge, Geräte, Waffen, Kleider, Häuser, Einrichtungsgegenstände, Äcker, Wege.

Neben dem Körperlichen finden wir aber auch gesellschaftliche Einrichtungen, rechtliche und sittliche Normen, Ideen und Lehren: Staat, Ehe, Familie, Heer, Rechtssatz, sittliches Gebot oder Verbot, Begriff, Lehrsatz, Rechnungsregel.

Und Lebenshilfen sind ihrem Ursprung nach die Annahmen vom Sein und Wirken der Geister und Götter.

3.8   In der Wertsphäre erscheinen diese Mittel in erster Linie als mehr oder weniger nützlich und zweckmäßig. Was nützlich und zweckmäßig ist, wird als ein »gutes« Mittel gewertet, was nützlicher und zweckmäßiger ist, als ein »besseres« Mittel.

Bei den wirtschaftlichen Gütern kommt dazu das Wirtschaftlich-Wertvollsein: was ein wirtschaftliches Gut ist, hat wirtschaftlichen Wert.

Werte eigener Art gibt es im Gesellschaftlichen und im Religiösen: Gerechtigkeit und Heiligkeit, beides bezogen auf Einrichtungen, Normen, Ideen und Glaubensinhalte, die in bezug auf Vitalzwecke mittelhaft sind.

3.9   Mit aufsteigender Bewußtheits- und Kulturentwicklung entstanden neben den Vitalzwecken Endzwecke neuer Art: ihr Inhalt ist geistige Verwirklichung, — darum sind sie als geistige Endzwecke und Selbstzwecke zu bezeichnen.

Selbstzweckhaftes dieser Art wurden insbesondere
— in der Religion: Teilhabe an dem in der religiösen Lehre Ausgesagten, religiöses Denken, Lehren und Sichauseinandersetzen (soweit sie nicht lebensdienlich-kulturhaft sind),
— in der Philosophie und den Wissenschaften: Erkenntnis, Wissen, Darstellen, Lehren und Sichauseinandersetzen (soweit sie nicht lebensdienlich-kulturhaft sind),
— in der Kunst: Kunstschaffen und Kunsterleben (soweit sie nicht von Vitalzwecken her bestimmt sind),
— auf den übrigen Leistungsfeldern: als eigenwert erlebtes Tun, Einsehen und Teilhaben.

3.10   Das selbstzweckhafte Geistige, das innerhalb des Kulturhaften entstanden ist, bleibt nicht auf die Verwirklichung des Einzelnen als solche beschränkt, sondern beeinflußt auch die zwischenmenschlichen Beziehungen. Es wird zwischen den Geistig-Aktiven ein In-geistiger-Wechselwirkung-Stehen, das sich zu Gemeinsamkeit und Gemeinschaft, die an sich selbstzweckhaft ist, entfalten kann.

Hierin wurzelt das Geistige-Erfüllung-Sein der Ehe, der Freundschaft, auch der Bekanntschaft und sogar der kurzen, aber erhellenden, anregenden Begegnung, auch der mehr oder weniger große Personenvielheiten umfassenden weiten Gemeinschaften wie Glaubensgemeinschaft, Nation und sogar Menschheit, in denen der Wissende ja immer geistige Gemeinsamkeit erleben kann.

3.11 Viele Kulturerzeugnisse und -leistungen sind in Hinsicht auf geistige Selbstzwecke dienend: denn die geistig eigenwerte Verwirklichung erfordert zumeist Mittel und Hilfen, und diese sind fast immer kulturhafter Art. Beispiele: der Wissensfreund braucht Bücher, der Forscher Instrumente, der Gottsucher eine Kirche oder ein Kloster.

3.12 Bei viel tatsächlich bestehendem Kulturhaftem ist unbestimmt, ob es in Hinsicht auf Vitalzwecke oder auf geistige Selbstzwecke mittelhaft und dienend sein wird. Beispiel: Tempel und Kirchen werden von sehr vielen Gläubigen bloß dazu benützt, die Götter oder Gott um naturhaftes Wohlergehen anzuflehen, andern aber sind sie Stätten der geistigen Erhebung.

3.13 Zusammenfassung: Es gibt Zwecke und Werte der folgenden Hauptarten:
A. Zwecke:
I. Endzwecke:
1. Vitalzwecke,
2. geistige Selbstzwecke;
II. mittelhafte Zwecke (sie sind größtenteils kulturhaft, da sie fast immer Gegenstand von geistiger Tätigkeit und Verwirklichung sind):
1. mittelhafte Zwecke im Dienste der Vitalzwecke,
2. mittelhafte Zwecke im Dienste der geistigen Selbstzwecke,
3. mittelhafte Zwecke, die sowohl Vitalzwecken wie geistigen Selbstzwecken dienen können;
B. Werte:
I. Eigenwerte:
1. naturhafte Eigenwerte (mit den Vitalzwecken verbunden),

2. geistige Eigenwerte (mit den geistigen Selbstzwecken verbunden);
II. mittelhafte Werte (mit den mittelhaften Zwecken verbunden).

3.14 Obwohl die kulturhaften Zwecke und die mit ihnen verbundenen Werte nicht wie die Vitalzwecke und -werte im
naturhaften menschlichen Wesen begründet sind, können sie
doch — durch besondere geistige Anlagen der Einzelnen oder
durch Kultureinflüsse bewirkt — Inhalt von Zwecke-und-Werte-
Strukturen werden; zumeist bilden sie dann den kulturhaften
Teil von umfassenderen, auch Vitalzwecke und -werte enthaltenden Zwecke-und-Werte-Strukturen.

3.15 Nicht immer sind jedoch die kulturhaften Zwecke und
Werte Teil von Zwecke-und-Werte-Strukturen: sehr häufig ist
das Ich in ihrer Anerkennung und Verfolgung oder Anwendung innerlich nicht gebunden, sondern steht ihnen in Freiheit,
die Wählen-und-Entscheiden-Können bedeutet, gegenüber.

Kulturentwicklung und Zweckereich

4.1 Die Kulturzwecke sind Teil der kulturellen und damit
der geschichtlichen Wirklichkeit: um ihre jeweiligen, insbesondere aber ihre jetzigen Inhalte zu erfassen, vergegenwärtigt man
sich mit Vorteil zunächst den allgemeinen Gang der Kulturentwicklung.

4.2 Die Kultur entfaltete sich während Jahrhunderttausenden
nur langsam; erst vor fünf bis sechs Jahrtausenden, also erst im
letzten Hundertstel der gesamten Menschheitszeit, gelangte sie
über den Stand der Primitivkultur hinaus und wurde Hochkultur. Entsprechend jung sind die höheren Kulturzwecke.
    Erst vor wenigen Jahrhunderten, also erst im letzten Tau-
sendstel der gesamten Menschheitszeit, begann der Aufstieg der
neuzeitlich-abendländischen wissenschaftlich-technischen Kultur.

Die Herrschaft der mit oder in der letzteren entstandenen besonderen Kulturzwecke hat also, geschichtlich gesehen, kaum begonnen.

4.3 Wichtigste Kulturleistungen der vorgeschichtlichen Menschen: Herstellung einfacher Geräte, Werkzeuge, Waffen, Kleider und Behausungen, Ackerbau und Viehzucht auf primitiver Stufe, Benützung des Feuers, einfacher Bergbau; einfache Gesellschaften mit ihren primitiven rechtlichen und sittlichen Normen, einigermaßen leistungsfähige Sprache, erster Glaube an Götter und entsprechende Kulte, auf Naturbeeinflussung gerichtete Magie, künstlerische Gestaltungen von teilweise hohem Rang.

Damit ist auch der Inhaltsbereich der kulturhaften Zwecke und Werte der vorgeschichtlichen Menschen umrissen.

4.4 Wichtigste Kulturleistungen in den Hochkulturen des Altertums und des Mittelalters und in den diesen wesensähnlichen Hochkulturen der Neuzeit: einigermaßen ergiebig gewordene Landwirtschaft, erhebliche Leistungsweite und -höhe von Handwerk, Verkehrswesen und Handel; Staaten von teilweise hoher Organisation, darunter Großstaaten, Recht von teilweise subtiler Differenziertheit; Sprache von teilweise reichster Ausdrucksfähigkeit, Schrift, und zur Mitteilung und Bewahrung des Geschriebenen: Tontafel, Schriftrolle, Buch; vielfältig ausgebildete religiöse Lehre und Praxis; teilweise hochentwickelte Philosophie (der jedoch die im modernen Sinne wissenschaftliche Erkenntnisgrundlage fehlte), Anfänge der Wissenschaften auf praktisch wichtigen Gebieten, Werke der Dichtung und der bildenden Künste von teilweise meisterlicher, ja vollkommener Gestaltung.

Wiederum zeigen die hauptsächlichen Kulturleistungen den Inhaltsbereich der Zwecke und Werte, — wobei die Verschiedenheiten der für die einzelnen Kulturen kennzeichnenden Leistungen auf Unterschiede in den die Einzelnen und Gruppen bestimmenden Zwecken und Werten schließen lassen.

4.5 Das in den Hochkulturen des Altertums und des Mittelalters Erreichte wurde in neuzeitlich-abendländischen Entwicklungen durch leistungsstärkeres Neues erweitert und zum Teil überlagert oder ersetzt: dies dank der Wissenschaft, der wissenschaftlichen Technik, der auf die wissenschaftliche Technik aufbauenden Wirtschaft und der von diesen drei Bereichen her stark beeinflußten modernen Staatsorganisation. Die große Gesamtleistung der neuzeitlich-abendländischen Kultur ist, daß auf hohen Stand gebracht wurden: die durch wissenschaftliche Forschung erarbeitete Wirklichkeitskenntnis und Denkkraft, die technische Ausrüstung auf allen Arbeitsgebieten, die Güter- und Leistungsproduktion und damit die Bedürfnisbefriedigung, Medizin und Hygiene (Folge: starke Bevölkerungszunahme), die politische und soziale Organisation, insbesondere die Wohlfahrtsorganisation und das Erziehungswesen, schließlich die Einrichtungen des künstlerischen Bereiches.

Dementsprechend hat das Zwecke-und-Werte-Reich der neuzeitlich-abendländischen Menschen erhebliche Erweiterungen und Veränderungen erfahren.

4.6 Es sind zwei Typen von Hochkultur zu unterscheiden:
— erstens derjenige der Hochkulturen des Altertums und des Mittelalters: er ist durch das Vorherrschen des nicht-wissenschaftlichen Denkens und der nicht-wissenschaftlichen Technik gekennzeichnet;
— zweitens derjenige der neuzeitlich-abendländischen Hochkultur: sein wichtigster Wesenszug ist, daß in ihm das wissenschaftliche Denken und die wissenschaftliche Technik den Großteil der Verwirklichungen bestimmen.
Entsprechend diesen Verschiedenheiten der Wesenszüge bestehen Verschiedenheiten der Zwecke und Werte.

4.7 Die neuzeitlich-abendländische Hochkultur ist von den Hochkulturen des Altertums und des Mittelalters und auch von den mit diesen wesensgleichen außer-abendländischen Hochkulturen der Neuzeit in der Leistungskraft stark verschieden; auf zumindest vier Teilgebieten ist sie ihnen hoch überlegen: in den Wissenschaften, der Technik, der Wirtschaft, im Staat.

Von der neuzeitlich-abendländischen Kultur aus gesehen, erscheinen die übrigen Hochkulturen als im wesentlichen gleichartig, nämlich als in den Wissenschaften, der Technik, der Wirtschaft und dem Staatlichen unentfaltet: die nicht-modernen Hochkulturen lassen sich so in ihrer Gesamtheit als die »Hochkulturen der ersten Stufe« auffassen, auf welche die neuzeitlich-abendländische Kultur als die »Hochkultur der zweiten Stufe« gefolgt ist.

Wahrscheinlich werden innerhalb der letzteren im Laufe der Zeit Differenzierungen entstehen und sich so aus der »Hochkultur der zweiten Stufe« (Einzahl) »Hochkulturen der zweiten Stufe« (Mehrzahl) herausbilden. Dieser Differenzierungsprozeß ist wohl schon jetzt im Gange: Besonderheiten der Entwicklungen in Westeuropa, in Nordamerika, in Rußland und Osteuropa, in Japan. Und sicher wird die neuzeitlich-abendländische Kultur bei ihrer Verpflanzung nach den »Entwicklungsländern« mancherlei Wandlungen erfahren. — Vereinfachend wird im folgenden immer nur von »Hochkultur der zweiten Stufe« gesprochen.

Bei der Betrachtung der in der geschichtlichen Wirklichkeit vorhandenen Zwecke und Werte sind die beiden Hochkulturtypen gesondert zu behandeln, da ihre Zwecke-und-Werte-Bereiche in Wesentlichem verschieden sind.

4.8 Der Übergang von der ersten zur zweiten Hochkulturstufe war in Westeuropa ein zwar geschichtlich rasches, aber doch sich durch Jahrhunderte hinziehendes Geschehen: er ist im 17. Jahrhundert deutlich erkennbar und dürfte jetzt in die Nähe des Abschlusses gekommen sein.

Schneller setzte und setzt sich das Neue der neuzeitlich-abendländischen Kultur in Nordamerika, in Südafrika, Australien und Neuseeland, in Rußland und Japan und in den »Entwicklungsländern« durch.

Verschieden schnell verliefen oder verlaufen damit auch die Wandlungen im Bereiche der Zwecke und Werte.

4.9 Für uns, die wir der hochentfalteten neuzeitlich-abendländischen Kultur angehören, ist ein genauer geschichtlicher Ort

26

bestimmbar: dieser ist die Zeitstelle, an welcher der Mensch zur Meisterschaft in der Umwelt- und Eigenweltbeherrschung und zu den dieser entsprechenden Zwecken und Werten gelangt ist.

DIE ZWECKE IN DEN VORGESCHICHTLICHEN PRIMITIVKULTUREN

5.1   Die geistigen Vermögen des Menschen entstanden in zufälliger Lebensentwicklung. Erhalten und später vom Menschen selber erweitert wurden sie aber, weil sie sich als vorzügliche Mittel der Lebensbehauptung erwiesen.

5.2   Anfänglich war das Geistige nicht begrifflich-klar, sondern gefühlshaft und auf Erfahrung abgestellt.

Hauptinhalte des durch Gefühle gelenkten und durch Erfahrung allmählich erweiterten Vorstellens und Denkens, Wertens und Zielsetzens, Wollens und Handelns der Primitiven waren: Dinge, Geschehnisse und Zustände, die mit der Ernährung, mit dem Schutz vor Kälte und Nässe, mit Gesundheit und Krankheit, mit dem Schutz vor Gefahren, mit dem Kampf gegen Feinde, mit dem Besitz, mit Gattenwahl und ehelichem Leben, mit dem Wohlergehen der Kinder, mit der Erhaltung und Wohlfahrt der Gruppe, mit dem Zusammenwirken mehrerer Gruppen, mit der Herrschaft über Unterworfene zusammenhingen.

Alle diese Inhalte stehen im wesentlichen unter den Vitalzwecken und -werten: die Primitivkultur ist fast ausschließlich mittelhaft in bezug auf die Vitalzwecke.

5.3   Die inhaltliche Weite und Vielfalt der primitiven Kulturleistungen ist noch klein; die lebensdienlichen Kulturzwecke, die von den Primitiven verwirklicht werden, sind einfach und wenig zahlreich, — entsprechend gering ausgebildet sind die Werte.

5.4   Aus der Entfaltung der geistigen Vermögen ergaben sich mit der Zeit Beschränkungen in bezug auf die Befriedigung des Naturhaften.

Schon der frühe Primitive sieht ein, daß nicht jeder alle seine Triebe ungehemmt gewähren lassen kann, wenn der lebenswichtige Zusammenhalt der Gruppen gewahrt werden soll. Es werden Verhaltensregeln aufgestellt, die der Einzelne, weil er sie von Kind auf angenommen hat, zumeist für selbstverständlich richtig hält und darum freiwillig befolgt, bei deren Nichtbeachtung aber Strafe, bis zu Ausschluß aus der Gruppe und Tötung gehend, droht.

Diese bewußt gesetzten Verhaltensmaßregeln ersetzen zunehmend die unbewußten Triebbeschränkungen, welche der Urmensch von seinen tierischen Vorfahren übernommen hatte und welche in der Tierwelt zur Ausbildung gelangt waren, weil für die Erhaltung jeder höheren Tierart einige Rücksichtnahme unter den Artgenossen unerläßlich ist.

5.5   Bei den späteren vorgeschichtlichen Primitiven dürften viele der verfolgten Zwecke und der mit diesen verbundenen Werte und Regeln in religiöse Vorstellungen — ebenfalls primitiver Art — eingebettet gewesen sein: in Vorstellungen über Mächte, die das Naturgeschehen und das Menschenleben bestimmen, Vorstellungen zunächst animistischen Inhaltes, dann aber sich zu Geister- und vielleicht sogar zu frühestem Götterglauben wandelnd. Die Endergebnisse der vorgeschichtlichen Religionsentwicklung sehen wir in den ältesten Glaubensannahmen der Hochkulturreligionen.

Somit wird die Zweckverfolgung schon in vorgeschichtlicher Zeit mit religiösen Handlungen verbunden gewesen sein, d. h. mit Handlungen zur Beeinflussung der unsichtbaren Mächte, von denen das für die Menschen wichtige Geschehen abhängig gehalten wurde. Im Streben, diese Mächte zu beeinflussen, mag auch schon die Meinung wirksam gewesen sein, der Mensch sei fähig, auf sie, etwa durch Opfer, Zwang auszuüben und sich so ihre Hilfe zu sichern.

Nicht zu bezweifeln ist, daß die frühen religiösen Vorstellungen und Handlungen von großem praktischem Nutzen waren. Der allmählich bewußt werdende Mensch ist in einer Gefahr, der die Tiere wegen der Undeutlichkeit und Enge ihrer Bewußtheit nicht ausgesetzt sind: sich als einer übermächtigen

Feindwelt gegenüberstehend, ja preisgegeben zu erleben. Das Religiöse, aus dem er die Überzeugung gewinnt, er könne auf die das Naturgeschehen lenkenden Mächte seinerseits einwirken, beschränkt oder beseitigt diese Gefahr: es schafft ein Gegengewicht gegen die Urgefühle des Schwach- und Bedrohtseins, es macht ihn gegenüber seiner Umwelt und darum auch in seinem Handeln sicher.

5.6 Indem der geringe Ausbildungsgrad von Wissen und Können, die Starrheit der Verhaltensregeln und die Armut dem Primitiven kaum Möglichkeiten lassen, in seinem Wollen und Tun von Bekanntem abzuweichen, sind seine Zwecke und Werte nicht nur auf der Ebene der Vitalzwecke, sondern auch auf derjenigen des lebensdienlichen Kulturhaften so verfestigt, daß sie Zwecke-und-Werte-Strukturen — deren Inhalt von Gesellschaft zu Gesellschaft variiert — bilden.

5.7 Fast ausschließlich steht die Primitivkultur unter der Herrschaft der Vitalzwecke, — aber doch nicht vollständig. In geringem Umfange sind auch in ihr schon geistige Selbstzwecke wirksam; am deutlichsten feststellbar ist das bei den Gegenständen, denen die Hersteller eine für die bloße Nützlichkeit nicht nötige künstlerische Form gaben.

Daß wohlgeformte, verzierte Geräte, Schmuckgegenstände, kleine Plastiken und — Höchstleistung der vorgeschichtlichen Kunst — Felsmalereien geschaffen wurden, läßt auf eine Erweiterung des Gefühlsbereiches schließen: es sind hier wertbetonte Gefühle wirksam, die nicht mehr an die Befriedigung der naturhaften Bedürfnisse, sondern an Schauen und Schaffen von Gefällig-Gestaltetem anknüpfen, — es beginnen Schönheitserleben und Freude am formenden Tun. Daß jenes bei den Herstellern, den frühen Künstlern am deutlichsten war, ist anzunehmen; aber schon in der Anfangszeit wird vom Erleben der Schaffenden manches auf die Betrachtenden übergegangen sein.

5.8 Anzunehmen ist, daß schon in vorgeschichtlicher Zeit auch das Hören einen geistig-selbstzweckhaften Bereich erhielt: daß sich das Hören, ursprünglich nur lebensnützliche Schallwahrnehmung, differenzierte, indem die Fähigkeit entstand, einzelnes Gehörtes als ansprechend und sogar schön zu empfinden, d. h. mit dem ursprünglichen Empfinden ein formwertendes Fühlen zu verbinden. Von Einfluß wäre hierbei gewesen, daß im menschlichen Zusammenleben Melodie und Rhythmus stimmungschaffend wirken. Ähnlich wie bei den Primitiven der Gegenwart mag schon bei vorgeschichtlichen Menschen, vor allem in Verbindung mit religiösen Handlungen, Tanz und Kampf, gesungen und gespielt worden sein, — und schon damals mag sie einzelnen Tonfreudigen Augenblicke eines geistig-selbstzweckhaften Erlebens gegeben haben.

5.9   Zu vermuten ist weiter, daß sich bei den späteren vorgeschichtlichen Primitiven in den das Zwischenmenschliche betreffenden Gefühlen Neues erhob: die Bestattungsgebräuche zeugen von bewußter Angehörigenbeziehung, in welcher die Einzelnen sich als miteinander verbunden erlebten.

5.10   Jedenfalls die späteren vorgeschichtlichen Primitiven hatten religiöse, d. h. das Unsichtbare deutende und mit dem Menschen in Beziehung bringende, Vorstellungen und Annahmen: Glauben an Geister und vielleicht Götter vor allem. Wenn auch dieses frühe Religiöse seinem Ursprung und seinem hauptsächlichen Inhalt nach Mittel zur Verwirklichung der Vitalzwecke war, so mußte doch irgendeinmal das (vermeintliche) Wissen von der Welt und den Göttern als hoch und erhebend erlebt werden: frühen Denkern mußte aufdämmern, daß solches Nachsinnen und solche Einsicht nicht nur nützlich, sondern an sich von Wert und Würde sind und darum als Selbstzweck betrieben oder erstrebt zu werden verdienen. Schon in vorgeschichtlicher Zeit kann die Wurzel entstanden sein, aus der später das geistig-selbstzweckhafte Suchen und Finden der Theologen und Philosophen wuchs.

5.11   Und die Verbindung von einigermaßen hell und weit bewußt gewordenem Fühlen, auf höheren Stand gebrachter Sozialbeziehung, schönheiterfassendem Empfinden, malerischem und musikalischem Gestalten und religiösem Denken und

Handeln wird schon in den vorgeschichtlichen Primitivkulturen der vielleicht frühesten Kunstart erhebliche Bedeutung gegeben haben: dem Tanz.

Auch der Tanz ist ursprünglich Mittel im Dienste von Vitalzwecken, insbesondere der Verbindung der Geschlechter und der Zwecke des Gemeinschaftslebens, — aber auch in ihm mag sich schon lange vor dem Beginn der Hochkulturzeit ein Selbstzweckbereich künstlerischen und religiösen Inhaltes und damit geistiger Ausrichtung entwickelt haben.

5.12 Durch die Entfaltung von Geistig-Selbstzweckhaftem wird in den Zwecken und Werten des vorgeschichtlichen Primitiven, wenn auch erst in nur geringer Ausbildung, ein Bereich höheren Wesens und Ranges.

Dies bedeutet die Erweiterung der ursprünglich nur die Vitalzwecke und -werte enthaltenden Zwecke-und-Werte-Strukturen: das frühe selbstzweckhafte und eigenwerte Geistige wird entweder — wohl weitaus überwiegend — durch die kulturelle Besonderheit der Gruppe in die Einzelnen gleichprägender Weise oder — wohl viel seltener — für Außergewöhnlich-Befähigte durch Begabung, Interesse und Betätigung in individuelle Inhalte verfestigt.

Zudem mag es schon in vorgeschichtlicher Zeit Menschen gegeben haben, die in ihrem Denken, Wollen, Suchen und Tun innere Freiheit von einiger Reichweite hatten.

5.13 Übersicht der Endzwecke des vorgeschichtlichen Primitiven:

I. Vitalzwecke:

1. des Selbsterhaltungsbereiches: Ernährung, Schutz vor Wetterunbilden, Erhaltung und Wiederherstellung der Gesundheit, Abwehr von Gefahr, Schutz vor Feinden, Sieg über Feinde, Besitz,
2. des Fortpflanzungsbereiches: geschlechtliche Vereinigung, Ehe, Kinderhaben, Aufziehen der Kinder, Wohlergehen der Familie,
3. des Sozialbereiches außerhalb der Familie: Geborgenheit in der Gruppe, Führungsstellung der Führungsbegabten, Sieg

in Verteidigung und Angriff, Wohlergehen der Gruppe, Herrschaft;

II. geistige Selbstzwecke:

1. des Kunstbereiches: Schaffen und aufnehmendes Erleben von sehbarem und hörbarem Schönem, Tanz,
2. der Religion: Denken religiösen Inhaltes, Teilhabe an der nach religiöser Vorstellung aufgefaßten Welt,
3. eigenwerte Verbundenheit mit Familienangehörigen und Freunden.

Mit allen diesen Zwecken waren — wahrscheinlich größtenteils nur undeutlich bewußte — Werte verbunden.

Zu wiederholen ist, daß die Endzwecke und die mit ihnen verbundenen Werte weitgehend zu Zwecke-und-Werte-Strukturen verfestigt waren, deren geistiger Inhalt wohl zumeist durch die kulturelle Eigenart der Gruppe bestimmt wurde.

DIE ZWECKE IN DEN HOCHKULTUREN
DER ERSTEN STUFE

Das Neue

6.1 Nach Jahrhunderttausenden der sich nur langsam entfaltenden Primitivkulturen setzte in einigen Ländern eine tief-
greifende und verhältnismäßig rasche Wandlung ein, durch die
Wesentlich-Neues entstand: es beginnt die Zeit der Hochkulturen, d. h. der Kulturen, in denen viele Menschen dank ihren
geistigen Vermögen zu Bewußtheit von erheblicher Weite und
Genauigkeit und zu Handelnkönnen von beträchtlicher Leistungskraft gelangen — und in denen, gestützt auf solche Fähigkeiten Einzelner, vielerlei Gegenstände, Einrichtungen, Ideen
und Normen geschaffen werden.

Die wohl entscheidende Bedingung für diese Wandlung war
die Ablösung der letzten Eiszeit durch die gegenwärtige Warm-
zeit. Klimaänderung ermöglichte einigen in langer Vorgeschichte zu beträchtlichem Kulturstand gelangten Primitivvölkern
die Fruchtbarmachung geeigneter Gebiete (Flußländer), damit
verbunden die Vergrößerung der Menschenzahl und die Bildung von Gesellschaften, in denen höhere Arbeitsteilung und
technische Fortschritte viele Einzelne befähigten, sich erfolgreich mit schwierigen Aufgaben zu befassen.

6.2 Das Neue, durch das sich die Hochkulturmenschen von
ihren primitiven Vorgängern im geistigen Wesen unterschieden,
bestand in der größeren — natürlich nicht gleichmäßigen, sondern zwischen den Einzelnen vielfach abgestuften — Leistungskraft des Vorstellens und Denkens, des Wollens und Handelns.
Die Hochkulturmenschen sind, mit vielen individuellen Verschiedenheiten, gegenüber den Primitiven vorstellungsstärker,
denkstärker, willensstärker, tatstärker.

6.3 Größere Leistungskraft des Vorstellens: dieses wurde heller bewußt, deutlicher, inhaltlich vielfältiger.

Das zeigt sich in den Mythen, Sagen, Dichtungen, in denen Berichtende und Zuhörende einer vielfältigen, lebensvollen Welt von Göttern und Geistern, guten und bösen, und von Menschen verschiedenster Prägung begegnen.

Es zeigt sich in den Werken der bildenden Kunst: was vom Künstler gestaltet wird, muß von ihm vorstellend gefaßt sein und wirkt auf die Vorstellung der Betrachter.

Es zeigt sich in den Fortschritten auf staatlichem, wirtschaftlichem und technischem Gebiet: Ziele und Wege müssen vorstellend vorgenommen werden.

6.4 Größere Leistungskraft des Denkens: das Denken wurde heller bewußt, deutlicher, inhaltlich vielfältiger und weitgreifender, — dazu genauer, schärfer, begrifflicher.

Dies wirkte sich vor allem im Praktischen aus: ebenfalls im Staatlichen, im Technischen und im Wirtschaftlichen. Die Hochkultur brachte den mehr oder weniger weitgehend durchgebildeten Staat, mit Regierenden, Verwaltungsorganen, Recht, Gerichten und Heer; sie brachte technische Großwerke und vielerlei technische Neuerungen in Landwirtschaft, Handwerk und Gewerbe, in Straßenverkehr und Schiffahrt; sie brachte den gegenüber der vorgeschichtlichen Zeit stark erweiterten Handel und das Geldwesen: in alledem wirkte mehr oder weniger weitgreifendes, tiefdringendes, erinnerungsstarkes, scharfes und klares Denken, das sich schon früh der Schrift als des Mittels für Festhaltung und Mitteilung bediente und von ihr her wiederum gefördert wurde.

Von praktischen Bedürfnissen gingen die frühen Wissenschaften aus, in denen an das Denken besonders hohe Anforderungen gestellt wurden: Geometrie und Arithmetik, Geographie, Astronomie, Medizin, Baukunde, Rechtskunde. Und das Denken selbst wurde Gegenstand der Wissenschaft: Logik.

6.5 Neben dem Denken, das sich mit Dingen der Natur oder der Gesellschaft, oder mit Mathematischem oder Logischem, also mit Feststellbarem und Nachprüfbarem befaßte, entfaltete sich das spekulative, das Wesen und Ursprung der Welt und die Stellung des Menschen in ihr zu ergründen hoffte, — jedoch kam es wegen der geringen Ausbildung der Tatsachenkenntnis nicht über das zu-erraten-suchende Ausdenken, Vermuten und Behaupten hinaus: es blieb größtenteils mit dem mythischen Vorstellen verbunden und schuf mit diesem zusammen religiöse oder religiös-philosophische Gedankensysteme.

6.6   Auf dem Gebiete des Religiösen, d. h. der Beschäftigung mit dem das Menschenschicksal bestimmenden Unsichtbaren, das schon die späteren Primitiven durch Annahme von Geistern und vielleicht von Göttern zu erfassen versucht hatten, wirkte sich die weiter und stärker gewordene Denkkraft des Hochkulturmenschen darin aus, daß die Primitivvorstellungen erweitert, vertieft, veredelt oder durch neue Annahmen ersetzt, daß die so entstandenen Glaubensauffassungen in systembildendem Denken durchgearbeitet und daß ihnen mannigfache praktische Anwendungen gegeben wurden: so erhoben sich allmählich die Großkomplexe der Hauptreligionen mit ihren Theologien, Philosophien und Kultlehren.

Und innerhalb jedes Religionkreises strahlte das religiöse Denken ins Außerreligiöse aus: ins Staatliche, Technische und Wirtschaftliche, ins nichtreligiöse Wissen, in die Kunst, — und, den Alltag wohl am stärksten beeinflussend, ins Gemeinschaftsleben, dessen ursprüngliches, naturhaftes Wesen durch Gebote religiös-geistigen Inhaltes veredelt und erweitert wurde.

6.7   Mit dem, was die Menschen tun oder lassen sollen, befaßte sich das moralische Denken, das wegen seiner lebenspraktischen Wichtigkeit zu den ältesten Denkweisen gehört.

Zumeist war es im Religiösen gegründet und mit diesem verbunden; mitunter fehlten ihm aber die religiösen Voraussetzungen, ja es konnte zur religiösen Deutung des Menschseins in Gegensatz stehen. In beiden Fällen war seine Hauptaufgabe, den Menschen für ihre individuelle und gemeinschaftliche Lebenserfüllung Ziele, Wege und Verhaltensweisen zu empfehlen.

Vom moralischen Denken her wurde das Leben der Einzelnen und der Gesellschaften geregelt, geordnet, diszipliniert, —

und dies wiederum wirkte auf die geistigen Vermögen zurück: Disziplin macht geistig stark.

6.8 Größere Leistungskraft des Wollens: dieses gewann an Wirkungsweite, Klarheit, Festigkeit und Zähigkeit.

Ohne leistungsstarken Willen der Führenden und vieler ihnen gehorchender Ausführender wären weder die Schaffung und der allmähliche Ausbau des Staates, insbesondere der Großreiche, noch die technischen Leistungen in Pyramiden-, Palast- und Tempelbau und auch nicht der Übergang von den Wirtschaftsweisen der Primitiven zu Landwirtschaft, Gewerbe, Handel und Geldwesen der Hochkulturen des Altertums möglich gewesen.

Und leistungsstarker Wille war unerläßlich im Schaffen der Führenden der Religion, der Denker, der Dichter und Künstler.

6.9 Größere Leistungskraft des Handelns: das Handelnkönnen und seine Anwendung werden weiter, vielfältiger, stärker, erfolgreicher.

In zahlreichen verschiedenen Sachgebieten wirkte sich dies aus: so im Anbau von Pflanzen und Halten von Nutztieren, in der Gewinnung von Baustoffen und Metallen, in der Errichtung von Gebäuden, Straßen, Kanälen, in der Herstellung von beweglichen Gütern wie Geräten, Waffen, Einrichtungsgegenständen, Fahrzeugen, Kleidern, Schmuck, im Transportwesen, in Handel, Geldwesen, Bankwesen; in Regierung, Rechtssetzung und Rechtsprechung, in Heerwesen und Krieg; im Wirken der Priester, Gelehrten, Dichter, Künstler und Erzieher.

6.10 Schon früh wurden von Dichtern und Künstlern Werke hohen Ranges, ja von Vollkommenheit geschaffen. Dies ist mit dadurch bedingt, daß das künstlerische Schaffen von auf Empfinden und Fühlen gestütztem frei-wirkendem Vorstellen ausgeht, — wogegen das wirklich überlegene Handeln in Staat, Technik und Wirtschaft als Grundlage die wissenschaftliche Wirklichkeitserfassung erfordert, welche erst nach mehreren Jahrtausenden der Hochkulturentwicklung in großem Umfange möglich wurde.

6.11   Die geistigen Vermögen sind zwar in ihrem Grundwesen durch die innerhalb des Tierreiches zum Menschen aufsteigende Entwicklung entstanden, aber ihre Leistungskraft, mit deren in den verschiedenen Hochkulturen erreichten besonderen Ausprägungen, ist immer auch Menschenwerk: Ergebnis einerseits des An-Aufgaben-Wachsens und Stärker-werden-Wollens der Vorwärtsdrängenden, anderseits der Erziehung, durch welche die Erreichnisse der Geistig-Führenden auf die Nachfolgenden übertragen wurden.

Menschenwerk ist nicht nur die Kultur, sondern großenteils auch das kulturschaffende Können der Menschen. Und soweit dies zutrifft, ist der Mensch der sich auf naturgegebenen Grundlagen selbst Schaffende.

Lebensdienliche Kulturzwecke

7.1   Bei den vorgeschichtlichen Primitiven war das Zweckereich noch wenig ausgebildet.

Bei den Menschen der frühen Hochkulturen dagegen werden die Zwecke zahlreicher, inhaltlich vielfältiger und differenzierter: wesentliche Auswirkung der Kulturentfaltung ist die Entfaltung des Zweckereiches.

7.2   Das wenig ausgebildete Zweckereich der Primitiven enthielt vor allem die Vitalzwecke sowie einfache mittelhafte Zwecke im Dienste der Vitalzweckverwirklichung; die Kulturzwecke — lebensdienliche und andere — waren erst gering ausgebildet.

Auch im Zweckereich der Hochkulturmenschen sind die Vitalzwecke die wichtigsten; aber es sind ihnen in großer Zahl und Vielfalt Kulturzwecke angelagert, darunter eine Fülle von lebensdienlichen, also in Hinsicht auf Vitalzwecke mittelhaften Kulturzwecken. Die hauptsächlichen Selbstzwecke sind immer noch: Essen und Trinken, Sichkleiden und Wohnen, Gesundbleiben und Wiedergesundwerden, Abwehr von Gefahren, Sieg über Feinde, Besitz, Verbindung mit dem andern Geschlecht,

Kinderhaben, Wohlergehen der Kinder, Sicherheit und ange-
messene Stellung in der Gesellschaft, allenfalls Geltung und
Macht, Wohlergehen und Macht des gesellschaftlichen Ganzen,
— auf diese Endzwecke hin ist jetzt jedoch ein ausgedehntes Netz
von mittelhaften Tätigkeiten und Einrichtungen angelegt, und
maßgebend sind hier viele erst in der Hochkulturzeit entstandene untergeordnete Zwecke und Werte.

7.3 Das erste wichtige Sachgebiet der im Dienste der Vitalzwecke stehenden mittelhaften Hochkulturerreichnisse und damit auch der lebensdienlichen Hochkulturzwecke und -werte ist
dasjenige der Technik und der Wirtschaft: hier werden die
lebensdienlichen Güter gewonnen, erzeugt, herbeigeschafft, bereitgestellt und verteilt, und die lebensnützlichen Dienste vorbereitet und vollzogen.

7.4 Das zweite dieser Sachgebiete ist dasjenige des Staates und
der Politik: hier wird einer mehr oder weniger großen Stadt-
oder Landesbevölkerung Ordnung, Sicherheit und einiger Wohlstand, vielleicht auch die Herrschaft über andere Menschengruppen gegeben, — dies zumeist unter Wahrung einer bevor-
zugten Stellung für die Mächtigen und die ihnen Nahe-
stehenden.

7.5 Das dritte dieser Sachgebiete ist dasjenige der Religion:
der Großteil des religiösen Denkens, Wollens und Tuns ist durch
Vitalzwecke bestimmt. Worum man betend zu den Göttern
fleht, wozu man sie in frommer Handlung gnädig zu stimmen
— und mitunter zu zwingen — trachtet, ist zumeist Zweck, der
auch im Wirtschaftlichen und Staatlichen wirksam ist: Deckung
drängender Bedürfnisse, Gesundheit, Sicherheit, Sieg über
Feinde, Zwecke des Liebeslebens, Gedeihen von Familie und
Volk, Geltung und Macht. Und gleiches Zweckstreben ist am
Werk, wo man böse Geister oder Götter fernzuhalten oder zu
vertreiben sucht.

7.6 Viertens stehen die frühen Einzelwissenschaften — im
Unterschied zur Philosophie als der »Gesamtwissenschaft« —

größtenteils im Dienste der Vitalzwecke: Geometrie und Mathematik, Baukunde, Rechtskunde, Medizin.

Geometrie und Mathematik: Anwendung in der Landvermessung, im Handwerk, im Handel.

Baukunde: Anwendung bei Bauten, die ihrerseits in der Hauptsache Vitalzwecken dienen. Dies gilt auch für Tempel und Kirchen, insofern das religiöse Tun, dessen Stätte sie sind, in erster Linie von der Sorge um Dinge der Vitalsphäre eingegeben ist.

Rechtskunde: Regelung des sich großenteils auf der Ebene der Vitalzweckverwirklichung vollziehenden Zusammenlebens der Einzelnen und Gruppen.

Medizin: Dienst an der Gesundheit und damit der Lebenserhaltung.

7.7 Und fünftens steht die Kunst teilweise in enger Verbindung mit den Vitalzwecken: soweit sie Ausdruck des Vitalerlebens ist, erfüllt sie das Vorstellungsreich der Ausübenden und Betrachtenden mit entsprechenden Inhalten, was einerseits bewußtheits- und willenssteigernd auf das tatsächliche Vitalerleben wirken, andererseits dieses ersetzen kann. Zudem gibt es Kunstausübung und -betrachtung, die unmittelbar ins Vitalerleben, insbesondere das erotische und soziale, überleiten können: Tanz, Musik, Rezitation.

Auch die religiöse Kunst wird häufig in den Dienst an der Vitalzweckverwirklichung gestellt: indem die Gläubigen durch sie den Göttern näherkommen, deren Hilfe sie für jene Verwirklichung erhoffen.

7.8 Die in den Hochkulturen bestehende Vielfalt der lebensdienlichen Kulturzwecke bewirkt, daß die Einzelnen, in mehr oder weniger großem Umfange, immer wieder zwischen mehreren konkreten Zwecken, die gleicherweise realisierbar sind, und zwischen verschiedenen Verfahren und Mitteln der Zweckverwirklichung wählen können. Soweit dies zutrifft, besteht Freiheit der Zielwahl und der Verfahrens- und Mittelwahl.

7.9 Die Verwirklichung der lebensdienlichen Kulturzwecke zwingt die Ausführenden häufig zu diszipliniertem Verhalten: zu straffer Einordnung und zu beharrlicher Arbeit. Dadurch werden Zwecke, die ablenken würden, zurückgestellt, und zwar sowohl Endzwecke wie mittelhafte Zwecke.

Das Ich erhält so eine selbständigere Stellung insbesondere gegenüber den naturhaften Gefühlen und Trieben und den von ihnen her bestimmten Vitalzwecken. Das lebensdienliche kulturhafte Tun, obwohl auf die Vitalzweckverwirklichung gerichtet, bewirkt hier, daß die ursprüngliche Macht der Vitalzwecke abgeschwächt wird. Beispiel: Arbeitsbedingungen und -anforderungen bringen den frühen ägyptischen Bauern zu Überlegung und Selbstbeherrschung hinsichtlich der Befriedigung seiner Vitalbedürfnisse.

7.10 Zum Teil ist die für die Verwirklichung der lebensdienlichen Kulturzwecke nötige Disziplinierung in die allgemeine Moral eingebettet, auch kann sie durch religiöse oder rechtliche Vorschrift gefordert sein, — wobei häufig das Soziales ordnende religiöse Gebot selbstverständliche Rechtskraft hat und umgekehrt die Rechtsbestimmung religiös begründet ist. Beispiele: frühe Vorschriften über Eigentum und Erwerb, über Konflikte zwischen Einzelnen oder Gruppen, über Beziehungen zwischen Mann und Frau, Eltern und Kindern, über die Pflichten der Untergebenen und Führenden, über die Pflicht zum Kriegsdienst.

Solche Gebote üben Zwang auf den Verpflichteten aus, — aber dieser wird durch sie, gerade indem er ihnen gehorcht, seinem Ursprünglich-Naturhaften gegenüber allmählich selbständiger und freier.

7.11 Anderseits kann dank den Erfolgen des lebensdienlich-kulturhaften Tuns die Vitalzweckverwirklichung Steigerungen in Richtung auf Raffinement und Luxus erfahren: so beim Essen und Trinken, in bezug auf Kleidung und Schmuck, Haus und Einrichtung, im Erotischen, in bezug auf Geltung und Macht. Häufig werden hier die naturhaften Lüste verfeinert und damit veredelt.

7.12   Auch schafft die Hochkultur für manche die Möglichkeit, der Vitalzweckverwirklichung besondern Umfang zu geben: an die Stelle der gewöhnlichen Mahlzeit tritt das Gelage, der dem Nötigen entsprechenden Kleidung das reich geschmückte Luxusgewand, des einfachen Hauses der Palast, der beschränkten Mann-Frau-Beziehung die Vielweiberei, des für die Befriedigung der Lebensbedürfnisse ausreichenden Wohlstandes der Großbesitz, des Ansehens bei den Nächsten der Ruhm bei vielen, der Führungsstellung in kleiner Gruppe die Macht im Großstaat.

7.13   Insbesondere ist es die Entwicklung des Gesellschaftlichen, die in Vitalzweckstreben und -verwirklichung den Schritt vom Kleinen zum Großen erlaubt. Dies hat seinen Hauptgrund darin, daß die einigermaßen großen Bevölkerungen, in denen die Hochkulturen sich entfalteten, eine umfangreiche und durchgreifende staatliche Organisation nicht nur möglich, sondern auch nötig machten. Deren Führer bekommen erhebliche Macht und benützen sie auch zur Durchsetzung ihrer eigenen Zwecke. Jeder Führer befindet sich in einer Doppelstellung: er ist Vertreter und Förderer der Gemeinschaftsansprüche, — aber er hat auch seine eigenen Ansprüche und seine Macht ermöglicht ihm, sie wirksam zu verfolgen.

Unter den seit den frühen Hochkulturen auftretenden Mächtigen waren manche Träger ungehemmten Vitalzweckeverwirklichens, — ihre Lebensführung gibt über die Inhalte der Vitalzweckestruktur vielerlei Aufschlüsse.

7.14   Ins Große gesteigert werden durch die Entwicklung des Kulturellen auch die Ansprüche und Erfolge von mächtig gewordenen Völkern als Gesamtheiten: dank ausreichender Volkszahl, wirksamen Sachmitteln, hoher Geisteskraft der Führer und diszipliniertem Einsatz der Untergebenen können in der Hochkulturmenschheit Machtkämpfe begonnen und siegreich beendet werden, die an Ausdehnung und Schwierigkeit alles Kampfgeschehen der vorgeschichtlichen Menschheit und der Tierwelt bei weitem übertreffen.

7.15 Mit allen lebensdienlichen Kulturzwecken sind Werte verbunden: Nützlichkeit und Zweckmäßigkeit im allgemeinen, dazu Wirtschaftlich-Wertvollsein im Wirtschaftlichen, Gerechtigkeit im Staatlichen und Heiligkeit im Religiösen, — die letzten drei, soweit sie sich aus dem In-Hinsicht-auf-Vitalzwecke-Dienstbarsein ergeben.

7.16 Die lebensdienlichen Kulturzwecke und die mit ihnen verbundenen Werte sind nicht wie die Vitalzwecke unmittelbarer Ausdruck der Menschennatur, also gehören sie nicht wie diese zu einer im naturhaften Menschenwesen gegründeten Zwecke-und-Werte-Struktur.

Jedoch können sie unter der Einwirkung von Erziehung, Gewöhnung, Sitte, religiöser Vorschrift und Recht zu — kulturhaften — Wesenseigenheiten werden. Es entstehen so Zwecke-und-Werte-Strukturen mit einem mehr oder weniger weiten und vielfältigen Bereich von lebensdienlichen Zwecken und Werten kulturhafter Art.

Neben solcher innerer Bindung gibt es in weitem Umfange das Nichtgebundensein, die Freiheit: viele Einzelne sind im Bereiche des lebensdienlichen Kulturhaften hinsichtlich der Zielwahl einerseits, der Verfahrens- und Mittelwahl anderseits mehr oder weniger weitgehend frei.

Geistige Selbstzwecke: Religion

8.1 Die Vitalzwecke sind innerhalb der End- und Selbstzwecke das Ur- und Kerngebiet. Aber schon in den Primitivkulturen werden die Grenzen dieses Kernbezirkes überschritten und in den Hochkulturen finden wir einigermaßen weit gewordene, durchgebildete Neugebiete: Bezirke von eigenwerten Erfüllungen geistigen Inhaltes, — von geistigen Selbstzwecken.

Es sind zwei solche Neugebiete, welche in den Hochkulturen der ersten Stufe zu besonders hoher Ausbildung gelangen: Religion und Kunst. In mehreren andern Gebieten — Wissenschaft, Technik, Wirtschaft, Staat — setzt sich die weitgreifende

Entwicklung erst in der modernen, neuzeitlich-abendländischen Kultur durch.

8.2   Die Religion ist ursprünglich und die meisten Religionen bleiben ihrem Hauptwesen nach ein Ganzes von Vorstellungen, Auffassungen, Einrichtungen und Handlungen, die Vitalzwecke verwirklichen helfen sollen, — eben wegen dieses Dienstes wird ihnen große praktische Wichtigkeit beigemessen. Aber darüber hinaus wird sie allmählich von eigener, höherer Würde: sie bringt den Gläubigen mit den schicksalsbestimmenden Mächten, deren Wirklichsein er annimmt, in denkende und handelnde Verbindung, — sie läßt den sich klein und schwach und sterblich wissenden Menschen letztlich am Höchsten der Welt teilhaben. Das bewirkt, daß mancher Einzelne solches Denkend-und-Handelnd-in-Verbindung-Sein, dieses Am-Höchsten-Teilhaben für wichtiger und würdiger hält als die von den jenseitigen Mächten unterstützte Vitalzweckverwirklichung: aus dem Glauben erheben sich neuer Daseinssinn und neue Ziele der Lebenserfüllung.

8.3   Das selbstzweckhafte Am-Höchsten-Teilhaben der Gläubigen geschieht in erster, grundlegender Verwirklichung so, daß schöpferische Gläubige — Glaubensschöpfer — sich des den weltlenkenden Mächten zugeschriebenen Wesens bewußt werden und von diesem aus die Welt und den Menschen deuten.
    Es handelt sich hiebei nicht um Erkenntnis im wissenschaftlichen Sinn: sondern um das Schaffen von Glaubensinhalten, in welchem sich frei-wirkendes Vorstellen und zu-erraten-suchendes Behaupten zusammentun, also um Geistestätigkeit, deren Ergebnis nicht auf die Übereinstimmung mit einem Wirklichen geprüft wird.

8.4   Da die Schaffung von religiösen Glaubensinhalten in frei-wirkendem Vorstellen und zu-erraten-suchendem Behaupten geschieht, wirkt sich in diesen Inhalten das Persönliche der schöpferischen Gläubigen stark aus. Und die so entstehenden Glaubensbesonderheiten und -verschiedenheiten können lange bestehen bleiben, denn bedeutende religiöse Schöpfermenschen sind selten und zudem behält meistens das einmal herrschend gewordene Religiöse während langer Zeit eine breite Anhängerschaft.

Eben darum haben sich Hauptreligionen entwickelt, die in ihren Glaubenslehren — und auch in den Zwecken und Werten — stark voneinander abweichen.

8.5 Religionsschöpferische Tätigkeit gibt dem sie ausübenden Menschen zumindest in seiner Selbstauffassung besondere Würde: in ihr ist, was einst als bloße Vorsorge für die Vitalzweckverwirklichung begann, die Bemühung geworden, das Ganze und das Höchste der Wirklichkeit zu erfassen, — und das Ergebnis ist die Gewißheit, über die schicksalsbestimmenden Mächte Klarheit gewonnen zu haben und im Menschenreich Stimme des Helfenden, Rettenden, Erhöhenden geworden zu sein.

8.6 Gewißheit, Stimme des Helfenden, Rettenden, Erhöhenden zu sein kann bedeuten: Gewißheit, Stimme der Götter oder eines Gottes oder des einen, einzigen Gottes zu sein, — am stärksten ausgeprägt und geistesgeschichtlich von der größten Auswirkung war sie bei den Stiftern der theistischen (d. h. das Dasein von Göttern oder des einen Gottes als das für den Menschen Entscheidende betrachtenden) Hauptreligionen.

Solche Gewißheit war aber auch der Kraftquell von Religionsschöpferischen, die sich innerhalb eines von Religionsstiftern offenbarten Glaubens hielten, diesen aber in Wesentlichem ausbauten oder neugestalteten, — was häufig zu Richtungsabspaltungen führte.

Jeder Träger dieser Gewißheit weiß sich auserwählt und begnadet, sein Gegenstand sind die letzten und höchsten Dinge der diesseitigen und der jenseitigen Welt, er versteht sich selbst als zur Verkündigung der für die Menschheit wichtigsten Einsichten berufen, — daraus werden in seiner Selbstauffassung Sinn, in seinem Wollen und Tun Ziele, durch sein Verwirklichen Freude, welche von ganz anderer Art sind als das in der Vitalzwecksphäre Maßgebende oder Erreichte.

Und der (Subjektives betreffende) Wert dieser tätigen Selbsterfüllung wird durch den (als objektiv bestehend aufgefaßten) Wert der Lehre oder Verkündigung als solcher ergänzt: diese ist für den Religionsschöpferischen das bleibende, an sich wertvolle Ergebnis seines Wirkens — und für die nachfolgenden Gläubigen ist es höchstes, wichtigstes Menschheitsgut.

8.7 Nicht für alle Religionsschöpfer war das Zentrale die Gewißheit, Stimme des Göttlichen zu sein.

Buddha verkündete die Lehre von einem nicht nur die Natur und den Menschen, sondern auch die Götter bestimmenden Weltgesetz. Und er sprach nicht als Offenbarer eines Gottes oder der Götter zu Gottes- oder Götteruntertanen, sondern als ein dank der Kraft seines Denkens und Wollens schicksalsüberlegen gewordener Mensch zu Menschen von zumindest der Möglichkeit, gleich schicksalsüberlegen zu werden.

Konfuzius befaßte sich als ein früher Moralphilosoph in erster Linie mit Gesellschaft und Staat, in denen er Schicksalsmächte am Werk sah.

Warum wurden diese beiden Großen trotzdem zu Religionsstiftern? Weil sie ihre Anhänger lehrten, sich zu den schicksalsbestimmenden Mächten richtig einzustellen: Religion ist nicht nur die Lehre von Gott oder Göttern, sondern allgemein von den schicksalsbestimmenden Mächten.

Und auch für die weitere Ausbildung dieser Religionen bedurfte es nicht des Abstellens auf Göttergebote: das Nachdenken über das Weltgesetz und die richtigen Ziele und Wege war das Weiterführende.

Die Selbstauffassung dieser von unpersönlichen Mächten und Gesetzen kündenden Religionsschöpferischen muß wesentlich anders gewesen sein als diejenige der Offenbarer des Göttlichen: es fehlte die Gewißheit des Wichtigseins der Götter oder Gottes und es fehlte die Überzeugung vom göttlichen Offenbarungsauftrag, — dafür stand das helfenwollende Denken in Freiheit den Schicksalsmächten gegenüber.

Aber auch hier: eigenwertes Geistiges jenseits alles Natürlich-Menschlichen mußte in solchem Suchen und Lehren wirken, — wie anders als alles Vitalzweckbestimmte ist insbesondere die Rangbewußtheit, welche die Reden Buddhas durchzieht.

46

8.8   An die Verkündigungen der Religionsstifter und Richtungsbegründer schließen sich die Darlegungen der Denker an, welche die anerkannten Hauptlehren auslegen, ergänzen, erweitern und auf die praktisch wichtigen Fragen von Einzelleben und Gesellschaft anwenden. Hiebei ist »Wissenschaft« in dem Sinne möglich, daß von für-wahr-gehaltenen Grundannahmen ausgehend Begriffe gebildet, Folgerungen denkrichtig abgeleitet und Systeme geschaffen werden.

Auch dieses Denken bewegt sich auf dem Felde der Fragen und Antworten, die für die letzten und höchsten gehalten werden; der Denkende erlebt es als über den Dingen des gewöhnlichen Menscheninteresses stehend. Das Bestimmende ist auch hier das Gefühl einer besondere Würde gebenden Pflicht gegenüber einem Gott oder dem einzigen Gott oder den Göttern, als der hohen Aufgabe, das Göttliche zu vertreten, — oder gegenüber den Menschen, denen es zu helfen gelte. Diese Pflicht wird als das Sinnbestimmende, ihre Erfüllung als die wertvollste Lebensleistung aufgefaßt; wird sie erfüllt, so erhebt sich Freude religiös-geistiger Art, Freude jenseits aller Vitallust.

Und wiederum wird das Ergebnis als an sich, als unabhängig vom Gutfinden Einzelner Wertvolles verstanden: an sich wertvolles Erreichnis jenes tätigen Denkens und an sich wertvolles Geistesgut der Gläubigen, ja der Menschheit.

8.9   Was die Religionsstifter und Richtungsbegründer festgestellt und die interpretierenden Denker geklärt haben, muß von den Gläubigen — möglichst vielen Gläubigen — aufgenommen und angewandt werden: also schließt sich ans Lehre-Schaffen das Lehre-Verbreiten an, das die Aufgabe von Priestern und Lehrern ist. Auch dieses Tun hat seine Schaffensseite: es geht hier aber nicht mehr um die Schaffung von Glaubensinhalten und religiös-praktischen Regeln, sondern um die Schaffung von Glaubensgefolgschaft.

Und wiederum besteht Religiös-Geistiges selbstzweckhafter Art: Sinn aus der Pflicht gegenüber der himmlischen Macht oder den Menschen, — Freude, verbunden mit der getreulichen, erst recht der erfolgreichen Ausführung des Verbreitungsauftrages, — Wert des in der Lehreverbreitung liegenden Erreichnisses.

8.10 Der Gläubige erfährt in der Begegnung mit dem Göttlichen oder dem Weltwesen von Seinsweisen, die entweder für ihn selbst vorbildlich und verpflichtend sind (im Falle des hohen, guten Göttlichen) oder dem gegenüber er sich in Freiheit behaupten soll und kann (im Falle von bösem Göttlichem oder zu überwindendem Schicksal). Auch hier entsteht Geistig-Selbstzweckhaftes: Verwirklichung und Wirklichkeit des Vorbildlichen im Rahmen des dem Menschen Möglichen — oder Befreiung und Freisein vom Schlechten und Bösen. Und Teil der religiös bestimmten geistig-eigenwerten Erfüllung ist die Freude, die das erfolgreiche Fortschreiten solcher Selbstgestaltung begleitet.

8.11 Die höchsten der Götter oder der eine Gott werden als allwissend und allverstehend vorgestellt: es wird ihnen die Fähigkeit beigemessen, in vollkommen hellem, klarem, umfassendem, alles-durchdringendem Geiste die ganze Wirklichkeit, jegliche Möglichkeit und natürlich auch alles Logische gegenwärtig zu haben. Solche Vollkommenheit des Bewußtseins kann der Mensch nicht erreichen: aber er vermag in der Richtung auf sie zu beachtlicher Höhe zu gelangen, — zumal unter der Voraussetzung, daß die Welt so einfach und leicht faßbar sei, wie es die Religionsschöpfer annahmen.

8.12 Die höchsten der Götter oder der eine Gott werden als vollkommen weise vorgestellt: als nicht nur allwissend, sondern auch in ihrem Wissen alles Menschliche und jedes Außermenschliche mit richtigstem Maße beurteilend. Auch die Allweisheit liegt außerhalb der Möglichkeiten des Gläubigen: innerhalb dieser aber ist Weisheit, welche der unter dem Göttlichen Stehende tatsächlich gewinnen kann.

8.13 Einige höchste Götter oder der eine Gott werden als vollkommen gut, gütig und barmherzig aufgefaßt. Wiederum ist für den Gläubigen zwar die Vollkommenheit solchen Seins unerreichbar, jedoch bei aller Beschränktheit die zu beachtlicher Höhe gelangende Annäherung ans Vollkommene möglich.

Weil das Wollen und Tun dieses Inhaltsbereiches sich im Verhalten gegenüber andern Menschen auswirkt, erfahren hier die naturhaften Beziehungen von Mensch zu Mensch eine Wandlung: gütig und barmherzig sein bedeutet insbesondere, im Nächsten und im andern überhaupt die wertvollen Möglichkeiten erkennen, die im Menschen liegen, und jeden um dieser Möglichkeiten willen achten, ja lieben.

Und freundlicher kann die Einstellung zu den Tieren werden: mancher Gläubige sieht auch in ihnen Gottesgeschöpfe, denen mit Güte zu begegnen Pflicht ist.

8.14 Der Gläubige, der seinem Gott oder seinen Göttern begegnet, erfährt vom göttlichen Willen und den göttlichen Zielen. Und indem er sich unter diesen Willen und diese Ziele stellt, erfährt er sich selbst als einen Mitverwirklicher des Göttlich-Gesetzten.

Manches, das in solcher Haltung erstrebt und ausgeführt wird, hat unmittelbar oder mittelbar Vitalzweckverwirklichung zum Inhalt, so der Dienst an der Wohlfahrt der Nächsten oder des Volkes. Trotzdem kann darin selbstzweckhaftes Geistiges liegen: nämlich Leistung an sich, als eigenwerte geistige Erfüllung, — vor allem aber Leistung unter göttlichem Gebot, welches den Tätigen zum Mitarbeiter der himmlischen Macht erhebt.

Manches dagegen hat Selbstzweckhaft-Geistiges anderer Menschen zum Inhalt, so ihre Teilhabe am Göttlichen. Hier ist das vom göttlichen Willen bestimmte Tun zweifach Geistig-Eigenwertes bewirkend: es ist für den Handelnden selbst geistig-eigenwerte Leistung — und es ermöglicht oder erleichtert den Nutznießern geistig-eigenwerte Erfüllung. (Immerhin läßt sich auch der Dienst an Vitalzweckhaftem anderer Menschen als Förderung von deren Selbstzweckhaft-Geistigem verstehen: weil alle Wohlfahrt die Grundlage von Geistigem sein kann.)

Solche religiöse Einstellung zu den Mitmenschen kann dazu führen, daß die Gemeinschaft für den Gläubigen zu einem Hauptfeld des geistig-selbstzweckhaften Seins wird: Ehe und Familie, Freundschaft, Beziehung zum Nächsten überhaupt, ja zu allen Menschen bekommen dann Geistig-Eigenwertes zu wichtigem Inhalt. Es ist darum auch mancher Große der Religion groß vor allem durch sein In-Gemeinschaft-Treten, Gemeinschaft-Verwandeln, Neue-Gemeinschaft-Schaffen.

8.15 Das Streben nach der Verwirklichung göttlichen Wesens kann sich schließlich auf die Vorstellungen von »ewigem Leben« und »Seligkeit« beschränken.

Die Annahme vom Weiterleben nach dem Tode entstand schon in späteren Primitivkulturen. Mitgewirkt haben dürfte dabei das allmählich bewußter werdende Streben nach Selbsterhaltung, — Weiterleben nach dem Tode ist zeitlich unbegrenzte Selbsterhaltung.

Ursprünglich wird das Leben nach dem Tode als ein fortdauerndes Sein unter den Vitalzwecken verstanden, und noch die Hochreligionen geben vielen Gläubigen Anlaß, sich fürs Jenseits eine möglichst anziehende Mischung von Vitallüsten zu versprechen. Wo aber an ein hohes geistiges Wesen Gottes oder der Götter geglaubt wird, da kann die erwartete Seligkeit einen andern Inhalt bekommen: Teilhabe am Göttlich-Geistigen, — manche Gläubige erfahren sich nur so, aber immerhin so, als zu eigenwerter Geistigkeit Bestimmte.

8.16 Hoffnung auf geistig erfülltes Sein im Jenseits kann aufs Diesseits zurückwirken: indem der Gläubige sich bemüht, hier und jetzt wenigstens einen kleinen Teil der Teilhabe am Göttlich-Geistigen denkend und erlebend vorwegzunehmen.

Und solche Hoffnung kann die Einstellung des Gläubigen zu seinem Nächsten beeinflussen: wer im Menschen den zu hoher Jenseitserfüllung Bestimmten sieht, muß ihm schon hier und jetzt hohen Wert zuerkennen.

8.17 Anders ist das Jenseitsziel nach der Lehre Buddhas: nicht ewiges Weiterleben in vollendetem Glück naturhafter oder geistiger Art, sondern Erlöschen des individuellen, aus seinem Wesen leidvollen Daseins, Nirwana.

Versteht man unter geistigem Sein individuell-bewußtes, so ist im Nirwana keine höchste Geistigkeit möglich, auch nicht Teilhabe am Göttlich-Geistigen als höchste individuelle Erfüllung. Trotzdem wohnt dem Buddhismus starke vergeistigende Kraft inne: sie entsteht in der Befassung mit der Lehre wie in der Ausführung des Lebenspraktischen, das den Strebenden über Stufen tatsächlicher Geistigkeit dem Ziele entgegenleiten soll.

8.18 Seligkeit oder Daseinserlöschung ist zunächst Ziel des Einzelnen als eines auf sein eigenes Heil Bedachten und in diesem Sinne Selbstsüchtigen.

Aber die Lehre gilt nicht nur für einen einzigen, sondern für viele — Auserwählte — oder sogar alle. Was der Gläubige für sich selbst erstrebt, muß er darum auch als Ziel und Recht vieler oder aller anerkennen. Und es kann sein, daß ein Einzelner das Heil der andern für wichtiger hält als sein eigenes: in höchster Steigerung dieser Einstellung wird das Sein des Heiligen. Hier erhebt sich das vielleicht schönste aller religiösen Vorstellungsbilder: der Bodhisattva, — der Sehr-Hohe, der ins Nirwana eingehen könnte, aber darauf verzichtet, um andern Menschen in ihrem Aufstieg beizustehen.

8.19 Das göttliche Sein, dessen die an sich selbst die höchsten Ansprüche stellenden Gläubigen jedenfalls im Jenseits, vielleicht aber auch, beschränkt, schon im Diesseits teilhaftig zu werden hoffen, ist in seinem Wesen anders als das vitalzweckbestimmte Sein. Der einen höheren Daseinssinn Suchende wird sich dessen um so mehr bewußt, als er im Naturhaft-Menschlichen ein ihn Bindendes, Niederhaltendes erlebt; die Folge ist, daß er sich, mehr oder weniger bewußt und entschieden, gegen das Naturhafte als ein Unteres, Niedriges oder gar Schlechtes, Böses wendet. Dabei wirkt mit, daß in religiösem Denken Leib und Seele als wesensverschieden und trennbar aufgefaßt werden und die Meinung besteht, die Seele werde erst nach dem Tode des Leibes zu ihrer Vollendung gelangen.

Nach solcher Auffassung erfordert die Hinwendung der Seele zu ihrem göttlichen Ziel den Kampf gegen das Naturhafte: dadurch wird die Loslösung des Ichs aus der Urherrschaft der Vitalzwecke gefördert, — am deutlichsten zeigt sich dies in dem auf hohe religiöse Geistigkeit gerichteten Asketentum.

8.20   Jedoch ist aus dem Glauben auch eine andere Einstellung zum Naturhaften und zu den Vitalzwecken möglich: das »Leibliche« kann als göttlich-geschaffen und mit diesem Ursprung entsprechender Würde geadelt verstanden werden. Hauptbeispiel: religiöse Hochschätzung des naturhaften Wesens (also nicht oder nicht nur des Geistig-Selbstzweckhaften) von Ehe und Familie.

8.21   Nicht immer und nicht in allem wird aus der Begegnung mit dem Göttlichen oder Heiligen die Verpflichtung zu entsprechender Selbstgestaltung abgeleitet. Teilweise beschränkt sie sich auf das Betrachtend-Teilhaben: der Gläubige steht dann der in der Religion gelehrten Wirklichkeit als ein mehr oder weniger intensiv interessierter Zuschauer gegenüber — und er findet in eben diesem Zuschauen eigenwerte Erfüllung.

Jedoch ist das Betrachtend-Teilhaben in manchen mit Selbstgestaltung und vielleicht auch Leistung religiösen Inhaltes verbunden: die selbstzweckhafte religiöse Erfüllung kann so gleichzeitig oder nacheinander in verschiedenen Grundhaltungen vollzogen werden.

8.22   Zumeist gehört der Gläubige einer Gruppe an, aus welcher er mannigfache Anregungen empfängt und in welcher er selbst von einigem Einfluß ist. Trotzdem kann der Sinn seiner geistig-selbstzweckhaften Verwirklichung ganz in ihm selber liegen: die Gruppe ist dann in Hinsicht auf diese Verwirklichung dienend.

Manchmal aber ist die Gruppenbeziehung gewichtiger, bedeutender: wenn der Einzelne sich in seiner geistig-selbstzweckhaften Verwirklichung nicht als ein Ich, sondern als einem Wir angehörend versteht und die eigene Erfüllung als Teil einer umfassenderen und zugleich wertvolleren Gemeinschaftserfüllung erlebt. Religiös-bestimmte Tätigkeit ist dann wirhaftes Gemeinschaftstun, betrachtende Teilhabe am Göttlichen wirhafte Gemeinschaftsteilhabe. Beispiele: Mönchsgemeinschaft, Gemeinschaft von Priester und Gemeinde.

8.23 Und indem der Einzelne sich in seinem Verhalten gegenüber andern Einzelnen und der Gemeinschaft als solcher unter dem göttlichen Willen oder sonstwie unter religiösem Gebot weiß, wandelt sich häufig sein Gemeinschaftserleben als Ganzes: Geistiges wird auch dort bestimmend, wo ursprünglich die Vitalzwecke vorherrschend waren und noch immer stark sind, also in Ehe, Familie, Freundschaft, Kameradschaft, im Bürgersein, im Dienst für Volk und Staat.

8.24 In den meisten Hochkulturen der ersten Stufe ist das Religiöse Teil der für selbstverständlich richtig gehaltenen Überlieferung. Und Erziehung, Teilnahme am Kirchlichen, Sitte, öffentliche Meinung und Gesetz halten die Gläubigen so sehr innerhalb des Hergebracht-Anerkannten, daß Glaubensabweichungen auf wenige Selbständigdenkende beschränkt bleiben.

Auch die Zwecke und Werte des religiös-geistigen Bereiches sind darum großenteils in die die Einzelnen bestimmenden Zwecke-und-Werte-Strukturen eingegangen: es gehört zum festen seelischen Wesen fast aller Gläubigen, entsprechend ihrem Glauben zu wollen und zu urteilen.

Und je nach Art und Intensität der religiösen Einflüsse auf das Vitalzweckhafte ist in den religiös-bestimmten Zwecke-und-Werte-Strukturen der Vitalbereich gegenüber dem Primitivzustand verändert.

8.25 So wichtig die selbstzweckhaften religiösen Verwirklichungen hier erscheinen mögen: es ist zu wiederholen, daß das Religiöse auch Mittel zur Vitalzweckverwirklichung sein kann und es sehr verbreitet tatsächlich ist. Dies häufig sogar bei Gläubigen, die eigenwertes Religiöses erstreben: indem sie zweischichtig sind, — so mag ein Priester zugleich, oder abwechselnd, Heiligkeit um ihrer selbst willen und eine hohe kirchliche Stellung um der Macht willen zu erreichen trachten.

8.26 Auf die Ziele des religiösen Denkens und Tuns hin wurden in den verschiedenen Hochkulturen der ersten Stufe mehr oder weniger weit ausgebaute Bereiche von Mittelhaftem ge-

schaffen: bis zum Großtempel oder Dom, bis zu den höchst-
ausgebildeten theologischen Systemen, bis zu hochorganisierten,
mächtigen, reichen Kirchen und Orden.

Entsprechend sind in großer Zahl und Vielfalt Zwecke entstanden, die in Hinsicht auf übergeordnetes Religiöses mittelhaft sind; mit ihnen sind, gleich wie mit andern mittelhaften
Zwecken, Nützlichkeits- und Zweckmäßigkeitswerte verbunden.

8.27 Gesamtleistung der Hochkulturen der ersten Stufe auf
dem Felde der Religion: es wurden alle für die bisherige Geistesgeschichte wesentlichen Religionssysteme geschaffen, — und es
wurden Menschen herangebildet, in deren geistigem Wesen
religiöse Selbstzwecke und Eigenwerte bestimmend waren.

Geistige Selbstzwecke: Kunst

9.1 Die Kunst, das zweite Selbstzwecke-Neugebiet, das in den
Hochkulturen der ersten Stufe einen weiten und durch manche
Einzelleistungen die Vollkommenheit erreichenden Ausbau er-
fährt, steht großenteils mit der Religion in Verbindung und ist
mannigfach auf sie bezogen: als Darstellung der Götter, Geister,
Heiligen, — auch der Dämonen und Teufel — und ihrer Hand-
lungen; in der Errichtung und Ausschmückung von Tempeln,
Kirchen, Klöstern, Priesterpalästen; in der Herstellung von
Kunstgegenständen, Büchern, usw.

Und aus solcher aufs Religiöse bezogener Kunst — religiöser
Kunst — ergeben sich Selbstzwecke und Eigenwerte sowohl für
die Kunstschaffenden wie für die die Kunstwerke Betrachtenden.

9.2 Beim Künstler, der — werkschaffend oder ausführend-
darbietend — Religiös-Künstlerisches gestaltet, kann selbstzweckhaft sein, daß ein nach dem Glauben bedeutendes Irdisches
oder Überirdisches sinnlich-wahrnehmbar oder einfühlend-
erlebbar gemacht wird. Damit begegnet er dem dargestellten

54

Göttlichen oder Heiligen oder auch Dämonisch-Bösen als ein Tätiger: er wird zu einem helfenden Bildner des jenseitigen Guten oder zu einem Warner vor dem diesem Guten entgegenstehenden Bösen.

Und eben weil in der religiösen Kunst das Aus-dem-Glauben-Tätigsein wichtig ist, gibt es einfache und im Ästhetischen nicht hervorragend gelungene Kunstwerke, die ansprechen, ja ergreifen: sofern sich in ihnen starke tätig-gewordene Gläubigkeit ausdrückt.

9.3 Wie macht der Künstler den religiösen Inhalt sinnlich-wahrnehmbar oder einfühlend erlebbar?

Erstens: indem er ihn durch Zeichnung, Gemälde oder Skulptur darstellt.

Zweitens: indem er aus dem religiösen Erleben heraus ein Gebäude oder einen Raum — Tempel, Kirche, Andachtsraum — gestaltet (wobei zur Ausschmückung häufig Bilder und Statuen verwendet werden).

Drittens: indem er ihn als Dichter oder Sprechend-Darsteller in sprachliche und damit für Zuhörer oder Leser teils sinnlich-vorstellbare, teils einfühlend-erlebbare Form bringt.

Viertens: indem er ihn durch Musik ausdrückt, dadurch in Ausübenden und Hörern religiöses Erleben weckend oder steigernd.

Fünftens: indem er ihn als Tänzer verkörpert.

Sechstens: indem er Bild, Bau und Raum, Sprachdarstellung, dazu häufig auch Musik und Tanz zu einem Gesamtkunstwerk religiösen Inhaltes vereinigt: religiöses Theater.

9.4 Unter den Meistern der religiösen Kunst waren manche, welche in ihrem Gestaltenschaffen den im Glauben verehrten oder gefürchteten Mächten in ähnlicher Unmittelbarkeit und Tiefe begegneten wie die Religionsschöpfer. Sie waren es, welche die innerlich-echtesten und darum überzeugendsten, ergreifendsten Gestalten schufen.

Größer aber ist die Zahl derjenigen, welche ohne tiefes eigenes Erleben Religiöses gestalteten, — dabei zumeist bekannte Formen mehr oder weniger meisterhaft wiederholend.

9.5   Das Werkschaffen oder Darstellend-Aufführen religiösen Inhaltes kann für den Künstler in vier verschiedenen Richtungen Eigenwert haben und also Selbstzweck sein:

— er erfährt das Göttliche oder Heilige, indem er es gestaltet (oder das Widergöttliche, wodurch er auf das Göttliche gelenkt wird);

— er erlebt sich selbst als Träger des dargestellten (oder des dem gestalteten Schlechten entgegengesetzten) Göttlichen oder Heiligen;

— er erlebt das künstlerische Tätigsein und Erfolghaben als an sich wertvoll;

— er versteht das Werk oder die Aufführung als an sich wertvoll.

9.6   Fast alle religiösen Kunstwerke und -darbietungen sind dazu bestimmt, bei Betrachtern miterlebende Aufnahme zu finden. Letztere kann für den Gläubigen selbstzweckhaft und eigenwert sein: als eine Hauptweise der als Sinn des Menschseins verstandenen Begegnung mit den schicksalsbestimmenden Mächten, mit dem Göttlichen und dem Heiligen vor allem, — und als eine Hauptweise auch der Begegnung mit dem im Göttlichen und Heiligen begründeten Richtigen, Guten von Einzelleben und Gemeinschaft.

Zwar ist die Kunst nicht unerläßlich, um den Inhalten der religiösen Vorstellungen und Lehren lebendige Gegenwärtigkeit zu geben, — aber sie kann dazu in erheblichem Umfange beitragen: in den Hochkulturen der ersten Stufe, in denen das Lesenkönnen nicht Allgemeingut war, kam hier insbesondere der bildenden Kunst größte Bedeutung zu.

9.7   Allerdings sind selbst bei stark ausgeprägtem Glauben das religiös-künstlerische Schaffen und Aufnehmen nicht nur eigenwert und selbstzweckhaft.

Der Künstler schafft nicht nur, um dem Göttlichen oder Heiligen zu begegnen und es zu preisen: er übt auch seinen Beruf aus und ist hiebei von Erwerbsabsicht geleitet; Streben nach Ruhm kann außerdem antreibende Kraft sein. Und seinen Auftraggebern geht es mitunter nicht nur um die Ehre der Himmlischen, sondern auch um das Ansehen ihres Staates, ihrer Stadt oder ihrer selbst.

Dazu haben die meisten Werke der religiösen Kunst einen Nützlichkeitswert: als Gebäude, die zu Kulthandlungen benützt werden, als Raumschmuck, als Kultgegenstände.

9.8   Andern Inhaltes und Sinnes als die religiöse Kunst ist die weltliche. Zumeist gestaltet hier der Künstler Dinge und Vorgänge der irdischen Wirklichkeit: in seinen Werken begegnen die Betrachter der Wirklichkeit diesseits des Göttlichen und Heiligen. Jedoch steht die weltliche Kunst häufig — soweit nämlich das Irdische als durch Überirdisches bedingt vorgestellt wird — in mehr oder weniger enger Verbindung mit der religiösen.

9.9   Die Gegenstände der weltlichen Kunst lassen sich in drei Hauptgruppen unterteilen: Geschichtliches, gegenwärtiges oder allgemeines Menschliches, Natur, — wobei häufig Inhalte der einen Gruppe mit solchen einer oder beider andern verbunden sind.

Geschichtliches kann als bedeutend aufgefaßt und darum künstlerisch dargestellt werden, weil es die Gegenwärtigen in der Vergangenheit verwurzelt und ihnen ihre Gewordenheit bewußt macht. Die Völker als Ganze gelangen, indem sie von ihrer Geschichte erfahren, zum Bewußtsein ihrer Eigenheit und Besonderheit, ihres Von-den-andern-Völkern-Verschiedenseins; solches Erfahren aber wird zunächst vor allem durch künstlerisch gestaltete Überlieferung bewirkt.

Gegenwärtiges oder allgemeines Menschliches ist Gegenstand der Kunst, weil es für Schaffende und Betrachtende ein unerschöpfliches Gebiet des Erlebens ist: des Sich-selber-Erlebens oder der miterlebenden Teilnahme an fremdem Geschick, die mit neugieriger Beobachtung von Äußerlichem beginnt, aber bis zur Vergegenwärtigung von Tiefst-Innerlichem gelangen kann.

Und die künstlerische Naturdarstellung enthüllt das Wesen des außermenschlichen Irdischen, das den Menschen zugleich trägt und bedroht. Noch in den Hochkulturen der ersten Stufe wurden die Kräfte dieses Wirklichkeitsbereiches weitverbreitet durch die Annahme von Geistern vorstellbar gemacht; dadurch entstanden mannigfache Verbindungen zur religiösen Auffassung und Kunst.

9.10   Unter allen Künsten ist die Dichtung diejenige, welche den weitesten Stoffbereich besitzt: der Dichter kann sich sowohl mit Vergangenem wie mit Gegenwärtigem, mit Allgemeinmenschlichem wie mit Besonderem von Einzelnen, mit den Dingen der belebten wie der unbelebten Natur befassen, er vermag seinen Gegenstand in all seiner inhaltlichen Vielfalt und bis in die letzten Feinheiten darzustellen, — weil er mit dem weitestreichenden, tiefstdringenden und beweglichsten Kunstmittel arbeitet: dem vorstellungsweckenden Wort.

Zeichnerisch, malerisch oder bildhauerisch läßt sich das in unbewegtem Bildwerk Faßbare darstellen: Vergangenes und Gegenwärtiges, Einzelmenschliches und Gesellschaftliches, Naturdinge und Naturgeschehen.

Bauten und Räume sind insofern Darstellung von Weltlichem, als sie seelische und gesellschaftliche Wirklichkeit ausdrücken: Selbstgefühl, Stolz, Kultiviertheit, Macht, Reichtum.

Für die Musik wird vor allem Seelisches »Inhalt«; sie kann aber auch Naturwirkliches hörbar und durch Hören erlebbar machen.

Durch Sehen und zumeist durch begleitendes Hören erlebbar werden Menschliches — gegenwärtiges oder vergangenes — und mitunter auch Naturwirkliches im Tanz.

Endlich die Theateraufführung: ihr weltlicher Hauptinhalt ist das Menschliche.

9.11.   Für den Künstler kann auch die Schaffung oder aufführende Darbietung von weltlichen Kunstwerken Eigenwert haben und Selbstzweck sein.

Eigenwert und selbstzweckhaft kann erstens die Begegnung mit dem Gegenstand, dem dargestellten Wirklichkeitsausschnitt sein: indem der Künstler in seinem schaffenden oder aufführenden Darstellen die Oberfläche des wenig differenzierten Ganzen, das die Welt für den Menschen zunächst ist, durchdringt und einen Wirklichkeitswinkel mit dem Licht des verstehenden, teilhabenden, miterlebenden Bewußtseins erhellt.

Eigenwert und selbstzweckhaft kann für den Künstler zweitens die künstlerische Leistung als solche sein. In ihr liegt, mehr oder weniger ausgeprägt, Schöpfertum: der Künstler bildet nicht einfach ab, sondern sein Darstellen ist ein Neues-schaffendes Gestalten, — wobei das geschaffene Neue zumindest im Ausdruck eines gegebenen Inhaltes, häufig aber in Inhalt und Ausdruck zugleich besteht.

Eigenwert und selbstzweckhaft ist für den Künstler drittens das Geleistete als solches. Denn indem das Werk verwirklicht ist oder die Aufführung vollzogen wird, ist die Weltwirklichkeit erweitert, bereichert: der Künstler ist ein Tätiger, der neues Wirkliches — gegenständliches oder, in der Aufführung, geschehenshaftes — schafft und so den Inhaltsreichtum der Wirklichkeit vergrößert.

9.12   In der künstlerischen Darstellung des weltlichen Themas liegt häufig die Auseinandersetzung mit ihm in Hinsicht auf die Erfassung, Heraushebung und Gestaltung seines Wesentlichen, — wobei dieses äußere Erscheinung oder physisches Wesen und Geschehen oder Psychisches oder Soziales sein kann.

Der Künstler kann das Wesentliche in drei verschiedenen Haltungen erfassen und gestalten:

— erstens in Heraushebung der Besonderheit des Darzustellenden,
— zweitens in Heraushebung des Typischen, das sich im Darzustellenden ausprägt,
— drittens in Heraushebung des Idealen, zu dem er, sich mit dem Darzustellenden auseinandersetzend, dank seiner gestaltenschaffenden Vorstellungskraft gelangt.

In allen drei Haltungen kann der Künstler vollgültiges Eigenwert- und Selbstzwecksein des Begegnens, Gestaltens und Ans-Ziel-Gelangens erleben, — immerhin wird die innere Befriedigung dann besonders intensiv sein, wenn die künstlerische Leistung in der Darstellung des Typischen oder Idealen besteht.

9.13 Den Betrachter führt das weltliche Kunstwerk oder die künstlerische Darbietung weltlichen Inhaltes zum erlebenden Erfassen eines Wirklichkeitsbezirkes: am Künstlerischen teilhabend hat er an Weltwirklichem teil. Das ist für ihn an sich wertvoll, wenn und soweit er das An-der-Welt-Teilhaben als Ziel und Sinn des Menschseins im allgemeinen und des geistigen Seins im besonderen versteht.

In den Hochkulturen der ersten Stufe sind die Kunstwerke für die Wirklichkeitserfassung insofern besonders wichtig, als die Wissenschaften erst wenig entwickelt sind. Beispiele: die Antike besaß keine wissenschaftliche Psychologie, aber manche dichterische Erhellung der seelischen Wirklichkeit, — auch keine Naturwissenschaften im modernen Sinne, aber eine umfassende Naturdarstellung in des Lukrez großem Lehrgedicht.

9.14 Zum Teil ist die im Kunstwerk (oder in der Aufführung) erfaßte Wirklichkeit ein Ziel-und-Wert-Bereich, — so wenn Liebe, Ehe, Freundschaft, Leistung fürs Vaterland Thema sind. Teilhabend begegnet der Betrachter Menschlichem, das er zu werten hat. Dies ist vielleicht schon als solches eigenwert; praktisch wichtiger aber ist, daß es Anlaß zur Besinnung auf das in Einzelleben und Gemeinschaft zu erstrebende Richtige, Gute — und insbesondere Geistig-Eigenwerte — wird. Auch die weltliche Kunst ist ein Hauptfeld der moralischen Menschenbildung.

9.15 Zudem kann für den Betrachter in der Begegnung mit weltlicher oder religiöser Kunst das Erfassen und Betrachten der künstlerischen Form als solches, d. h. ohne Beziehung auf den Inhalt, eigenwert und selbstzweckhaft sein: Erleben der als schön empfundenen Formen, Farben, Wortfolgen, Melodien und Klänge.

9.16 Schließlich haben wir — auch in den Hochkulturen der ersten Stufe — neben der nach ihren Gegenständen religiösen oder weltlichen Kunst die gegenstandslose, rein-formale: in Architektur, in ornamentaler Zeichnung, Malerei und Bildhauerei, in Musik und Tanz, — das Werk oder die Darbietung ist hier Formgestalt ohne inhaltliche Bedeutung oder Aussage.

Hier ist der Künstler nicht an einen Gegenstand gebunden, durch dessen Gestaltung er dem Betrachter den Zugang zu einem Wirklichkeitsbereich geben würde: es geht ihm darum, reine Formerscheinung zu schaffen und durch sie den Betrachter zu erfreuen oder sonstwie zu bewegen.

Immerhin ist die Grenze zwischen gegenständlichem und ungegenständlichem Künstlerischem nicht in jedem Falle scharf und klar: Architekturformen, Linien- und Farbkompositionen, Melodien und Klänge haben Stimmungsgehalte, welchen der Künstler häufig entweder in bewußter Absicht oder nur gefühlsmäßig Ausdruck gibt.

9.17 Wo aber beginnt in der Formung von Gegenständen oder in der Einrichtung und Ausführung von Veranstaltungen die Kunst? Die Übergänge sind fließend; zwischen dem eindeutig Künstlerischen und dem eindeutig Unkünstlerischen liegt das weite Feld des Kunsthandwerklichen, der Zeremonien und der Feste. Auch hier ist, mehr oder weniger stark und erfolgreich, Kunstsinn am Werk, — schaffender bei Herstellern, Gestaltern und mitwirkenden Teilnehmern, betrachtender bei Benützern, Zuschauern und Zuhörern.

9.18 Eigenwert und selbstzweckhaft kann auch das Gestalten von ungegenständlichem Schönem sein. Aus folgenden Gründen:
— weil die Auseinandersetzung mit den gestellten Formproblemen als an sich wertvoll erlebt wird,
— weil die gestalterische Leistung als solche für den Leistenden an sich wertvoll ist,
— weil das Gestaltete als ein schönes und darum an sich wertvolles Ding oder Geschehen gewertet wird.

Eigenwert und selbstzweckhaft kann das Betrachten von ungegenständlichem Schönen sein:
— weil es ein Schönes ist,
— weil es an Stimmungen teilhaben läßt.

Wann aber ist ungegenständliches Künstlerisches schön? Wenn es — mehr oder weniger klar bewußten — Formansprüchen des Wertenden entspricht.

9.19 Von der ungegenständlichen, rein-formhaften Kunst aus werden die Bedeutung und die Wirkung der Formseite der gegenständlichen — religiösen oder weltlichen — Kunst besser begreifbar. Formales in der Art der ungegenständlichen Kunst ist auch im gegenständlichen Künstlerischen und macht einen Teil von dessen Wirkung aus. Oft läßt sich das Formhafte vom Inhaltlichen einigermaßen klar trennen, — Beispiel: Rhythmus und Klang von Gedichten haben eine von der reinen sprachlichen Form ausgehende Wirkung (weshalb man von fremdsprachlichen Rezitationen, deren Inhalt man nicht versteht, beeindruckt werden und sogar ergriffen sein kann).

9.20 Sowohl in der religiösen wie in der weltlichen und der ungegenständlichen Kunst ist die selbstzweckhafte Erfüllung, zu welcher der Einzelne gelangt, mitunter nicht ichhaft, sondern wirhaft. Dies in der werkschaffenden oder darbietenden Leistung: Großbauten, Gemeinschaftswerke in Skulptur, Malerei und Dekoration, Theater-, Musik- und Tanzdarbietungen. Und im Betrachten: Teil eines kunstbegeisterten Publikums sein.

9.21 Ähnlich wie in der religiösen Kunst gilt auch in der weltlichen und ungegenständlichen, daß der schaffende oder darbietende Künstler nicht nur und häufig nicht einmal in erheblichem Maße durch geistige Selbstzwecke bestimmt ist: zumeist ist er ein Mann, der seinen Lebensunterhalt verdient und darum Aufträge ausführt.

Und den Betrachter bewegen die Kunstwerke, -erzeugnisse und -darbietungen bei weitem nicht immer so stark, daß die Betrachtung selbstzweckhaft würde: oft sind sie nur schmückendes Beiwerk oder angenehme Unterhaltung und mitunter werden sie nicht einmal klar bewußt aufgenommen.

9.22 Aus dem geistig-selbstzweckhaften Kunstschaffen, Kunstdarbieten und Kunstaufnehmen kann die Vitalzweckverwirklichung beeinflußt werden.

Erstens zurückdrängend, beschränkend: indem der Künstler oder Kunstfreund sich weniger um die Vitalzwecke kümmert, als er es ohne sein Kunstinteresse täte.

Zweitens veredelnd: indem der Leistende oder Betrachtende in den Vitalzweckverwirklichungen durch sein ästhetisches Erleben beeinflußt wird.

9.23 Auch die Selbstzwecke und Eigenwerte des künstlerischen Leistungs- und Betrachtungsbereiches können im Einzelnen so stark und fest, so wesensprägend werden, daß sie als zur Zwecke-und-Werte-Struktur ihres Trägers gehörend aufzufassen sind: sie bilden eine inhaltliche Erweiterung und Bereicherung der ursprünglichen Zwecke-und-Werte-Struktur.

Dabei können wegen des Einflusses des Künstlerischen auf den Vitalbereich die Vitalzwecke und -werte gegenüber dem ursprünglichen Zustand inhaltlich verändert oder von geringerem Gewicht sein.

9.24 Zwischen den Kulturen, innerhalb dieser zwischen den Kulturepochen und hier wiederum zwischen den Gesellschaftsschichten bestehen Verschiedenheiten in der Auffassung des Schönen und also der Ziele und Inhalte des künstlerischen Tuns.

Entsprechende Verschiedenheiten finden sich in den auf das Künstlerische bezüglichen Zielen und Werten der Zwecke-und-Werte-Strukturen.

9.25 Und wiederum entsteht ein besonderer Mittel-Bereich: das künstlerische Können muß gelehrt, die Sachmittel — Geräte und Materialien — müssen entwickelt und dann laufend hergestellt werden, Großarbeiten erfordern umfangreiche und vielgliedrige Arbeitsorganisation.

Im Zusammenhang damit entsteht ein Sonderbereich von mittelhaften Zwecken und damit verbundenen Werten.

9.26 Gesamtleistung der Hochkulturen der ersten Stufe auf dem Felde der Kunst: ein gewaltiger Reichtum von Werken vor allem der bildenden Kunst und der Dichtung wurde geschaffen — und es wurden Menschen herangebildet, in deren geistigem Wesen entweder künstlerische Leistungskraft oder Streben nach betrachtender Teilhabe an Künstlerischem bestimmende Kräfte waren.

10.1   Die Wissenschaft — als die von genauer Wirklichkeitsbeobachtung oder von formalen (logischen, mathematischen) Grundannahmen ausgehende, in begrifflichem und systematischem Denken beweisbare Erkenntnisse erarbeitende Durchforschung eines Sachgebietes, bei der alle Feststellungen, Voraussetzungen, Begriffe, Verfahrensweisen, Zwischen- und Endergebnisse jederzeit kritisch auf ihre Richtigkeit oder Zulässigkeit hin geprüft und gegebenenfalls verworfen werden können — war in den vergangenen und ist in den noch bestehenden Hochkulturen der ersten Stufe erst in beschränktem Maße entwickelt.

Am weitesten gelangte sie außerhalb der neuzeitlich-abendländischen Kultur dort, wo das forschende Denken von axiomatischen Annahmen ausgehen konnte: Geometrie, Mathematik, Logik. Auf mehreren Sachgebieten der Wirklichkeitserfassung wurden wenigstens bedeutende Anfänge geschaffen: Astronomie, Geographie, Physik, Botanik, Zoologie, Medizin, Staatslehre, Rechtslehre. (Aber es wurden auch Irrwege eingeschlagen: Alchemie, Astrologie, usw.)

10.2   Das wissenschaftliche Bemühen um Wirklichkeitserkenntnis wirkte zum Teil innerhalb der sich mit der Gesamtheit der Wissensgegenstände befassenden Philosophie: die alte Philosophie enthält vieles, das jetzt Gegenstand von Einzelwissenschaft ist.

Jedoch ist nicht alles auf diesem Gebiet unternommene philosophische Denken wissenschaftlich gemäß der oben gegebenen Begriffsbestimmung: häufig fehlen die genaue Wirklichkeitsbeobachtung, welche Voraussetzung aller empirischen Wissenschaften ist, und auch die kritische Einstellung. Erkenntnisstreben ohne ausreichende Beobachtungsgrundlage kann hier nicht mehr als zu-erraten-suchend sein; die Ergebnisse sind zuerraten-suchende Behauptungen. Und Lehre ohne kritische Einstellung führt zu Dogmatismus, der das Denken in solchem Behaupten festhält.

Aber die Ergebnisse der nicht-wissenschaftlichen philosophischen Wirklichkeitserklärung werden trotzdem als Wissen aufgefaßt: die eigentlich-wissenschaftliche Forschung ist so wenig ausgebildet, daß sich bei den meisten Erkenntnissuchenden kein Zweifel an der Richtigkeit der philosophischen Aussagen über Welt und Mensch erhebt.

10.3   Weil der Ausbildungsstand der Wissenschaften gering war, erhielt das zu-erraten-suchende Behaupten der Philosophie große Bedeutung, — um so mehr, als es, der Tatsachenfeststellung enthoben, die letzten und interessantesten Fragen zu beantworten, die tiefsten Welträtsel zu lösen unternahm und imstande zu sein schien.

Anderseits mag, weil man dem zu-erraten-suchenden Behaupten der Philosophie vertraute, der Anreiz zu eigentlichwissenschaftlicher Arbeit niedergehalten worden sein: Wozu sich mit kleinen, schwierig zu erfassenden Umweltdingen abgeben, wenn man des Weltwesens und der letzten Wahrheiten gewiß ist! Solche Philosophie war der Entfaltung der wirklichen Wissenschaft in ähnlicher Weise hinderlich wie die Religion, in der ebenfalls über das Letzte und Höchste Auskunft gegeben wird. Philosophie und Religion gingen denn auch über weite Strecken zusammen: die Philosophie wurde zur Ausdeuterin und häufig zur Dienerin der Religion.

10.4   Verwandt war die zu-erraten-suchend behauptende Philosophie mit der Wissenschaft immerhin darin, daß sie von begrifflichem und systematischem Denken getragen war.

Damit sprach sie den sich allmählich entfaltenden Vernünftigkeitssinn an und förderte sehr wirksam das rationale Denken. Die Philosophie war in den Hochkulturen der ersten Stufe die beste Denkschule.

10.5   Im wissenschaftlichen und philosophischen Bemühen um Erkenntnis und Wissen zeigt sich ein entscheidendes Neues des Zwecke-und-Werte-Reiches: Erkenntnis und Wissen werden für viele Einzelne zu wichtigen, mit hohen Werten verbundenen Zwecken.

10.6 Zum großen Teil sind die Erkenntnisse und Wissens-inhalte mittelhaft, und zwar in erster Linie im Dienste von Vitalzwecken: soweit dies zutrifft, sind sie lebensdienliche Kulturzwecke. Dies gilt vor allem für die geometrischen, mathe-matischen, medizinischen, geographischen und juristischen Ein-sichten: solches macht den Menschen lebensstärker.

10.7 Darüber hinaus werden Erkenntnis und Wissen — seien sie Ergebnis wissenschaftlichen Forschens oder philosophischen Behauptens — und auch das auf sie gerichtete geistige Tun Selbst-zwecke: es gibt Einzelne, die es als Sinn ihres Daseins oder wenigstens als zum Sinn ihres Daseins gehörend auffassen, daß sie erkennen und wissen und erkenntnissuchend denken. So schon Pythagoras und Anaxagoras, von denen Aristoteles be-richtet, sie hätten die Betrachtung des Himmels als den Zweck ihres Lebens bezeichnet.

10.8 Selbstzweckhaft kann das Erkennen sein: als das Auf-Fragen-Antwort-Bekommen.
Erkenntnis ist Einsicht in Bisher-Verborgenes, Bisher-Dunkles, sie ist Schaffung von Helle — und Helle kann als an sich wertvoll, als ein Objektiv-Wertvolles aufgefaßt werden.
Wiederum ergibt sich zweifach Eigenwert: im Geistig-Aktiv-sein als solchem und in dem In-Objektivwertvollem-Erfüllung-Finden.

10.9 An das — eigene oder von andern geleistete — Erkennen schließen sich Systematisieren, Bearbeiten, Darlegen, Lehren, usw. an, — das Erkennen ist die Grundlage für ein mehrstöckiges und vielräumiges Gebäude wissenschaftlicher Leistung: und diese kann mit mannigfach verschiedenen konkreten Inhalten als Tätigsein und als In-Objektivwertvollem-Erfüllung-Finden eigenwert sein.

10.10 Selbstzweckhaft kann das Wissen sein: als das Er-kanntes-geistig-Besitzen.
Auch das Wissen ist Grundlage zu weiterer eigenwerter Erfüllung: zum Wissen-Vergegenwärtigen, in welchem der

Wissensinhalt zu hellem Gegenwärtigsein gebracht wird, zum Gewußtes-Betrachten, in welchem sich der Wissende ins Gewußte vertieft, zur — analysierenden, kritischen, folgernden, Verbindungen herstellenden — Auseinandersetzung mit den Wissensinhalten.

10.11 Erkenntnis und Wissen und die von ihnen weitergehenden geistigen Verwirklichungen sind offenkundig dann eigenwert, wenn sie ohne Absicht der nützlichen Anwendung verwirklicht werden.

Aber auch wenn sie praktisch nützlich sind, können sie eigenwert sein: das hängt ganz von der Einstellung des Einzelnen ab. So mögen sich etwa griechische Ärzte ihres Wissens gefreut haben, auch wenn dieses nur praktisch-anwendbaren Inhaltes war.

10.12 Eigenwert und selbstzweckhaft ist wohl für manchen frühen Freund des Erkennens und Wissens schon das Denken als solches: als denkerische Auseinandersetzung mit dem gestellten Problem, durch das er sich herausgefordert fühlt und an dem er sich als ein Geistesstarker zu bewähren trachtet. Vielleicht kommt die Freudigkeit, die man aus den Worten und Werken der antiken Denker immer wieder herausspürt, aus eben dieser mit dem Denken als solchem verbundenen Lust des geistigen Tätigseins. So Sokrates: kaum je zu letzter Einsicht gelangend, immer fragend und antwortsuchend, immer zum Denken anregend — und immer geistfroh.

10.13 Die Befassung mit Wissenschaftlichem und Philosophischem erfolgt größtenteils so, daß die eigenwerten Verwirklichungen als ichhaft, zum Teil aber so, daß sie als wirhaft erlebt werden. Im zweiten Falle gehört der Einzelne einer Gemeinschaft an, deren Erkennend-Erfolghaben oder Wissend-Hellsein für ihn Selbstzweck ist — und in welcher er so eine sein Einzelnersein überschreitende geistige Erfüllung findet.

10.14 Und wieder besteht die Auswirkung auf die Vitalzwecke.

Einerseits kann das Interesse an Erkenntnis und Wissen dasjenige an der Vitalzweckverwirklichung zurückdrängen. Anderseits kann der Erkennende oder Wissende eine Bewußtheit erlangen oder haben, durch welche vitalzweckhaftes Sein (individuellen oder sozialen Inhaltes) ins Geistig-Selbstzweckhafte gewendet, also in einem Teil seines ursprünglichen Wesens verwandelt wird.

10.15 Wenn ein Wissensfreund Zwecke der wissenschaftlichen oder philosophischen Geistestätigkeit — des Denkens als solchen, des Forschens und Erkennens, des Erkenntniszusammenfassens, -bearbeitens, -darstellens und -lehrens, des Wissens, der Wissensvergegenwärtigung, der Betrachtung, des Wissend-sich-Auseinandersetzens — so unbeirrbar als Selbstzwecke auffaßt, daß davon sein geistiges Wesen in fester Weise geprägt ist, so gehören diese Zwecke und die mit ihnen verbundenen Werte zu seiner Zwecke-und-Werte-Struktur.

Jedenfalls seit den Vorsokratikern bestehen Zwecke-und-Werte-Strukturen, in denen die Zwecke und Werte des Erkennens und Wissens einigermaßen weit entfaltet sind. Teilweise steht damit eine Beschränkung der Vitalzwecke und -werte in Zusammenhang.

10.16 Immerhin ist bei alledem zu beachten, daß die auf Erkennen und Wissen gerichtete Geistestätigkeit nicht nur durch geistige Selbstzwecke und Eigenwerte bestimmt war. Schon darum nicht, weil ein Teil der Kenntnisse — Geometrie, Rechnen, Medizin, Baukunde, Rechtskunde, usw. — praktisch angewandt wurde. Und selbst bei Philosophen konnten Besitz und Geltung wichtige Ziele sein: Ruhm und Reichtum einzelner Sophisten.

10.17 Auch im Zusammenhang mit den Wissenschaften und der Philosophie wurde schon in den Hochkulturen der ersten Stufe vielerlei Mittelhaftes geschaffen: Lehrer-Schüler-Gruppen, eigentliche Schulen (schließlich bis zur Universität), Schriften, Bücher, andere Sachmittel (z. B. astronomische Beobachtungsinstrumente); entsprechend entstanden mittelhafte Zwecke und damit verbundene Werte.

Der Bereich dieses Mittelhaften war aber, verglichen mit dem Stand in der neuzeitlich-abendländischen Kultur, in allen Hochkulturen der ersten Stufe nur von geringer Ausbildungsweite und -höhe.

10.18 Gesamtleistung von Wissenschaft und philosophischer Wirklichkeitserklärung in den Hochkulturen der ersten Stufe: auf mehreren Sachgebieten wurden Grundlagen geschaffen, auf einigen gewichtige Einsichten gewonnen, auf andern Systeme von spekulativen Ideen aufgestellt; das rationale Denken wurde zu einem leistungsstarken Geistesvermögen; es entstanden intellektuelle Selbstzwecke und Eigenwerte — und durch sie bestimmte Menschen wurden herangebildet.

Geistige Selbstzwecke: Morallehre

11.1 Religion und Philosophie sind nur zum Teil auf die Erfassung, Erklärung und Erläuterung des Seienden gerichtet, zum andern Teil aber auf die Festlegung und das Lehren des Seinsollenden: soweit dies zutrifft, sind sie Morallehre, die Ziele setzt, Richtungen weist und Wertmaßstäbe zur Geltung bringt.

11.2 Aufgabe der Morallehre ist es, den Menschen die richtigen Ziele und Werte, zum Teil auch die richtigen Verwirklichungswege zu zeigen. Daß solches als Problem erfahren wird, ist die Folge der seelisch-geistigen Entwicklung, die den Menschen aus einem ursprünglich unfreien, von inneren Zwängen gelenkten Wesen zu einem in einiger Weite freien, d. h. des Wählens fähigen und bedürftigen werden ließ.

Die Fähigkeit und die Notwendigkeit, zu wählen und in Hinsicht auf das Wählen zu werten, haben ihre ältesten Wurzeln schon in der tierischen Existenz; aus den bei den Urmenschen vorhandenen Anfängen erfolgte innerhalb der Primitivkulturen eine erste Entwicklung: jeder Kulturfortschritt bedeutet zusätzliches Wählenkönnen und -müssen.

In den Hochkulturen der ersten Stufe sind die Wertungs-

und Wahlmöglichkeiten einigermaßen weit geworden: sie erstrecken sich auf mehrere Inhaltsbezirke, — denn gewählt werden kann:

— zwischen Vitalzwecken,
— zwischen verschiedenen Weisen der Verwirklichung der gewählten Vitalzwecke: damit zwischen lebensdienlichen mittelhaften Zwecken,
— zwischen geistigen Endzwecken,
— zwischen verschiedenen Weisen der Verwirklichung der gewählten geistigen Endzwecke: damit zwischen in bezug auf die geistigen Selbstzwecke mittelhaften Zwecken,
— zwischen der Lebenserfüllung, die durch die Vitalzwecke, und derjenigen, die hauptsächlich durch geistige Endzwecke bestimmt ist.

Und weil die Wahlmöglichkeiten zahlreich geworden sind, erhebt sich die Frage nach dem Richtigen und Guten.

11.3 Die Frage nach dem Richtigen und Guten stellt sich, mehr oder weniger scharf, in zahlreichen Sachzusammenhängen. Nicht in allen Fällen hat sie die gleiche Bedeutung: denn manchmal richtet sie sich bloß auf die Zweckmäßigkeit und zu ermitteln ist dann das Technisch-Bessere, — manchmal dagegen gilt es, das Sittlich-Bessere, d. h. das des Menschen Würdigere oder aber das für das gedeihliche Zusammenleben der Menschen und der Gesellschaft Günstigere zu finden.

Was zweckmäßig oder zweckmäßiger, technisch-gut oder technisch-besser ist, ergibt sich in den Hochkulturen der ersten Stufe zumeist aus der Erfahrung; mitunter greift aber auch hier das zu-erraten-suchende Behaupten ein: vor allem dann, wenn es um »religiöse Technik«, etwa um Anrufung oder Beeinflussung der Götter, geht.

Was sittlich-gut oder sittlich-besser ist, wird dagegen schon früh Thema von Nachdenken, das gestützt auf eine Gesamtauffassung von Welt und Mensch Ziel und Grenzen des Menschseins zu klären und die richtige Entscheidung für die wichtigsten Einzelfälle zu beantworten sucht, — hier setzt die Morallehre ein, und sie hat fast immer einen religiösen oder philosophischen Untergrund.

70

11.4 Worin sieht die Morallehre das Ziel des Menschseins, die obersten Werte, das »gute Leben«?

Zu unterscheiden ist hier, ob die maßgebende Weltauffassung das Diesseits oder aber das Jenseits als die Stätte der letzten, der eigentlichen Erfüllung erscheinen läßt. Besteht die Grundauffassung, daß die Welt in ihrem innersten Wesen geistig sei oder über ihr eine geistige Macht von höchster Vollkommenheit stehe und daß sich der Mensch im Jenseits mit dieser geistigen Wirklichkeit vereinigen oder an ihr teilhaben könne, so muß das Leben als die Vorbereitung der jenseitigen Erfüllung verstanden werden: die Lehre vom guten Leben beschränkt sich dann darauf, die in Hinsicht auf das Jenseitsziel mittelhaften Diesseitszwecke und -werte zu ergründen und bekanntzumachen. Ist dagegen das Hier und Jetzt als die einzige oder die hauptsächliche oder zumindest als dem Jenseits gleichrangige Erfüllungssphäre verstanden, so wird es Aufgabe der Morallehre, diesseitige Endziele aufzuzeigen.

11.5 Als diesseitiges Endziel kann eine Lebensverwirklichung gesetzt werden, die entweder nach Erfahrung oder wissenschaftlicher Erkenntnis tatsächlich erreichbar ist oder aber nur in spekulativer, unbeweisbarer Annahme für möglich gehalten wird.

Man hat hier zwischen realistischer und nicht-realistischer Endzielsetzung zu unterscheiden. Beispiele: realistisch ist es, sinnliche Lust oder erreichbare geistige Erfüllung, nicht-realistisch wäre es, die diesseitige Vereinigung mit dem »Weltgeist« als das zu erstrebende Endziel aufzufassen.

11.6 Nicht realistisch ist alle Jenseitsmoral insofern, als jede erwartete Jenseitserfüllung außerhalb des Als-wirklich-Erweisbaren liegt.

11.7 Je nach der Beziehung, in welcher einerseits der Einzelne, andererseits die gesellschaftliche Gesamtheit zur erhofften Wirklichkeit des Endzieles oder der Endziele gesehen werden, erhält die konkrete Morallehre eine der folgenden typenhaften Prägungen:

71

- erstens: der Einzelne wird als Träger der Endzielwirklichkeit aufgefaßt und in diesem Sinne auf sich selbst ausgerichtet,
- zweitens: nicht der Einzelne, sondern die gesellschaftliche Gesamtheit, die »Gemeinschaft« soll die Endzielwirklichkeit erreichen und verkörpern, in dem Sinne, daß der Einzelne dem Ganzen gegenüber teilchenhaft und dienend ist,
- drittens: der Einzelne wie das gesellschaftliche Ganze werden gleichzeitig und zusammen auf das endzielhafte Sein ausgerichtet, welches sowohl von den Einzelnen wie von den Gesamtheiten getragen werden soll und in Hinsicht auf welches sich die Einzelnen und die Gesamtheiten wechselseitig unterstützen und fördern.

11.8 Was als Ziel für die Einzelnen, die Gesamtheit oder sowohl für die Einzelnen und die Gesamtheit verstanden, gesetzt und gelehrt wird, kann sein:
- entweder das Glück in allgemeiner, inhaltlich nicht weiter bestimmter Fassung,
- oder das Glück, das mit inhaltlich bestimmten Verwirklichungen verbunden ist, wobei unter den verschiedenen möglichen Glücksarten eine oder mehrere bevorzugt und die andern abgelehnt werden (z. B. sinnliches oder geistiges Glück),
- oder eine inhaltlich bestimmte Vollkommenheit: ein als gut und darum erstrebenswert aufgefaßtes Sosein (z. B. Vollkommenheit der Gesellschaft und der Einzelnen nach der Staatslehre Platons).

Immerhin sind Glücks- und Vollkommenheitsmoral nicht immer deutlich getrennt: Glücklichsein kann als Vollkommenheit gesehen und von der Vollkommenheit kann Glücklichsein erwartet werden.

11.9 Hier nun beginnt das auf das Moralische gerichtete Denken zwischen höherem und niedrigerem Sein zu unterscheiden. Als das Höhere kann insbesondere verstanden werden:
- entweder das vitalzweckbestimmte oder durch ausgewählte Vitalzwecke bestimmte Sein des Einzelnen oder der Gesellschaft oder des Einzelnen und der Gesellschaft,

— oder das durch geistige Selbstzwecke im allgemeinen oder durch ausgewählte geistige Selbstzwecke bestimmte Sein des Einzelnen oder der Gesellschaft oder des Einzelnen und der Gesellschaft.

Im ersten Falle erscheint das Geistige als den Vitalzwecken, also letztlich dem Naturhaft-Menschlichen untergeordnet. Es kann hieraus eine Spannung entstehen, wenn das Geistige zu erheblicher Entwicklungshöhe gelangt ist und in ihm das Versprechen zu mehr als nur erfolgreichem Sein auf der Ebene der Vitalzweckverwirklichung gefühlt wird.

Im zweiten Falle faßt sich der Mensch als dank seiner Geistbegabtheit zu einem höheren Sein befähigt und berufen auf, welches er dem naturhaften Sein, und damit insbesondere dem in der Verwirklichung der Vitalzwecke bestehenden menschlichen Sein, nach Rang und Würde überlegen hält. Im geistbewußten Menschen kann daraus eine innere Spannung entstehen, die — positiv — mehr oder weniger starke Kräfte der geistigen Verwirklichung weckt, oder — negativ — zu innerer Gespaltenheit, damit zu Schwächung hauptsächlich im Vitalen und im lebensdienlichen Kulturhaften führt.

11.10 Morallehre ist großenteils in die Religion eingebettet. Und daß die Religion das Moralische lehrt, trägt zu ihrer Geltung und Macht bei: Moral ist bei höherem Kulturstand unentbehrlich, — damit erscheint auch das sie tragende Glaubenssystem vielen unentbehrlich.

Immerhin vermochten neben den religiösen philosophisch begründete Moralsysteme weite Geltung zu erhalten, ja während Jahrhunderten und sogar Jahrtausenden Menschheitsbezirke zu formen: dies zeigen in Europa die Stoa und der Gefolgskreis Epikurs, in Asien der Konfuzianismus — und der Buddhismus, der zwar eine Religion ist, insofern er ein das Menschenschicksal bestimmendes Weltgesetz annimmt, jedoch stärker als die andern Religionen den Menschen als mit überlegener Denkkraft ausgestattet auffaßt und diese in zielsetzendem und wegefindendem Philosophieren betätigt.

11.11   Die Befassung mit der Moral kann schöpferisch sein: indem neue Moral geschaffen oder überlieferte mehr oder weniger tiefgreifend ausgebaut oder umgeformt wird. In Hinsicht auf den inneren Anspruch und damit die Leistungshöhe dieses Tuns bestehen große Verschiedenheiten: denn es reicht von der Stiftung einer in allem Wesentlichen neuen Moral bis zur an sich geringfügigen, jedoch praktisch trotzdem wichtigen Anpassung von überlieferter Moral an geänderte Zeitumstände.

Moralschöpferisches Tun und sein Ergebnis sind für den Leistenden weitgehend eigenwert und selbstzweckhaft: sie sind Geistesleistung ähnlichen Ranges wie das Schaffen des Religiös-Schöpferischen, des Philosophen, des Künstlers, — jedoch weisen sie eine würdeerhöhende Besonderheit dadurch auf, daß sie am unmittelbarsten auf die Beeinflussung von Menschen und von gesellschaftlicher Wirklichkeit gerichtet sind: Werk des Moralschaffenden sind nicht nur seine Lehren, sondern auch die durch diese bestimmten Einzelmenschen, Gemeinschaften und Gesellschaften.

11.12   An das moralschaffende Wirken schließt das die anerkannte Moral darlegende oder lehrende an.

Hier wird für den Tätigen eigenwerte, selbstzweckhafte geistige Erfüllung in der Auseinandersetzung mit den gestellten Problemen, in der Gestaltung des Stoffes, im Werkschaffen (so beim Verfasser von Büchern), im Lehren (Priester und Lehrer aller Stufen) — und wiederum in der Beeinflussung von einzelmenschlicher oder gesellschaftlicher Wirklichkeit.

11.13   Die Befassung mit der Moral kann in der Betrachtung des tatsächlich vorhandenen oder vorhanden gewesenen Moralischen bestehen: es öffnet sich so der Zugang zur Moralwirklichkeit auch der Vergangenheit und fremder Kulturen.

Eigenwert und selbstzweckhaft ist hier die Begegnung mit dem Moralischen als wichtigem Kulturwirklichen.

11.14   Die Befassung mit der Moral kann in der Auseinandersetzung des Einzelnen mit den in seiner Gesellschaft geltenden oder mit andern Moralauffassungen bestehen.

Eigenwert und selbstzweckhaft können dabei erstens diese Auseinandersetzung als solche, als geistiges Aktivsein, zweitens die in ihr gewonnene Einsicht in das richtigerweise Anzuerkennende sein.

11.15 Eigenwerte, selbstzweckhafte Bewußtheit kann sich schließlich im Zusammenhang mit der Befolgung der Moralvorschriften als solcher erheben: in der Gewißheit des — im individuellen oder gemeinschaftlichen Handeln wirksamen — Rechteingestelltseins, Sichrechtverhaltens, Rechttuns.

Aber wichtiger als diese Bewußtheit ist das moralbestimmte Eigenwerte der verschiedenen Teilbereiche der geistigen Verwirklichung individueller oder gemeinschaftlicher Art als solches, — und jedes moralbestimmte Eigenwerte läßt sich als Wirklichkeit gewordenes Moralisches verstehen.

11.16 Moralschaffen, -darlegen, -lehren, -betrachten, -beurteilen, -befolgen können unabhängig vom Inhalt der Moral, die ihr Gegenstand ist, geistig-selbstzweckhaft sein, — also auch dann, wenn die betreffende Moral der Verwirklichung des Vitalzweckhaften überhaupt oder ausgewählter Vitalzwecke den Vorrang gibt.

Ist aber jener Inhalt die Anweisung zur Verwirklichung geistigen Seins, so erhalten schon die Betrachtenden und Sichauseinandersetzenden, erst recht natürlich die Schaffenden, Darlegenden und Lehrenden, und am meisten die Befolgenden den Anstoß zu durch diese geistigen Selbstzwecke bestimmter Lebenserfüllung: die in der Befassung mit der Moral liegenden geistigen Selbstzwecke werden dann gegenüber den mit der Verwirklichung und dem Verwirklichtsein des Moralinhaltes verbundenen zweitrangig.

11.17 Wiederum findet sich neben dem ichhaften Sicheinstellen, Wollen und Tun wirhaftes: auch im Zusammenhang mit dem Moralischen kann der Einzelne sich als einer Gemeinschaft angehörend erleben, deren Zielverwirklichung er als eine die Enge seines Einzelnerseins überschreitende und darum werthöhere Erfüllung versteht.

11.18 Natürlich sind die Schaffung, die Darstellung, das Lehren, die Befolgung der Moral nicht nur geistige Selbstzwecke erfüllend: Moral ist ja ihrem Inhalt nach in erster Linie Ordnung des Verhaltens auf der Vitalebene und auf der Ebene des lebensdienlichen Kulturhaften.

Und selbst dort, wo sich geistig-selbstzweckhafte Leistung auf die Morallehre bezieht, können vitalzweckhafte Interessen — etwa auf Ansehen gerichtetes — bestehen.

11.19 Ein großer Teil der Moralvorschriften bezieht sich auf die Einstellungen und Verhaltensweisen des Vitalbereiches, die in einer der individuellen und gemeinschaftlichen Wohlfahrt nützenden Weise geordnet werden sollen: der ursprüngliche und auch bei hohem Kulturstand noch immer wichtige Sinn der Moral ist ja, die primitive Wildheit des Menschen, die in den naturhaften Anlagen jedes Neugeborenen einen Ausgangspunkt zu neuem Aktivwerden erhält, zu zähmen.

Indem der Einzelne von früher Jugend an unter den Einwirkungen der Moral steht, werden seine naturhaft-ursprünglichen Zwecke und Triebe mehr oder weniger weitgehend verwandelt: während Jahrhunderttausende der Lebensentwicklung nur den Wilden zustandebrachten, schafft die Moral in wenigen Jahrtausenden den Menschen, der — jedenfalls in Friedenszeiten — des wohlgeordneten Kulturlebens fähig ist.

11.20 Die in der Gesellschaft geltenden moralischen Grundsätze, Leitbilder, Ziele, Werte und Regeln werden dem Einzelnen durch mannigfache Einwirkungen — in Familie, Schule und Kirche, dazu durch Sitte, Recht und vorherrschende Meinung — so nachhaltig eingeprägt, daß sie, mehr oder weniger vollständig, in seine Zwecke-und-Werte-Struktur eingehen.

Dies wirkt sich einerseits im Vitalbereich — Zähmung der ursprünglichen Wildheit —, andererseits im Bereich des Geistigen — Anerkennung und Annahme von geistigen Zwecken — aus. Zu letzteren können bei Menschen, die durch Neigung, Ausbildung oder Tätigkeit stark am Moralischen als solchem interessiert sind, Zwecke und Werte dieses besondern Leistungs- und Bewußtheitsbezirkes gehören.

76

11.21   Schließlich ist auf die vielerlei Einrichtungen, Güter, Verfahren, Ordnungen, Regeln, usw. hinzuweisen, die in den Hochkulturen der ersten Stufe als Mittel zur Ausarbeitung, Verbreitung, Durchsetzung und Anwendung der Moral eingesetzt werden, — allerdings sind sie größtenteils nicht solche eines von den andern Kulturfeldern streng getrennten Bereiches: was der Religion und der Philosophie dient, ist häufig auch Mittel für die mit diesen verbundene Morallehre.

11.22   Gesamtleistung der Hochkulturen der ersten Stufe auf der Ebene der Morallehre: Systeme von Lebensregeln geschaffen, ausgearbeitet, zur Geltung gebracht zu haben, dank welcher die beeinflußten Menschen
— erstens sich in dem Gemeinwohl förderlicher Weise in Gemeinschaft und Gesellschaft einordnen,
— zweitens ihre individuelle Lebenserfüllung in Höherem als nur der Vitalzweckverwirklichung suchen.

Übrige geistige Selbstzwecke — Zusammenfassung

12.1   In der Religion, der Kunst, den Wissenschaften und der philosophischen Welterklärung, der Morallehre werden in erheblichem Umfange Ziele eindeutig geistig-selbstzweckhaften Inhaltes verwirklicht, — und dies seit dem Altertum.
In andern Kulturbereichen sind die Verwirklichungen ihrem Inhalt nach überwiegend mittelhaft: insbesondere gilt dies für die Leistungen in Technik, Wirtschaft und Staat. Jedoch kann auch solche mittelhafte Verwirklichung — für einige stark ausgeprägt und für viele wenigstens in geringem Umfange — Geistig-Eigenwertes enthalten. Und mannigfach werden von diesem Mittelhaften her die Voraussetzungen und Möglichkeiten des Selbstzwecke-Verwirklichens der andern Gebiete, und damit des individuellen und sozialen Seins überhaupt, mitbestimmt.

12.2   Technik besteht in der Schaffung und Anwendung von Verfahren und Mitteln, mit denen in die naturgesetzlichen Vorgänge eingegriffen werden soll. Dieses Eingreifen erfolgt fast immer in Hinsicht auf übergeordnete Zwecke: wobei diese wiederum mittelhaft, auch technisch-mittelhaft, oder aber endzweckhaft, und zwar zu den Vitalzwecken oder den geistigen Endzwecken gehörend, sein können. Ab und zu gibt es allerdings technische Leistungen, die in ähnlicher Weise selbstzweckhaft sind wie künstlerische: so Feuerwerk und Wasserspiele, — es wirkt hier ein künstlerisches Wollen, das auf dem Felde der Technik an sein Ziel gelangt. Dazu kommt, daß die Baukunst eine gewichtige technische Seite hat: häufig ist in ihr Technisches mit selbstzweckhaftem Künstlerischem eng verbunden.

12.3   Aber auch dort, wo die technische Leistung ein ausschließlich mittelhaftes Erzeugnis hervorbringt, kann Geistig-Selbstzweckhaftes verwirklicht werden: nämlich einerseits geistig-eigenwerte Leistung technischen Inhaltes, anderseits auf Technisches gerichtete geistig-eigenwerte Betrachtung.

12.4   Das technische Handeln ist Ausübung geistiger Fähigkeiten: Erkennen und Wissen, Werten, Sichauseinandersetzen, Planen, Wollen, schrittweises Planausführen, Ans-Ziel-Gelangen gehören zu ihm. Geistige Betätigung dieser Art kann als solche dem Handelnden innere Befriedigung geben und also für ihn selbstzweckhaft sein.

Und als selbstzweckhaft kann verstanden werden, daß durch das technische Handeln ein Objektiv-Wertvolles entsteht: das objektiv-wertvoll darum ist, weil es ein neues oder sonstwie bedeutendes Erreichnis oder weil es zumindest ein für andere Menschen Nützliches ist.

Es ist zu vermuten, daß mit der Entfaltung der Hochkulturen der ersten Stufe das selbstzweckhafte Tun solcher Art erheblichen Umfang annahm: die Leistungen der Baumeister, der Holz- und Metallbearbeiter etwa weisen in diese Richtung.

Daß der konkrete Inhalt solcher selbstzweckhafter Erfüllung stark vom Fachgebiet der Leistung und von der Berufsfunktion des Leistenden abhängt, ist eine notwendige Folge der Arbeitsteilung und -organisation.

12.5 Das Technische ist anderseits Gegenstand der Betrachtung: der Betrachter kann sich mit Technischem befassen ähnlich wie mit Kunstwerken oder eindrücklichen Naturdingen.

Daß solche Betrachtung schon im Altertum ausgebildet war, zeigt die Überlieferung von den Sieben Weltwundern, von denen einige vorwiegend technischen Wesens waren.

12.6 Wirtschaft ist die Gesamtheit der Betätigungen und Einrichtungen, welche der aufwanderfordernden Bereitstellung von Gütern und Dienstleistungen zum Zwecke der Befriedigung der menschlichen Bedürfnisse dienen. Sie ist häufig mit der Technik unlösbar verbunden: indem die Bedürfnisbefriedigung planmäßige Eingriffe ins Naturgeschehen erfordert, — die wirtschaftliche Seite besteht dann darin, daß das erstrebte Ergebnis den Einsatz von Sachmitteln, Arbeitskräften und Geldmitteln bedingt, welche nur knapp verfügbar sind und mit denen darum haushälterisch umgegangen werden muß. Bei manchem wirtschaftlichen Tun, z. B. im Handel und im Bankwesen, ist das Technische unbedeutend.

Zweck des wirtschaftlichen Handelns ist in erster Linie die Verfügung über die produzierten Güter und Dienstleistungen oder über Geld, das durch den Verkauf der letzteren erworben wird. Sowohl die Güter und Dienstleistungen nach ihrem sachlichen Inhalt wie das Geld sind in der Regel mittelhaft in Hinsicht auf übergeordnete Zwecke, und zwar entweder auf andere wirtschaftliche oder auf nicht-wirtschaftliche Zwecke.

12.7 Aber auch das wirtschaftliche Handeln hat — wiederum mit mancherlei durch Fach und Berufsfunktion bestimmten Varianten — seine geistigen Selbstzwecke: indem Erkennen und Wissen, Werten, Sichauseinandersetzen, Planen, Wollen, Planausführen und Ans-Ziel-Gelangen, die mit ihm verbunden sind, als an sich wertvoll erlebt werden, — was vielleicht mit ein Grund für den Wagemut früher Händler war.

Zudem kann schon auf früher Hochkulturstufe Wirtschaftliches besonderer Art (vielleicht Handelseinrichtungen, das Geld, usw.) als Erreichnis geistiger Meisterschaft und damit als an sich wertvolles Wesen verstanden worden sein.

Noch mehr mußte objektiver Wert in dem Dem-Volke-Nützen des Wirtschaftlichen gesehen werden: Volksernährung war lebenswichtig (so: Josephs Fürsorge für Ägypten).

12.8   Und ähnlich wie das Technische ist das Wirtschaftliche Gegenstand möglicher selbstzweckhafter Betrachtung: die Wirtschaft ist ein mehr oder weniger reich differenzierter Teil der Kulturwirklichkeit, den betrachtend zu erfassen schon in der Antike Vereinzelten sinnvoll erschien, — so Aristoteles in seinen Darlegungen über die Erwerbskunst.

12.9   Der Staat als die Gesamtheit der Regierungs-, Gesetzgebungs-, Verwaltungs-, Rechtsprechungs- und Militäreinrichtungen und -tätigkeiten eines Volkes ist im wesentlichen ein Bereich von Mittelhaftem: das in ihm Verwirklichte ist großenteils in Hinsicht auf übergeordnete Ziele dienlich, — wobei die letzteren entweder wiederum zum Staatlichen gehören (z. B. Erlaß eines Gesetzes zur klareren Ordnung des Gerichtswesens) oder aber Außerstaatliches betreffen (z. B. staatliche Maßnahmen zur Finanzierung eines Tempelbaues) können.

Weitgehend steht das Staatliche letztlich im Dienste der Vitalzwecke: es geht darum, dem Volksganzen und damit den diesem angehörenden Einzelnen die Lebensmöglichkeiten zu sichern und vielleicht darüber hinaus einige Wohlfahrt zu geben. Darum wird im Staate, mehr oder weniger wirksam, getan, was nötig ist, um

— erstens das Zusammenleben der Einzelnen und der Gruppen zu regeln,

— zweitens die Wirtschaft zu ordnen, sofern dies für erforderlich gehalten wird,

— drittens die Unabhängigkeit und Macht nach außen zu wahren oder zu erweitern.

Anderseits ist in den Hochkulturen der ersten Stufe manches Staatliche dienend in Hinsicht auf Ziele religiösen und künstlerischen Inhaltes: der Staat ist der Tempelerbauer und Religionsschützer, und er ist der Förderer der Künste.

12.10   Darum, was als Ziel, dem das Staatliche zu dienen habe, anerkannt werden solle, wird mitunter in der politischen Auseinandersetzung gekämpft oder im Überlegen der Mächtigen Klarheit gesucht, und es kann sein, daß dabei aus Religion oder Philosophie Ideen über die Bestimmung des Menschen übernommen werden. Zumeist sind allerdings die allgemeinen Ziele des Staatlichen wenigstens in den großen Umrissen klar: maßgebend ist das in der betreffenden Gesellschaft geltende, als selbstverständlich richtig verstandene Menschenbild, — wobei in den Hochkulturen der ersten Stufe das überlieferte Religiöse besonders stark auffassungsbestimmend ist.

12.11   Soweit ein im Staate Tätiger dafür wirkt, daß die Menschen seines Volkes zu religiös oder philosophisch bestimmter geistiger Verwirklichung gelangen, arbeitet er an der Gestaltung eines geistigen Menschseins, also in ähnlicher Richtung wie der Morallehrer, der Menschen beeinflußt: er ist ein Menschenbildner, dessen Wirken im Sein von Menschen geistigen Wesens seine Erfüllung findet, — und dieses Sein kann für ihn geistigen Selbstzweck höchsten Ranges bedeuten.

12.12   Und wiederum kann — durch Fach- und Funktionsbesonderheiten vielfach variiert — die ihrem Inhalt nach auf Mittelhaftes gerichtete Leistung als geistig-selbstzweckhaft erfahren werden: indem sie an sich befriedigende geistige Aktivität ist oder indem sie ein als objektiv-wertvoll verstandenes Ergebnis hat. Es ist anzunehmen, daß in allen Hochkulturen der ersten Stufe Politiker und Staatsmänner zu solcher geistig-eigenwerter Erfüllung gelangten.

12.13   Und auch das Staatliche ist als ein Hauptbereich der Kulturwirklichkeit Gegenstand selbstzweckhafter Betrachtung, — schon, wie wiederum das Beispiel des Aristoteles zeigt, in der Antike.

12.14   Geistig-Eigenwertes, Geistig-Selbstzweckhaftes wird weiter im Sport, der jedenfalls in der griechischen Kultur von erheblicher Bedeutung war. Das Eigenwerte ist hier die Aktivität als solche — und auch die hell-bewußte Betrachtung des sportlichen Geschehens.

12.15 Sodann das Geistig-Eigenwerte, das in Unterhaltung und Spiel wird, — Geistiges niederen Ranges zumeist, aber immerhin Geistiges, durch welches die Hochkulturmenschen sich wesensmäßig über die Primitiven erhoben.

Besonders zu erwähnen ist hier das Schachspiel: weil es große Anforderungen an die Denkkraft der Spieler stellt.

12.16 Schließlich werden von Menschen der Hochkulturen der ersten Stufe die geistigen Selbstzwecke des Reisens, trotz dessen mannigfachen Mühsalen und Schwierigkeiten, erlebt: der Begegnung mit andern Ländern, Menschen und Kulturen und des durch sie ermöglichten Innerlich-Weiterwerdens.

12.17 Technisches und wirtschaftliches Handeln, Wirken im Staate, Sport, Spiel und Reisen setzten vielfaches Zusammenwirken von Einzelnen voraus: häufig wird diesen hiedurch die Möglichkeit der wirhaften Erfüllung geboten, die für manchen als solche sinnvoll und eigenwert ist.

12.18 Auch auf den hier betrachteten Feldern der Kulturwirklichkeit wird das Vitalzweckhafte mehrfach beeinflußt:
— erstens fördernd: dadurch, daß Voraussetzungen geschaffen, Mittel verfügbar gemacht oder körperliche und geistige Kräfte geübt werden,
— zweitens disziplinierend: indem Selbstbeherrschung, Konzentration und Einordnung verlangt werden,
— drittens beschränkend: indem Geistig-Selbstzweckhaftes dem Vitalzweckhaften vorgezogen wird.

12.19 Soweit die vom Einzelnen auf diesen Tätigkeitsfeldern erstrebten geistigen Selbstzwecke und die mit ihnen verbundenen Werte so fest sind, daß sie zu seinem inneren Wesen gehören, bilden sie Teil der Zwecke-und-Werte-Struktur. Wesensprägend sind vor allem Beruf und andere langedauernde Tätigkeit.

82

Im Zusammenhang damit kann wiederum die Veränderung der ursprünglichen Vitalzwecke-und-Vitalwerte-Struktur stehen.

12.20 Die Leistungen in Technik, Wirtschaft und Staat werden in einem je nach der Kulturhöhe des betreffenden Volkes mehr oder weniger reich ausgebildeten Rahmenwerk von Einrichtungen und Organisationen und unter Verwendung mehr oder weniger zahlreicher und vielfältiger Güter und Dienstleistungen vollzogen, welche in ihrer Gesamtheit die wichtigste, lebensnützlichste Kulturwirklichkeit ausmachen.

*

12.21 Übersicht der Endzwecke, welche in Menschen der Hochkulturen der ersten Stufe wirksam waren oder sind (anschließend an Abschnitt 5.13):

I. Vitalzwecke: inhaltlich gleich wie bei den Primitiven, jedoch jetzt häufig in weiterer, hellerer, intensiverer Bewußtheit gegenwärtig, anderseits infolge Interessenverlagerung und Disziplinierung beschränkt;

II. geistige Selbstzwecke:

1. der Religion:
a) Leistung (Tätigsein und Erfolghaben, Erfüllung in objektivwertvollem Erreichnis): Lehre-Schaffen, Lehre-Erweitern, Lehre-Auslegen, Lehre-Verbreiten,
b) religiös bestimmte Gestaltung des individuellen Seins wie des Sozialen im Sinne der Verwirklichung des Guten, Vorbildlichen und der Befreiung vom Schlechten,
c) Betrachtung des im Glauben für wirklich Gehaltenen und der religiösen Lehre als solcher, Auseinandersetzung mit Religiösem,

2. des Kunstbereiches:
a) Leistung (Tätigsein und Erfolghaben, Erfüllung in objektivwertvollem Erreichnis): Werkschaffen, Aufführend-Darstellen,
b) Begegnung mit Werk und Aufführung und mit dem künst-

lerisch gestalteten Gegenstand, miterlebende Aufnahme, Auseinandersetzung mit Künstlerischem, Verstehen und Befolgung des dargestellten Vorbildlichen,

3. der Wissenschaft und der philosophischen Welterklärung:
a) Leistung (Tätigsein und Erfolghaben, Erfüllung in objektivwertvollem Erreichnis): Erkennen, Systematisieren, Bearbeiten, Darstellen, Lehren,
b) Wissen, Wissen-Vergegenwärtigen, Gewußtes-Betrachten, Auseinandersetzung mit Wissenschaftlichem und Philosophischem,

4. des Moralbereiches:
a) Leistung (Tätigsein und Erfolghaben, Erfüllung in objektivwertvollem Erreichnis): Moralschaffen, -systematisieren, -bearbeiten, -darlegen, -lehren,
b) Wissen, Vergegenwärtigen, Betrachten, Auseinandersetzung mit Morallehren und -fragen,
c) Befolgung,
d) Verwirklichung der in der konkreten Moral gesetzten Ziele (soweit diese Verwirklichung als solche eigenwert ist),

5. der Bereiche Technik und Wirtschaft:
a) Leistung (Tätigsein und Erfolghaben, Erfüllung in objektivwertvollem Erreichnis): zahlreiche nach Fachgebiet und Berufsfunktion verschiedene konkrete Inhalte,
b) Betrachtung,

6. der Bereiche Staat und Politik:
a) Leistung (Tätigsein und Erfolghaben, Erfüllung in objektivwertvollem Erreichnis): zahlreiche nach Fachgebiet und Stellung im Staat verschiedene konkrete Inhalte,
b) Wirken im Dienste eines idealen Menschseins,
c) Betrachtung,

7. der Bereiche Sport, Unterhaltung, Spiel und Reisen:
a) Aktivität als solche,
b) Betrachtung.

Das Selbstzweckhafte von Leistung und Betrachtung kann ichhaft oder wirhaft sein, — letzteres bedeutet, daß der Einzelne sich als einer seinem Einzelnersein übergeordneten Gemeinschaft angehörend auffaßt.

Mit allen diesen Zwecken sind Werte — großenteils Eigenwerte — verbunden, welche das zweckgerichtete Wollen und
Tun beeinflussen.

12.22 Alle geistigen Selbstzwecke und die mit ihnen verbundenen Werte können — durch Anlage, Erziehung und Ausbildung, Sitte und andere Gesellschaftseinflüsse, Beruf oder
andere häufige Ausübung — für ihren Träger wesensprägend
werden: trifft dies zu, so bilden sie Teil der Zwecke-und-Werte-
Struktur.

Häufig aber sind jene Zwecke und Werte nicht verfestigt
oder es besteht jedenfalls die Möglichkeit, die konkrete Ausführung eines nur allgemein Festgelegten zu bestimmen: dann
ist der Einzelne in seinem konkreten Wollen, Werten und Zielsetzen frei.

12.23 Die Erweiterung des Bereiches der geistigen Endzwecke
ist zwar das für die Entfaltung des menschlichen Wesens Entscheidende, — aber sie ist nicht die mächtigste Tendenz der
Kulturentwicklung. Gewichtiger ist die Erweiterung auf den
vielen Sachgebieten des Mittelhaften, und der mittelhaften
Zwecke im besonderen.

Dank der Kulturentwicklung hat der Mensch vor allem
größere Geschicklichkeit und damit größere Macht zur Verwirklichung seiner Vitalzwecke erlangt: schon in den Hochkulturen der ersten Stufe ist er unter allen Tierwesen das
erfolgsmächtigste und damit umweltbeherrschende geworden.

12.24 Das Große der Hochkulturen der ersten Stufe:
— erstens einen weiten Bereich von lebensdienlichem Kulturhaftem geschaffen und damit den Menschen in Hinsicht auf
  die Verwirklichung der Vitalzwecke einigermaßen stark gemacht zu haben,
— zweitens in vielen Einzelnen geistige Selbstzwecke und damit
  neuen Sinn des Menschseins geschaffen zu haben,
— drittens auf mehreren Sachgebieten mannigfache Möglichkeiten der Verwirklichung der geistigen Selbstzwecke geschaffen zu haben.

DIE ZWECKE IN DER HOCHKULTUR
DER ZWEITEN STUFE

Das Besondere der neuzeitlich-abendländischen Kultur

13.1   Wann und wie beginnt das Neue, welches das Besondere der Neuzeit, genauer: der abendländischen Neuzeit, ausmacht?

Einiges davon schon im Spätmittelalter: mit der Horizonterweiterung durch die Kreuzzüge; mit dem Aufschwung des städtischen Lebens, dem Entstehen eines selbstbewußten, starken Bürgertums, das erfolgreich im Politischen auf Selbständigkeit drang und im Wirtschaftlichen — Handwerk, frühe Industrie, Handel, Geldwesen — sich aus der Enge des Hergebrachten löste, was sich bald auf den kulturellen Bereich auswirkte: weltliche Schulen, Universitäten; auch mit philosophischen Tendenzen innerhalb der Scholastik: Nominalismus.

Anderes entstand im 15. und 16. Jahrhundert: mit der Hinwendung zum außerkirchlichen, antiken Geistigen: Humanismus und Renaissance; mit der schauenden und bildenden Erfassung der irdischen Wirklichkeit in der Kunst; mit den Entdeckungen, die den Europäern bisher kaum oder gar nicht bekannte Länder erschlossen; mit der Reformation, die sich zwar noch ganz auf der Ebene des Glaubens bewegte, jedoch darin ein entscheidendes Neues hatte, daß Einzelne in eigenem Denken sich mit dem anerkannten Glauben auseinanderzusetzen und den geistlichen Autoritäten entgegenzutreten wagten; mit dem Stärkerwerden der weltlich-staatlichen gegenüber der päpstlichen Macht; ganz besonders mit dem Neue-Lösungen-Suchen in Technik und Wissenschaft, das gleich zu Beginn zwei Großleistungen vollbringt: die die weitere Kulturentwicklung nachhaltigst beeinflussende Erfindung Gutenbergs und die für die Selbstauffassung des Menschen grundlegend werdende Weltkonzeption des Kopernikus.

Im 17. Jahrhundert ist das Neue soweit ausgebildet, daß im

Kulturganzen neue Teilgebiete erkennbar werden. In der Wissenschaft: neue Astronomie, Mathematik, Physik, Biologie. In der Philosophie: Rationalismus und Empirismus. In der Kunst: zur Meisterschaft gelangte weltliche Kunst. In der Wirtschaft: Manufaktur als Großerzeugungsbetrieb, ausgedehnter innereuropäischer und überseeischer Handel. In der Technik: Herstellung und Anwendung rationellerer, in der Leistungskraft stärkerer Geräte, Apparate, Maschinen und Einrichtungen. Im Staat: mit dem Absolutismus Entstehung der rationellen Staatsverwaltung.

Aber erst gegen Ende des 19. Jahrhunderts ist das ganze Neue der Neuzeit voll sichtbar. In der Wissenschaft: kritisch-realistische Durchforschung aller Wirklichkeitsgebiete und dazu des Mathematischen, Logischen und Erkenntnistheoretischen, — hiebei weitgehende Anwendung technischer Mittel und anderseits Anwendung der Forschungsergebnisse in der Technik. In der Wirtschaft: hoher Stand und große praktische Bedeutung der Industrie, des Handels, des Bank- und Versicherungswesens, Vordringen der Großbetriebe und -unternehmungen, genügend Arbeitsplätze für die anwachsende Bevölkerung, steigendes Volkseinkommen und -vermögen (im ganzen und je Kopf der Bevölkerung). In der Technik: hoher Stand und große praktische Bedeutung der Herstellung und Anwendung von Kraft- und Arbeitsmaschinen, von Hochleistungsapparaten und -einrichtungen sowohl für die Güterherstellung als auch für Dienstleistungen aller Art. In der Medizin und im Gesundheitswesen: erfolgreicher Kampf gegen Krankheit und frühen Tod, dadurch Lebensverlängerung und Bevölkerungszunahme. Im Staat: Nationalismus, Demokratie und Liberalismus einerseits, Beginn der sozialistischen und andern Wirtschaftslenkungstendenzen anderseits, auf hohen Stand gebrachte Staats- und Rechtsorganisation, Anfänge des Wohlfahrtsstaates. In der Kunst: starkes Überwiegen der weltlichen Kunst.

13.2   Das wichtigste für alles andere grundlegende Neue der Neuzeit ist die moderne Wissenschaft: sie ist durch drei hauptsächliche Wesenszüge gekennzeichnet:
— durch realistische Einstellung: Erforschung von tatsächlich

Gegebenem, das von den Nachbargebieten abgegrenzt ist und innerhalb des Feststellbaren möglichst gründlich erfaßt wird, was heißt, daß die Vermengung mit Sachfremdem und die Beantwortung von sachlich nicht (oder noch nicht) beantwortbaren Fragen zu vermeiden ist,

— durch Ausgehen von möglichst vollständiger, tiefdringender und klarer Tatsachenfeststellung, für welche häufig und im Laufe der Zeit zunehmend technische Mittel und Einrichtungen verwendet werden,

— durch kritische Einstellung gegenüber den angewandten Verfahren und erarbeiteten Ergebnissen wie auch gegenüber dem vorhandenen Wissensbestand überhaupt.

13.3   Dadurch, daß sie realistisch, von Tatsachenfeststellungen ausgehend und kritisch ist, steht die moderne Wissenschaft in Gegensatz sowohl zur Theologie als auch zur früheren wirklichkeitsdeutenden Philosophie, denen in zu-erraten-suchendem Behaupten getroffene Annahmen zugrunde liegen und deren Kritik sich nicht oder jedenfalls nicht vorbehaltlos auch auf diese Annahmen erstreckt, weshalb die Ergebnisse immer einen unkritischen und unkritisierbaren Teil haben.

Daraus folgt keineswegs, daß der moderne Forscher notwendig in bewußtem Gegensatz zu Theologie und philosophischer Metaphysik stehe: er kann diesen sogar durchaus freundlich gesinnt sein. Nur ist das Religiöse oder Philosophisch-Metaphysische für ihn, falls er einwandfrei arbeiten will, in seiner Wissenschaft ohne Bedeutung (es sei denn als Gegenstand des Forschens). Gott und das Metaphysische können für die moderne Wissenschaft nur Objekt, nicht Erklärungsprinzip sein, — und Glaube und philosophisches Zu-erraten-suchend-Behaupten können in ihr nicht als Weisen des Erkennens zugelassen werden.

Außerhalb seines wissenschaftlichen Interesses kann auch der Forscher als Gläubiger denken und handeln: er kann also zweischichtigen Geistes sein, — wissenschaftlichen Geistes in bezug auf die Wissenschaft und ihre Gegenstände, religiösen oder philosophisch-metaphysischen Geistes im Zusammenhang mit den außerwissenschaftlichen »letzten Fragen«.

13.4   Daß die neuzeitlichen Wissenschaften viel erfolgreicher sind als diejenigen der Hochkulturen der ersten Stufe, ist großenteils das Ergebnis ihrer Verbindung mit der Technik. Verbindung zunächst in dem Sinne, daß geschickte Handwerker Beobachtungsinstrumente bauten, durch welche neue, bis dahin unbekannte Tatsachen festgestellt werden konnten, — von besonderer Wichtigkeit waren da das Fernrohr und das Mikroskop. Verbindung später in dem Sinne, daß eine sich fortschreitend an schwierigere Aufgaben heranwagende Gerätetechnik der wissenschaftlichen Forschung immer leistungsfähiger werdende Erzeugnisse verfügbar machte, — bis zum Forschungssatelliten und dem Elektronenmikroskop.

13.5   Der Zusammenhang zwischen Wissenschaft und Technik ist hier eingehender zu überlegen.

Vor der Neuzeit sind die Beziehungen zwischen Wissenschaft und Technik nur gering: die Wissenschaften erarbeiteten kaum etwas Technisch-Verwertbares und die Technik diente den Wissenschaften hauptsächlich so, daß ähnliche Bedürfnisse befriedigt wurden, wie sie auch auf andern Gebieten auftraten: Bau und Einrichtung von Gebäuden, Herstellung von Büchern, usw. Auch die erste technische Großleistung der Neuzeit, der für die Entwicklung der Wissenschaften von umwälzender Auswirkung werdende Gutenbergsche Buchdruck, richtete sich auf allgemeine, über das Wissenschaftliche hinausgehende Bedürfnisse.

Dann aber werden technische Erzeugnisse geschaffen, die nur oder fast nur der Wissenschaft nützen sollen: Beobachtungsinstrumente, die bisher-unzugängliche Wirklichkeitsbereiche erschließen. Anderseits werden wissenschaftliche Erkenntnisse in dieser Sondertechnik verwertet.

Und allmählich gelangt die Wissenschaft, von der Technik her mannigfach unterstützt, zu Erkenntnissen, die sich für praktische Zwecke außerhalb des Feldes der Wissenschaften verwenden lassen: für Zwecke der industriellen, handwerklichen oder landwirtschaftlichen Güterproduktion, des Verkehrs, des Handels, der Staatsverwaltung, des Kriegswesens, der Medizin. So beginnt die Aera der Wissenschaftsanwendung und der angewandten Wissenschaften.

Schließlich wird die Technik — zu der man hier, in weiter Auslegung des Begriffes, auch die Medizin, soweit sie praktische Heilkunst ist, rechnen wird — gegenüber der Wissenschaft aufgabenstellend: aus dem größtenteils durch außerwissenschaftliche Bedürfnisse bestimmten technischen Bemühen ergeben sich Probleme und Zielsetzungen, die in wissenschaftlicher Spezialforschung zu lösen sind, — es entstehen auf das Technische ausgerichtete, ihm zudienende Sonderzweige der Wissenschaft. Beispiele: wissenschaftliche Bearbeitung von praktisch wichtigen technischen Problemen der Landwirtschaft, des Hoch- und Tiefbaues, der Industrie, des Verkehrswesens, des Nachrichtenwesens.

Auch jetzt noch stehen die drei Grundbeziehungen zwischen Wissenschaft und Technik nebeneinander:
— erstens: die Technik dient der Wissenschaft;
— zweitens: die Wissenschaft erbringt in Verfolgung ihrer eigenen Erkenntnisziele technisch anwendbare Ergebnisse;
— drittens: die Wissenschaft arbeitet im Dienste der Technik, ist der Technik zudienend (dieser Teil der Wissenschaft ist der quantitativ bedeutendste geworden).

13.6 Erst dadurch, daß die Wissenschaft in großem Umfange der Technik — diese im weitesten Sinne, als Gesamtbereich der vom Menschen angewandten physischen Mittel und Verfahren, aufgefaßt — dient und damit nützlich ist, hat sie die ihr heute zukommende Wichtigkeit erlangt. Unsere Zeit ist durch die eigentliche Vorherrschaft der technisch anwendbaren, nützlichen Wissenschaft gekennzeichnet und weitgehend bestimmt: immer mehr durchdringt diese alle Lebensgebiete, immer mehr werden die Zweckverwirklichungen als solche oder mit ihnen zusammenhangende Einzelfragen wissenschaftlich untersucht, immer mehr ist der Einzelne in seinem Tun von technisch angewandten wissenschaftlichen Erkenntnissen unterstützt.

13.7 Anderseits wird die wissenschaftliche Forschung von der Technik her nachhaltigst gefördert: ohne die gewaltige Erweiterung der Technik gäbe es nicht die Forschungsmittel, die der Wissenschaft jetzt zur Verfügung stehen und ihr ermöglicht haben, in schwerst zugängliche Wirklichkeitsbereiche einzudringen: Elektronenmikroskop, Radioteleskop und Forschungssatellit sind Höchstleistungen einer Technik von hauptsächlich außerwissenschaftlicher Zweckbestimmtheit.

13.8 Technik (einschließlich der Medizin als praktischer Heilkunst) als Wissenschaftsanwendung bedeutet vor allem erweitertes Können in Hinsicht auf Herstellung und Verwendung von Gütern, — Können, das in unserer Zeit auf manchen Gebieten auf sehr hohen Leistungsstand gebracht ist: Bautechnik, Maschinentechnik, Elektrotechnik, Verkehrstechnik, Technik der medizinischen Apparate und Geräte, Chemotechnik, usw.

Es entsteht so eine weite und vielgestaltige neue, nämlich technische Güterwelt, die dadurch geschaffen wird, daß der handelnde Mensch naturgesetzliche Vorgänge lenkt — und also im Naturgeschehen als eine zusätzliche Ursache auftritt, welche auf die andern, außermenschlichen Ursachen auswählend und damit ergebnisbestimmend wirkt.

13.9 In engem Zusammenhang mit der modernen Technik stehend und von ihr vielfach abhängig ist die moderne Wirtschaft: denn diese ist weitgehend technisiert, — nur dank dem Aufschwung der wissenschaftlichen Technik hat sie ihre gewaltige Produktionskraft erlangt. Urproduktion und Industrie, Verkehrswesen und Handel, Geldwesen: in allen Zweigen der modernen Wirtschaft bestimmt die moderne Technik weitgehend Arbeitsweise und Produktivität, großenteils auch die Struktur.

Daß die Wissenschaften technisch anwendbare Erkenntnisse erarbeiten, die durch die Technik in Hinsicht auf Gütererzeugung und Dienstleistung nutzbar gemacht werden: das ist Voraussetzung und Grundlage der wirtschaftlichen Revolution der Neuzeit.

13.10 Anderseits gehen von der Wirtschaft ständig Impulse in Richtung Technik und Wissenschaft: das Bestreben nach wirtschaftlich interessanter — vor allem: ertragbringender — Befriedigung vorhandener und neuentstehender Bedürfnisse führt zu Aufträgen an die Technik und daraus ergeben sich häufig Probleme, die in wissenschaftlicher Forschung gelöst werden müssen.

Außerdem wurden im Zusammenhang mit der Wirtschaft und in praktischer Beziehung auf sie besondere Wissenschaften aufgebaut, deren Erkenntnisse direkt, nicht über Technisches, wirtschaftswichtig sind: die Wirtschaftswissenschaften.

13.11 Von Wissenschaft, Technik und Wirtschaft der Neuzeit vielfach beeinflußt, aber auch sie vielfach beeinflussend ist der moderne Staat.

Jene Kulturbereiche sind für den modernen Staat einerseits Felder von Mittelhaftem: in dem Sinne, daß er dank wirtschaftlicher, technischer und wissenschaftlicher Leistungen die Mittel zur Durchsetzung seiner Ziele erhält, — hohe Volkswohlfahrt etwa, aber auch große militärische Macht werden dann am sichersten erreicht, wenn der Staat sich auf eine starke Wirtschaft und auf eine hochentwickelte, durch einen bestausgebildeten Wirtschaftsapparat geförderte Technik stützen kann.

Felder von staatlicher und politischer Zielverwirklichung sind sie anderseits dann, wenn sie gemäß geltenden Leitvorstellungen beeinflußt werden sollen, — so in Wirtschaftsausbau oder -reform und in der Förderung von Technik und Wissenschaft.

13.12 Dank den Fortschritten der Wissenschaften, der Technik und der Wirtschaft, aber auch dank der sehr viel rationeller gewordenen Gestaltung des Staatlichen als solchen (letzteres z. B. in der Behördenorganisation, im Staats- und Verwaltungsrecht, im Zivilrecht, in den öffentlichen Finanzen) sind die Leistungsmöglichkeiten des modernen Staates sehr viel größer als diejenigen des nicht-modernen: erst im modernen Staat hat insbesondere eine umfassende Wohlfahrtspolitik Aussicht auf vollen Erfolg.

13.13 Wissenschaft, Technik, Wirtschaft und Staat bilden zusammen das Kerngebiet der neuzeitlich-abendländischen Kultur, — und diese vier Kern-Teilgebiete stehen miteinander in mannigfachen Beziehungen.

Die Hauptbeziehungen sind die direkten, nämlich:
— direkte Beziehungen zwischen Wissenschaft und Technik:
technische Anwendung wissenschaftlicher Erkenntnisse,
Auslösung von wissenschaftlicher Forschung durch technische
Zielsetzung,
Ermöglichung von wissenschaftlicher Forschung durch technische Mittel;
— direkte Beziehungen zwischen Wissenschaft und Wirtschaft:
direkte wirtschaftliche Anwendung wissenschaftlicher (z. B.
wirtschaftswissenschaftlicher, soziologischer, psychologischer)
Erkenntnisse,
Auslösung von wissenschaftlicher Forschung durch wirtschaftliche Vorgänge und Probleme,
Ermöglichung der wissenschaftlichen Forschung durch Auf-
bringung der benötigten wirtschaftlichen Mittel;
— direkte Beziehungen zwischen Wissenschaft und Staat:
direkte Anwendung wissenschaftlicher (z. B. staatswissen-
schaftlicher, wirtschaftswissenschaftlicher, soziologischer, psychologischer) Erkenntnisse in Politik und Staat,
Auslösung von wissenschaftlicher Forschung durch Vorgänge
und Probleme in Politik und Staat,
Ermöglichung und Förderung der wissenschaftlichen Forschung durch den Staat;
— direkte Beziehungen zwischen Technik und Wirtschaft:
Anwendung der technischen Mittel und Verfahren in der
Wirtschaft,
Lösung von technischen Problemen in Hinsicht auf die Verwirklichung wirtschaftlicher Zielsetzungen,
Ermöglichung und Förderung der technischen Leistung durch
Zurverfügungstellung der benötigten wirtschaftlichen Mittel;
— direkte Beziehungen zwischen Technik und Staat:
Anwendung der technischen Mittel und Verfahren in Staat
und Politik,
Lösung von technischen Problemen in Hinsicht auf die Ver-
wirklichung von staatlichen und politischen Zielsetzungen,
Ermöglichung und Förderung der technischen Leistung durch
den Staat;
— direkte Beziehungen zwischen Wirtschaft und Staat:

Beeinflussung von Staatlichem und Politischem durch Wirtschaftliches,
Beeinflussung von Wirtschaftlichem durch Staatliches und Politisches,
Finanzierung der öffentlichen Ausgaben.

13.14 Neben den direkten und Hauptbeziehungen zwischen Wissenschaft, Technik, Wirtschaft und Staat bestehen indirekte:
— indirekte Beziehungen zwischen Wissenschaft und Technik: Wissenschaftliches wirkt auf Technisches oder Technisches wirkt auf Wissenschaftliches auf dem Umwege über Wirtschaftliches oder Staatliches,
— indirekte Beziehungen zwischen Wissenschaft und Wirtschaft: Wissenschaftliches wirkt auf Wirtschaftliches oder Wirtschaftliches wirkt auf Wissenschaftliches auf dem Umwege über Technisches oder Staatliches,
— indirekte Beziehungen zwischen Wissenschaft und Staat: Wissenschaftliches wirkt auf Staatliches oder Staatliches wirkt auf Wissenschaftliches auf dem Umwege über Technisches oder Wirtschaftliches,
— indirekte Beziehungen zwischen Technik und Wirtschaft: Technisches wirkt auf Wirtschaftliches oder Wirtschaftliches wirkt auf Technisches auf dem Umwege über Wissenschaftliches oder Staatliches,
— indirekte Beziehungen zwischen Technik und Staat: Technisches wirkt auf Staatliches oder Staatliches wirkt auf Technisches auf dem Umwege über Wissenschaft oder Wirtschaft,
— indirekte Beziehungen zwischen Wirtschaft und Staat: Wirtschaftliches wirkt auf Staatliches oder Staatliches wirkt auf Wirtschaftliches auf dem Umwege über Wissenschaftliches oder Technisches.
Dafür einige Beispiele, — sie betreffen die indirekten Beziehungen der letztgenannten Gruppe:
— die Industrialisierung löst sozialpolitische Maßnahmen aus, deren Wünschbarkeit sich aus soziologischen Untersuchungen ergibt,
— durch Unternehmerentschluß wird ein neues Waffensystem entwickelt, welches militärpolitische Entschlüsse nötig macht,

— staatliche Maßnahmen zur Förderung der physikalischen Forschung führen schließlich zu neuen Entwicklungen in der Energiewirtschaft,

— der Regierungsbeschluß, eine Autostraße (also ein technisches Werk) zu bauen, verändert die Standortsbedingungen der Industrie einer Region.

13.15 In manchen Sachzusammenhängen ergeben sich eigentliche Kreisbewegungen, die zwei, drei oder alle vier Kern-Kulturbereiche in ständiger Verbindung halten.

Beispiele für kreisende Beeinflussung zwischen zwei Kulturbereichen:

— Wissenschaft-Technik: wissenschaftliche Erkenntnis bestimmten Inhaltes wird technisch angewandt, woraus sich im Laufe der Zeit technologische Probleme ergeben, die wissenschaftliche Forschung auslösen, deren Ergebnisse technisch angewandt werden, usw.;

— Technik-Wirtschaft: in technischer Leistung werden verkäufliche Güter hergestellt, Marktüberlegungen führen zur Forderung nach besserer technischer Leistung, die in technischem Bemühen erreicht wird, womit besser verkäufliche Güter erzeugt werden können, usw.

Beispiele für kreisende Beeinflussungen zwischen drei Kulturbereichen:

— Wissenschaft-Technik-Wirtschaft: wissenschaftliche Erkenntnis wird technisch angewandt, dadurch werden verkäufliche Güter produziert, Marktüberlegungen führen zum Auftrag an Wissenschaftler, nach weiteren technisch-wirtschaftlich verwertbaren Ergebnissen zu forschen, dazu machen Rationalisierungsbestrebungen neue wissenschaftliche Forschungen nötig, neue wissenschaftliche Erkenntnisse werden in Hinsicht auf die wirtschaftliche Verwertung technisch angewandt, usw.;

— Wissenschaft-Technik-Staat: wissenschaftliche Erkenntnis findet eine technische Anwendung, die politisch wichtig ist (z.B. Rüstung), politische Überlegungen (z. B. Bestreben, gleich stark zu bleiben wie der potentielle Gegner) führen zum Auftrag an Wissenschaftler, auf dem betreffenden Sachgebiet weiterzuforschen, neue Forschungsergebnisse werden erarbeitet und angewandt, dies wiederum löst politische Überlegungen (z. B. den Schutz der Zivilbevölkerung betreffend) aus, in deren Verfolgung sich neue wissenschaftlich zu behandelnde Probleme stellen, usw.

Beispiele für kreisende Beeinflussung zwischen allen vier Kulturbereichen: wissenschaftliche Erkenntnisse finden eine technische Anwendung, die wirtschaftlich lohnend ist und insbesondere die Beschäftigungsmöglichkeiten erweitert, weshalb der Staat an der Ausweitung dieser Aktivität interessiert ist und sie durch Unterstützung der wissenschaftlichen Forschung auf dem betreffenden Sachgebiet zu sichern und zu steigern trachtet, woraus sich weitere technisch-wirtschaftliche Anwendungen ergeben, usw.

13.16   Von größter Wichtigkeit für den Gang der neuzeitlich-abendländischen Kultur ist das Schul- und Ausbildungswesen: die Anwendung des modernen Wissens und Könnens stellt große und ständig steigende Anforderungen an die Einzelnen. Unentbehrlich sind: Mindestschulung für alle, Fachausbildung für viele, hohe Denk- und Fähigkeitsschulung für manche, — in der modernen Leistungswelt kann man den Ungeschulten, Unwissenden nicht mehr brauchen.

Je höher der Stand der modernen Kultur, desto größer die Anforderungen an die Schulen und die Berufsausbildung, — und je besser Schulung und Ausbildung, desto aussichtsreicher das Bemühen um den höheren Leistungsstand insbesondere in Wissenschaft, Technik, Wirtschaft und Staat.

13.17   Unentbehrlich oder zumindest sehr nützlich sind für die neuzeitliche Kultur vielfältige Mittel und Einrichtungen zur Bewahrung und Übertragung des Wissens- und Erfahrungsbestandes: Schriftstück, Buch, Zeitung und Zeitschrift, Film, Schallplatte, Rundfunk und Fernsehen, dazu Bibliotheken, Druckereien, Verlage, Fabriken für Spezialmaschinen und -apparate, usw.

Von allen Erfindungen der Neuzeit die grundlegende war diejenige Gutenbergs: Neues konnte sich erst ausbreiten und fortlaufend weiteres Neues auslösen, nachdem die technische Möglichkeit der einfachen und billigen Bücherherstellung gefunden war. Und jeder Fortschritt im Druckereigewerbe erleichterte nicht nur die Wissensverbreitung, sondern auch die Weckung der in vielen Einzelnen schlummernden geistigen Kräfte.

Auch daß das Gedruckte durch Film, Schallplatte, Hörfunk und Fernsehen ergänzt wird, erweitert und steigert das Wissen und Können der Einzelnen.

13.18 Durch Schulung und Ausbildung, durch Teilhabe an den durch Bücher und andere Verbreitungsmittel zugänglich gemachten Inhalten, durch Arbeit in Wissenschaft, Technik, Wirtschaft oder Staat und durch die Benützung technischer Mittel außerhalb des Berufes erlangen viele moderne Menschen ein ausgeprägt rationales Wesen, — sie unterscheiden sich damit in einem Hauptwesenszug von den Menschen früherer Jahrhunderte.

Es ist anzunehmen, daß sich diese Besonderheit im Zusammenhang mit der zukünftigen Kulturentwicklung weiter entfalten wird.

13.19 Vergleicht man die neuzeitlich-abendländische Kultur mit den Hochkulturen der ersten Stufe, so stellt man die erheblich veränderte Bedeutung der Religion fest: diese steht nicht mehr wie früher im Zentrum der Kultur, — neben Wissenschaft, Technik, Wirtschaft und Staat ist sie für sehr viele Zeitgenossen zweitrangig und für manche völlig unwichtig.

Der Wissenschaftler bedarf zur Erhellung und Erklärung der Wirklichkeit oder des Logischen nicht mehr des Rückgriffes auf religiöse Vorstellungen: es stünde im Widerspruch zur Wissenschaftlichkeit, wenn irgendein Wissensinhalt mit göttlichem oder dämonischem Wirken in Zusammenhang gebracht würde. Sich mit Gott oder Göttern, Engeln und Heiligen, Teufeln und Dämonen unter der Voraussetzung ihres Wirklichseins zu befassen, beschränkt sich auf Theologie und philosophische Metaphysik, die beide nicht Wissenschaft im modernen Sinne sind. Gegenstand der Wissenschaft — nämlich der Religionswissenschaft und der Psychologie — sind nur die Religionen in ihrer geschichtlichen Besonderheit und die Religion im allgemeinen: beides im Sinne der Erhellung von Kulturwirklichkeit.

Der Technisch-Tätige bedarf in seinem Tun nicht des Religiösen: es ist in der Technik keine einzige Stelle, von der aus Geistwesen — guter, wohltätiger oder böser, schadender Art — zu beeinflussen versucht würden. Im Gegenteil ersetzt die moderne Technik immer weitgehender die frühere »religiöse Technik«: statt Gebet und religiöse Riten werden mehr und mehr rationale technische Mittel und Verfahren angewandt.

Die moderne Wirtschaft ist, was ihre Leistungsseite anbelangt, ganz auf das rationale Wissen und Können aufgebaut und auch hier wird auf die Herbeiführung göttlicher oder die Abwehr teuflischer Einwirkung verzichtet. Immerhin kann die Religion in Hinsicht auf die Einstellung des Einzelnen zum Nächsten und die Ordnung der zwischenmenschlichen Beziehungen richtungweisend bleiben: insofern sich aus ihr moralische Grundsätze ergeben.

Im Bereiche des Staatlichen ist der Einfluß der Religion stärker geblieben. Aber kaum je ist die religiöse Wirklichkeitsauffassung als solche zielsetzend, — es geht vor allem um die Machtstellung der Gläubigen und Glaubensgemeinschaften, zweitens ist auch hier Religiös-Moralisches wirksam.

13.20 Nur zum Teil sind aber die in Wirtschaft und Staat wirksamen Moralauffassungen religiösen Ursprunges.

Zum andern — und größeren — Teil sind sie Ergebnis moralschaffenden lebens- und staatsphilosophischen Denkens (das häufig Ideologieinhalt wird) oder sich allmählich vollziehender lebenspraktischer Neueinstellung.

13.21 Da die Religion in der modernen Kultur zweitrangig geworden ist, hat sich auch die Bedeutung der religiösen Kunst verringert.

Um so wichtiger ist die nicht-religiöse Kunst und in dieser die weltlich-gegenständliche geworden, — letztere, weil sie den Teilhabenden mit der Natur und der Menschenwelt in erlebte Verbindung bringt.

98

13.22 Die Wandlungen in Wissenschaft, Technik, Wirtschaft und Staat, in Religion und Moral, ja auch in der Kunst wirken sich mannigfach auf das Gemeinschaftsleben aus: es entstehen sowohl neue Zwecke und Werte als auch neue Verwirklichungsweisen und -möglichkeiten, — die Gemeinschaften, in welche der moderne Mensch einbezogen ist, sind in Wesentlichem von den früheren verschieden.

Geistige Selbstzwecke: Wissenschaft

14.1 Mit der Entfaltung der neuzeitlich-abendländischen Kultur gehen mannigfache Wandlungen im Bereiche der geistigen Selbstzwecke einher: positive, wenn geltende Ziele verstärkt und erweitert werden oder wenn neue Ziele Geltung erlangen, — negative, wenn die Wichtigkeit von Zielen abnimmt.

14.2 Die Entfaltung der neuzeitlichen Wissenschaft hat auf die Selbstzwecke des Erkennens und Wissens und der andern Weisen des wissenschaftlichen oder auf Wissenschaftliches gegründeten Denkens bedeutende positive Auswirkungen: weil es jetzt möglich wird, in weitem Umfange, tiefdringend und genau Wirkliches und Begriffliches zu erfassen und darauf gestützt mancherlei geistige, insbesondere denkerische Leistungen zu vollziehen, die zum Teil als eigenwert erlebt werden.

14.3 Die grundlegende Geistesleistung ist in der Wissenschaft das Erkennen: die Erfassung von Bisher-Dunklem (das bisher auch nicht von andern erhellt wurde), — von einer zumeist auf Tatsachenfeststellungen gestützten Frage nach Wesen oder Zusammenhang ausgehend, welche durch möglichst einleuchtende Annahmen beantwortet wird, wobei die Antwort sich in der unvoreingenommen sachlichen Überprüfung als unbezweifelbar oder doch sehr wahrscheinlich richtig zu erweisen hat.
  Erkennen ist für den Erkennenden häufig an sich wertvoll und damit selbstzweckhaft:
— erstens weil es als eigenwerte Befassung mit der gestellten Er-

kenntnisfrage und als eigenwertes geistiges Tätigsein erlebt
wird,
— zweitens weil es, an sein Ziel gelangend, als ein an sich wertvolles Erfolghaben erlebt wird,
— drittens weil die Erkenntnis (= Ergebnis des Erkennens) als
ein An-sich-Wertvolles, ein Objekt-Wertvolles erfahren wird,
— viertens weil die Erkenntnis als ein Für-andere-Menschen-
Wertvolles, vielleicht als ein Für-die-Menschheit-Wertvolles
erfahren wird.
(Zum dritten und vierten: Indem der Erkennende ein an sich
wertvolles und ein für andere Menschen wertvolles Ergebnis
seines Erkennens verwirklicht, gewinnt seine Geistesleistung
einen sehr viel weiteren und höheren Sinn, als wenn sie auf die
Freude des Geistig-Aktivseins und die Genugtuung des Ans-
Ziel-Gelangens beschränkt bliebe.)

14.4   Mit dem Erkennen verbunden oder es ergänzend sind
das Begriffs- und das Systembilden: es werden hier Denkinstru-
mente geschaffen, welche beim weiteren Erkennen und bei der
Verarbeitung der Erkenntnisse erforderlich oder zumindest
nützlich sind, und es wird die Fülle der Wissensinhalte eines
Sachgebietes in ein wohlgeordnetes und dadurch überschaubares
Ganzes zusammengefaßt.
    Auch hier können die geistige Aktivität an sich, das Ans-
Ziel-Gelangen als selbstzweckhaft erlebt und das verwirklichte
Erreichnis als an sich und (oder) für andere wertvoll, damit als
objektiviertes Eigenwertes verstanden werden.

14.5   Ähnliches gilt für das kritische Denken wissenschaftlichen
Inhaltes: es ist ein wichtiger Teil der wissenschaftlichen Tätigkeit
und sein Ergebnis besteht in höherem objektivem Wert des vorhandenen Wissens und Könnens, — ein Sonderfeld, das manchem
eigenwerte Erfüllung bietet.

14.6   Die Erkenntnisse, in Begriffe gefaßt, in Systeme geordnet, durch Kritik soweit als möglich von Mängeln befreit, werden durch Darstellung, Darlegung und Lehre verbreitet, damit
sie Gemeingut der Interessierten werden.

Wiederum zeigt sich ein Feld, auf dem eigenwerte Geistestätigkeiten und Erreichnisse werden:
— erstens geistige Leistung, die schon als geistiges Aktivsein befriedigend, freudvoll und damit eigenwert ist,
— zweitens darstellendes und darlegendes Gestalten, das in
manchem dem künstlerischen ähnlich ist, im besondern,
— drittens das Ans-Ziel-Gelangen als selbstzweckhaftes Sich-
bewähren und Erfolghaben,
— viertens das Geleistete als Objektiv-Wertvolles und als Für-
andere-Menschen-Wertvolles,
— fünftens das Geistig-Höhersein der beeinflußten Menschen
(Darstellung, Darlegung und Lehre haben ihr wichtigstes Ergebnis darin, daß Menschen zu vollkommenerem Wissen und
Können gebracht werden).

14.7   Das Dargestellte, Dargelegte, Gelehrte wird von den
Aufnehmenden, Lernenden zu geistigem Besitz erworben: auch
darin kann Eigenwert liegen:
— erstens wiederum weil die Geistestätigkeit (die hier im Aufnehmen und Lernen besteht) als eigenwert erlebt wird,
— zweitens weil das Geistig-weit-und-hell-Sein und das Geistig-
Teilhaben, die beide durch das Aufnehmen und Lernen ermöglicht werden, Selbstzwecke sind.

14.8   Das durch eigenes Erkennen oder durch aufnehmendes
In-Teilhabe-Treten zu geistigem Besitz Erworbene ist zunächst
und hauptsächlich Gegenstand von Wissen und Verstehen, in
welchen der Geistig-Besitzende eine häufig eigenwerte und
selbstzweckhafte Sicht ausgewählter Inhaltsbereiche, vielleicht
auch, mit den Vereinfachungen, zu denen er gezwungen ist, des
Erkenntnisse-Ganzen verwirklicht.

14.9   An das wissenschaftlich begründete Wissen und Verstehen schließen sich weitere Geistestätigkeiten an, die als solche
oder wegen der Auswirkung auf andere Menschen selbstzweckhaft sein können und es oft sind. So:
— das Gespräch, die Auseinandersetzung zwischen mehreren
Wissenden als in sich selbst sinnvolles geistiges Tun,

— die praktische Anwendung des Wissensinhaltes in wissenschaftlichem oder außerwissenschaftlichem Tun.

14.10 Die wichtigsten Inhaltsgebiete, auf die sich die vielfältigen — häufig eigenwerten, selbstzweckhaften — wissenschaftlichen Geistestätigkeiten richten, sind:
— die Erde: nähere Umwelt, fernere Gebiete, fremde Länder, Meere, Erdinneres, auch die Geschichte unseres Planeten,
— die außerirdische, kosmische Welt: Sterne und sie verbindende Wirkungen, Raum, auch die Geschichte des Alls,
— Stoffe, Energien, Kräfte: Typen und Gruppen, Strukturen, Beziehungen, Zusammenhänge, Ursachen und Wirkungen,
— Reich des Lebens: Pflanzen und Tiere, der Mensch als Lebewesen, allgemeines Wesen des Lebenden, Geschichte des Lebens auf Erden, Abstammung, Entwicklung der Arten,
— das Seelische: Wesen, Typen und Gruppen von einzelnem Seelisch-Wirklichem, Strukturen, Bedingtheiten und Zusammenhänge, Geschichte,
— Vergangenheit des Menschen und der Kultur: frühere politische, gesellschaftliche, wirtschaftliche und übrige kulturelle Zustände, Entwicklungen und Geschehnisse, dazu im besondern: große Einzelne,
— die vom Menschen auf den einzelnen Kulturfeldern geschaffene Wirklichkeit, teilweise weit in die Geschichte zurückgreifend, teilweise mit ausgeprägter Zuwendung zum Gegenwärtigen: Gesellschaft, Staat, Recht, Wirtschaft, Technik, Religion, Philosophie, Künste, Sprache,
— das Mathematische, das Logische, die Möglichkeiten des Erkennens.
Auf allen diesen — und auch auf weiteren — Sachgebieten sind mannigfache selbstzweckhafte Verwirklichungen des wissenschaftlich tätigen oder an Wissenschaftlich-Erkanntem teilhabenden Geistes möglich.

14.11 Mitunter ist die wissende Teilhabe an den von den Wissenschaften erarbeiteten Erkenntnissen von der eigentlich wissenschaftlichen Beschäftigung ziemlich weit entfernt: so dann, wenn der Wissensstoff in der Berichterstattung über Aktuelles faßbar wird, — z. B. kann der Verfasser eines Zeitungsartikels, der sich mit wirtschaftlichen Vorgängen befaßt, dem Leser, ohne es zu wollen, interessante nationalökonomische Einsichten vermitteln.

Zeitungen, Zeitschriften, Rundfunk und Fernsehen verbreiten so fortlaufend eine Fülle von Wissensstoff, in welchem wissenschaftlichen Erkenntnissen eine aktuelle Ausprägung gegeben ist.

14.12 Selbstzweckhaftes entsteht im wissenschaftlichen Bereich weiter dadurch, daß der Forschende, Darlegende oder Lehrende, aber auch der Lernende und der Betrachtend-Teilhabende mit Gleichgesinnten in einigermaßen engem persönlichem Miteinanderdenken und -wirken stehen: es ergibt sich daraus Gemeinschaft, welche die allzu engen Grenzen des Einzelnerseins durchbricht und die Beteiligten zu eigenwertem Mit-andern-Verbundensein bringt.

14.13 Von den geistigen Selbstzwecken wissenschaftlichen Inhaltes her wird ihr Träger in seinem Selbstverstehen und in seinem Erleben, bis in seine ursprünglichste Sinnlichkeit, mehr oder minder stark und nachhaltig beeinflußt: der Wissenschaftlich-Interessierte erlebt sich anders als der Wissenschaftlich-Nichtinteressierte, — insbesondere wirkt sich seine Bewußtheit verändernd und beschränkend auf den naturhaften Teil seines Wesens aus.

Dazu erfordern die wissenschaftlichen Verwirklichungen sich auch auf den Vitalbereich auswirkende Disziplinierung.

14.14 Die mit wissenschaftlicher Leistung oder betrachtender Teilhabe an Wissenschaftlichem verbundenen geistigen Selbstzwecke und Eigenwerte können im Einzelnen einen mehr oder weniger stark ausgebildeten Sonderbezirk der Zwecke-und-Werte-Struktur bilden: dann, wenn geistige Anlage, Erziehung, Umwelteinfluß, Beruf, andere dauernde Betätigung, dauernde Teilhabe, usw. in diesem Sinne wesensbestimmend sind.

Häufig ist in solchen Zwecke-und-Werte-Strukturen der naturhafte Bereich nicht stark ausgebildet.

14.15 Die Feststellung, daß es Zwecke und Werte des Wissenschaftsbereiches enthaltende Zwecke-und-Werte-Strukturen gibt, ist nicht in dem Sinne zu verstehen, daß die betreffenden Einzelnen starr auf bestimmte Zwecke und Werte festgelegt seien. Dies wird zumeist dadurch ausgeschlossen, daß das moderne wissenschaftliche Denken einerseits kritisch und anderseits ständig weiterforschend ist: zu seinem Wesen gehört das Für-Neues-Offensein.

14.16 Jedoch ist das Sich-mit-Wissenschaftlichem-Befassen nur zum Teil durch geistige Selbstzwecke dieses besonderen Bereiches bestimmt. Zum andern Teil ist es mittelhaft: indem der Sichbefassende mit seinem Sichbefassen Selbstzwecke anderer Art — Vitalzwecke oder geistige Selbstzwecke außerhalb des Feldes der Wissenschaft — verfolgt.

14.17 Von diesem Mittelhaftsein der wissenschaftlichen Verwirklichung im Erfüllungsbereich des Einzelnen ist die Mittelhaftigkeit zu unterscheiden, die darin besteht, daß wissenschaftliche Erkenntnisse und Darlegungen zur Verwirklichung anderer — wissenschaftlicher oder außerwissenschaftlicher — Zwecke verwendet werden. Indem der Wissenschaftlich-Tätige Mittelhaftes dieser Art verwirklicht, vollbringt er ein für andere Menschen Wertvolles: es wurde bereits festgestellt, daß darin eigenwerte Erfüllung liegen kann.

14.18 Die Entfaltung der modernen Wissenschaft hat auf die geistigen Selbstzwecke und Eigenwerte nicht nur positive Auswirkungen.

Negativ ist die Auswirkung in erheblichem Ausmaße auf die religiösen Überzeugungen und Zielsetzungen: für viele bedeutet Zuwendung zum Wissenschaftlichen die mehr oder weniger weitgehende und mehr oder weniger klar bewußte Abwendung von Glauben und religiös bestimmter Lebenserfüllung, — Abwendung, die bei manchen nur einigermaßen starke Beschränkung und Abschwächung des an sich noch immer, zumeist durch Kirchenmitgliedschaft, anerkannten Religiösen ist, bei andern aber bis zu dessen vollständiger Preisgabe geht.

Diese Abwendung tritt auch bei solchen ein, die zur Wissenschaft keinerlei unmittelbare Beziehung haben, sondern lediglich allgemein von der wissenschaftlichen und wissenschaftlich-technischen Grundeinstellung unserer Zeit beeinflußt sind.

Immerhin kann auch ausgeprägtes Wissenschaftsinteresse, ja bedeutende wissenschaftliche Leistung mit lebendig bleibendem Glauben einhergehen.

14.19   Negative Auswirkungen hat die moderne Wissenschaft weiter auf die Metaphysik und damit auf die mit dieser verbundenen geistigen Selbstzwecke: weil die Philosophie mehr und mehr auf das zu-erraten-suchende Behaupten, ohne welches Aussagen über das innerste Weltwesen nicht möglich sind, verzichten muß.

14.20   Indem sie Abwendung vom Religiösen und Metaphysischen bewirkt, hat die Wissenschaft negative Auswirkungen drittens auf dem Felde der Morallehre: insofern die Moralauffassungen religiös oder metaphysisch begründet sind.

Jedoch erfaßt diese Schwächung nicht das Ganze des aus der vormodernen Zeit übernommenen Moralischen, denn es gibt in diesem Inhalte, welche Ergebnis der lebens- und gesellschaftspraktischen Erfahrung und damit an sich von religiöser und metaphysischer Begründung unabhängig sind. Auch lassen die mit der modernen Kultur gewandelten Lebens- und Gesellschaftsverhältnisse neue Moralauffassungen entstehen.

14.21   Kann die Wissenschaft die Lücke ausfüllen, welche sie in die religiös oder metaphysisch begründete Moral riß?

Zum Teil leistet sie solchen Ersatz: indem es Moralisches gibt, das engst mit der Wissenschaft verbunden ist, — Erkenntnis und Betrachtung als Ziel, Wahrheit als maßgebender Wert, Offenheit und intellektuelle Redlichkeit als Grundhaltung.

Zum Teil aber kann das ersetzende Neue nur aus außerhalb des Wissenschaftlichen vollzogener Setzung kommen.

14.22   Die negativen Auswirkungen auf den Feldern der Religion, der Metaphysik und der Moral prägen sich zum Teil in den Zwecke-und-Werte-Strukturen der Wissenschaftlich-Interessierten aus: indem darin die entsprechenden Selbstzwecke und Eigenwerte nur geringes Gewicht haben oder fehlen.

14.23 Schließlich ist darauf hinzuweisen, daß die — selbstzweckhaften oder mittelhaften — Verwirklichungen der modernen Wissenschaft einen weiten, hochdifferenzierten Kulturbereich haben entstehen lassen, welcher großenteils neuen, früher nicht vorhandenen Wesens und wahrscheinlich in der gesamten Weltwirklichkeit ein seltenes und höchstrangiges Erreichnis ist.

Geistige Selbstzwecke: Technik

15.1 Anders als die Wissenschaft ist die Technik — als die einigermaßen planmäßige Indienstnahme von Naturstoffen und -kräften verstanden — in ihrem ursprünglichen Wesen nicht selbstzweckhaft, sondern mittelhaft: das Technische ist (mit wenigen Ausnahmen: Feuerwerk, technisches Spielzeug) ein Nützliches, das einem übergeordneten Zweck dienen soll. Dabei kann der übergeordnete Zweck ein Endzweck (z. B. Ernährung, Heilung, Kunstgenuß) oder wiederum ein Mittelhaftes (z. B. eine Maschine zur Nährmittel- oder Heilmittel- oder Bücherherstellung) sein.

Dadurch, daß jetzt die Herstellung der für die Endzweckverwirklichungen benötigten Erzeugnisse und Dienstleistungen in sehr viele verschiedene Arbeitsgänge aufgeteilt ist, bildet die moderne Technik ein Zweckenetz mit unübersehbar vielen Zwischenzwecken.

15.2 Und hauptsächlich mittelhaft ist das technische Handeln seit jeher für den einzelnen Tätigen: er will in erster Linie entweder selber Güter schaffen und Leistungen erbringen, die er nötig hat, oder aber — jetzt vorwiegend — durch seine Leistung das Geld verdienen, mit dem er sich die benötigten Güter und Leistungen beschaffen und vielleicht darüber hinaus Reichtum, Ansehen und Macht erlangen kann.

15.3 Jedoch wird im Zusammenhang mit dem Technischen (und zwar wegen der weiten und hohen Ausbildung der modernen Technik sehr stark, und ständig zunehmend, nach Fachgebiet und Berufsfunktion variiert) auch Selbstzweckhaftes:

— erstens das Tätigsein, das technische Wirken als solches,
— zweitens das Ans-Ziel-Gelangen als eigenwertes Sichdurchsetzen und Erfolghaben,
— drittens das Objektiv-Wertvollsein des Geleisteten (auch das technische Geleistete kann für den Leistenden eine selbstzweckhafte Objektivierung seines Seins bilden),
— viertens das Für-andere-Menschen-Wertvollsein des Geleisteten (durch welches der Leistende in ein Großes und Ganzes einbezogen wird),
— fünftens das Zusammenwirken mit andern (soweit es als eigenwert erlebt wird),
— sechstens Einsicht, die der Technisch-Tätige gewinnt und die ihm selbstzweckhaftes Bewußtseiend-Teilhaben ermöglicht.

15.4 Tätigsein ist Angespanntsein, Auswirkung von Willenskraft, Interessiertsein, Bewegtsein, — es ist das Gegenteil von Trägheit. Schon als solches kann es freudvoll und damit eigenwert sein: dies zeigt sich am deutlichsten in Spiel und Sport, trifft aber auch auf das technische Tun zu, das in Tätigkeitsweisen besonderer Art besteht.

Manches technische Tätigsein erfordert mehr oder weniger stark ausgebildetes Planen: Voraussehen, Möglichkeiten-Ausdenken, Prüfen, Abwägen, Vorziehen und Verwerfen, Festlegen, Entwerfen, Skizzieren, — bis zur Ausfertigung von endgültigen Konstruktionsplänen. Es liegt darin ein Neues-Schaffen, häufig ein Schöpferischsein, — der Planende leitet die Herstellung neuer Dinge und mitunter neuartiger Wirklichkeit ein: und er kann dieses Wirken als eigenwert und als Selbstzweck erleben.

An das Planen schließt sich das Planausführen an, wobei der Ausführende seinen eigenen Plan oder aber den Plan eines andern (oder mehrerer anderer) verwirklicht. Das Neues-Herstellen wird hier nicht mehr vorbereitet, sondern vollzogen; die Wirkungsmöglichkeit ist damit weniger weit, jedoch konkreter:

das neue Wirkliche ersteht tatsächlich. Und zumeist hat das Ausführen seine sachlichen, fachlichen Schwierigkeiten, die überwunden werden müssen und manchem Gelegenheit zu kämpferischem Einsatz geben. — Auch hier kann vielfältig das Erleben von eigenwertem Aktivsein werden.

15.5 Das Ans-Ziel-Gelangen, das Erfolghaben kann als selbstzweckhafte Erfüllung erlebt werden, weil es die Lösung der gestellten Aufgabe und, damit verbunden und häufig stark ausgeprägt, der Sieg über Schwierigkeiten ist, die hinderlich waren und vielleicht sogar kaum überwindlich schienen.

Allerdings ist bei vielen die Freude des Ans-Ziel-Gelangtseins nur kurz und manche verstehen den erreichten Erfolg vor allem als Ansporn zu neuem Tätig-Streben.

15.6 Das technische Geleistete ist in der physikalisch-chemischen Welt zumeist ein Besonderes: ein Ding oder ein Geschehen, in dem sich menschliche Meisterschaft verkörpert. In dieser Betrachtung erweist sich manches Technische als ein Triumph des Menschengeistes und damit als ein in sich und an sich Wertvolles, das gleichrangig neben den Leistungen der Kunst und der Wissenschaft steht.

15.7 Der in der modernen Technik Tätige arbeitet in der Regel an einem Nützlichen, das für andere wertvoll sein wird: sein Tun ist Wirken innerhalb eines gesellschaftlichen Ganzen, dessen Wohlergehen zu sichern und zu fördern ist. Mancher, der dieser Bestimmung seines technischen Tuns bewußt ist, erlebt es als eigenwert und selbstzweckhaft, in solcher Weise über seinen eigenen Kreis hinaus wirken und Wertvolles schaffen zu können.

15.8 Und Verbindung über den eigenen Kreis hinaus ergibt sich für die Technisch-Leistenden durch das Arbeiten in Leistungsgruppen und -gesamtheiten: für manchen wird hier wirhafte Erfüllung von Selbstzweckrang.

15.9 Selbstzweck entsteht sodann daraus, daß die Technik Anwendung von Wissen ist, und zwar weitgehend von wissenschaftlichen Erkenntnissen: sie bringt den Handelnden mit einem mehr oder weniger ausgedehnten Wissensfeld in Verbindung und veranlaßt ihn häufig zu besonders deutlichem und intensivem Wissend-Teilhaben, das eigenwert sein kann.

Weitere Einsichten, die eigenwert sein können, kommen daraus, daß das technische Handeln sich in der Gesellschaft vollzieht: Einsichten in Menschliches, Soziales, Staatliches, Rechtliches, Wirtschaftliches, usw.

15.10 Selbstzweckhaftes Tun technischen Inhaltes ist auch außerhalb der Arbeit möglich und kann als solches selbstzweckhaft werden: Motorsport zum Beispiel.

15.11 Endlich ist das Modern-Technische ein weiter Bereich von Kulturwirklichkeit, mit welchem sich selbstzweckhaftes Betrachtend-Teilhaben befassen kann. Beispiel: Interesse an der Raumfahrttechnik.

15.12 Auf das Vitalzweckhafte wirkt sich die Entfaltung der modernen Technik zweifach aus:
— erstens fördernd: einerseits weil die Technik für die Allgemeinheit Mittel zu umfangreicher, gesicherter Vitalzweckverwirklichung schafft und andererseits weil sie den Einzelnen Erfolg im Streben nach Geld und Geltung gibt,
— zweitens beschränkend und triebabschwächend: weil die technische Arbeit von den Leistenden Disziplin, Einsatz und vielleicht Hingabe verlangt.

15.13 Durch geistige Anlage, Erziehung, Umwelteinfluß, Beruf oder anderes dauerndes Sichbeschäftigen können Selbstzwecke technischen Inhaltes und mit ihnen verbundene Eigenwerte wesensbestimmend und also Teil der Zwecke-und-Werte-Struktur werden, — wobei dieser Erweiterung nicht selten eine Beschränkung im Vitalbereich gegenübersteht.

15.14 Wiederum zeigen sich negative Auswirkungen auf das Religiöse.

Einerseits auf praktischem Gebiet: wer mit technischen Mitteln und Verfahren ins Naturgeschehen einzugreifen imstande ist, wird die Kulthandlungen, von welchen die Beeinflussung der schicksalsbestimmenden Mächte erwartet wird, als minder wichtig auffassen. Daraus ergibt sich ein Abbau auch von selbstzweckhaftem Religiösem, insofern das praktische religiöse Handeln als eigenwerte Ausführung des göttlichen Willens verstanden werden kann.

Anderseits in bezug auf die selbstzweckhaften religiösen Verwirklichungen betrachtender Art: mancher wendet sich wegen der Erfüllung, die er dank der modernen Technik findet, von der Teilhabe am Göttlichen und Heiligen ab.

15.15 Und ähnliche Auswirkungen vermindern das metaphysische Interesse: mancher Technik-Freudige kümmert sich, weil die Technik ihm sichere, reale Verwirklichungen ermöglicht, nicht um die Probleme, um welche das metaphysische Denken kreist.

15.16 Soweit die Entfaltung der Technik die Verminderung des religiösen und metaphysischen Interesses zur Folge hat, schwächt sie auch die in der Religion oder in philosophischer Metaphysik gegründete Moral.

Jedoch ergeben sich aus dem technischen Tun neue moralische Haltungen: Hochschätzung von Sachlichkeit, intellektueller Redlichkeit, Beharrlichkeit, Arbeitsamkeit, usw.

15.17 Diese das Religiöse, Metaphysische und Moralische betreffenden Wandlungen prägen sich im inneren Wesen, also in den Zwecke-und-Werte-Strukturen vieler Einzelner aus.

15.18 Auch durch die modern-technischen Verwirklichungen ist ein Bereich von Kulturwirklichkeit geschaffen worden, der ein Geschichtlich-Neuartiges und aller Wahrscheinlichkeit nach in der Weltallwirklichkeit ein Höchstentwickeltes und Höchstrangiges ist.

16.1 Hauptunterschied zwischen der technischen und der wirtschaftlichen Tätigkeit: die technische besteht in der auf die Schaffung von Nützlichem gerichteten Einwirkung auf Naturdinge, -kräfte und -vorgänge als solcher, — die wirtschaftliche in der haushälterischen Gestaltung des Nützliches schaffenden Tuns und in der Erzielung von Geldertrag.

Sehr viele Tätigkeiten sind zugleich technisch und wirtschaftlich: der Handelnde hat Technisches wie Wirtschaftliches zu bedenken, anzustreben, zu verwirklichen.

16.2 Der Aufschwung der modernen Wirtschaft ist weitgehend durch den Aufschwung der modernen Technik bestimmt: es ist in großem Umfange die Technik, welche die Herstellung oder Bereitstellung der wirtschaftlich wichtigen — insbesondere der zur Erzielung von Geldertrag geeigneten — Güter und Dienstleistungsgebilde ermöglicht.

Anderseits ist die Technik in ihrem konkreten Tun weitgehend durch wirtschaftliche Zielsetzungen beeinflußt: sie hat sich überwiegend mit Wirtschaftlich-Verwertbarem zu befassen.

Technik und Wirtschaft stehen so in mannigfacher Wechselwirkung.

16.3 Die Vitalbedürfnisse befriedigen zu helfen ist die ursprüngliche und die auch in unserer Zeit überwiegende Aufgabe der wirtschaftlichen Tätigkeit, — in zweifacher Hinsicht:
— erstens wird durch sie die Beschaffung der für jene Bedürfnisbefriedigung benötigten Güter und Dienstleistungen gelenkt und gefördert,
— zweitens erstreben die Wirtschaftlich-Tätigen vor allem Geldeinkommen und auch Geltung und Macht, also Erfolge, die zumeist von der Vitalseite her stark beeinflußt sind.

16.4 Jedoch ist hier eine Erweiterung nötig: Güter und Dienste, deren direkter Nutzen in der Befriedigung von Vitalbedürfnissen liegt, können indirekt der Verwirklichung geistiger Endzwecke zugute kommen.

Dies gilt beispielsweise für Wohnhäuser und Wohnungseinrichtungen. Die Wohnung ist ursprünglich und auch in ihrem gegenwärtigen Hauptwesen ein der Vitalbedürfnis-Befriedigung dienendes Gut. Jedoch ist sie schon lange vor der Neuzeit, nämlich in frühester Hochkulturzeit, jedenfalls für die Wohlhabenden etwas Weiteres geworden: Stätte, in welcher der Bewohner auch seine kulturhaften Zwecke und insbesondere seine geistigen Selbstzwecke verwirklicht. Dies hat sich in der neuzeitlich-abendländischen Kultur, dank der Wohlstandszunahme, nach den wirtschaftlich schwächeren Gesellschaftsschichten hin ausgedehnt: Wohnungen, die nicht mehr nur naturhafte Schutz- und Hygienebedürfnisse befriedigen, sondern auch Stätten geistbestimmten Seins sein können, werden jetzt für die meisten Menschen bereitgestellt.

Allgemein ist Voraussetzung aller geistigen Erfüllung, daß Vitalbedürfnisse ausreichende und gesicherte Befriedigung finden: für alles, was er als Geistiger verwirklicht, muß der Mensch leben und darum über das Lebensnotwendige verfügen. Technik und Wirtschaft schaffen gemeinsam dieses Fundament aller geistig-selbstzweckhaften Erfüllung.

16.5   Auch Gelderwerb und Geldbesitz sind Voraussetzung und Mittel zu geisteszielbestimmter Verwirklichung. Denn diese erfordert fast immer Güter, Dienstleistungen oder Darbietungen, die am leichtesten den Geldbesitzenden zugänglich sind (z. B. Bücher, Bibliotheken, Theateraufführungen, aber auch Fahrzeuge, Gesellschaftsreisen).

16.6   Geisteszielbestimmte Lebenserfüllung ist praktisch nur dann möglich, wenn der sie Erstrebende nicht nur über die hiefür benötigten Mittel und das Geld zu deren Beschaffung, sondern auch über ausreichende Zeit verfügt. Die moderne Wirtschaft — unterstützt von der modernen Technik — schafft diese Voraussetzungen in erheblichem Ausmaße, und bedeutende Fortschritte über das Erreichte hinaus sind zu erwarten.

16.7   Es kann aber auch (wiederum in mannigfacher inhaltlicher Variierung nach Fachgebiet und Berufsfunktion) im Zu-

sammenhang mit wirtschaftlicher Leistung Geistig-Selbstzweck-haftes werden:
— erstens selbstzweckhaftes Tätigsein als solches,
— zweitens selbstzweckhaftes Erfolghaben und Ans-Ziel-Ge-langen,
— drittens das Objektiv-Wertvollsein des Geleisteten,
— viertens das Für-andere-Wertvollsein des Geleisteten,
— fünftens Zusammenwirken mit andern,
— sechstens Einsicht, die der Wirtschaftlich-Tätige in seinem Handeln gewinnt.

16.8 Wirtschaftliche Leistung ist Tätigkeit, d. h. Einsatz von Wollen und Können für ein erstrebtes Ziel. Konkret besteht sie in Planen, Berechnen, Verhandeln, Organisieren, Anordnen, Kaufen, Verkaufen, Kreditgeben und -nehmen, — und in vieler-lei ausführenden Handlungen.

So tätig erlebt sich der Leistende als ein in sinnvoller Weise Aktiver, und dieses Aktivsein kann für ihn eigenwert und selbstzweckhaft werden: am stärksten dann, wenn er Neues oder Wichtiges schafft.

16.9 Das wirtschaftliche Erfolghaben besteht zunächst darin, daß die Einzelhandlung an ihr Ziel gelangt, — daß z. B. ein gün-stiger Vertrag abgeschlossen wird. In weiterem Sinne hat es zum Inhalt, daß das Ganze der vom Einzelnen vollzogenen wirt-schaftlichen Tätigkeit den erstrebten Gesamterfolg hat, — z. B. eine Reihe von günstigen Geschäftsergebnissen.

Für den Wirtschaftlich-Tätigen bedeutet sein Erfolghaben Sieg über Schwierigkeiten, häufig auch über Gegner, persönliche Bewährung, aber auch Befriedigung, ein Wertvolles, vielleicht sogar ein Gesamtwirtschaftlich-Bedeutendes (z. B. eine Indu-strieunternehmung) geschaffen zu haben. Der Erfolgreiche kann darin selbstzweckhafte Erfüllung erleben.

16.10 Es gibt unter den wirtschaftlichen Leistungen solche, die ein in der wirtschaftlichen — und also in der gesellschaftlichen — Wirklichkeit Bedeutendes zum Ergebnis haben: hieher ge-hören die volkswirtschaftlich wichtigen Unternehmungen, und auch die in ihrer Besonderheit bedeutenden Neuerungen wie neue Weisen der wirtschaftlichen Organisation, neue Rechnungsverfahren, neue Betriebs- und Vertriebsmethoden, neue wirtschaftsrechtliche Einrichtungen.

Vom Leistenden aus, aber auch in allgemeiner Würdigung, kann solches als eine an sich wertvolle Objektivierung geistigen Seins gesehen werden.

16.11 Wirtschaftliche Leistung ist fast immer Leistung auch für andere als nur den Leistenden selbst: nicht nur für die Familie (die als zum Eigenbereich des Leistenden gehörend aufgefaßt werden kann), sondern auch für die Abnehmer, die Arbeiter und Angestellten, das gesellschaftliche Ganze des Wohnortes, der Region, des Landes.

Auch in der Wirtschaft kann dieses Für-andere-Leisten als selbstzweckhafte Erfüllung verstanden werden.

16.12 Wirtschaftliche Leistung bedingt vielfältiges Zusammenwirken mit andern: mit Betriebsangehörigen, mit Berufsgleichen, mit Kunden, mit beratenden Spezialisten, usw., — darin kann sich das ichhafte Tun zu einem wirhaften wandeln, das als eigenwert erlebt wird.

16.13 Einsichten gewinnt der Wirtschaftlich-Tätige zunächst in die Dinge seines näheren Arbeitsfeldes: der Unternehmung, in der er arbeitet, der Branche, — aber auch in weiterreichende Zusammenhänge und Geschehnisse: solche der Wirtschaft seiner Stadt oder des Landesteiles, der gesamten Volkswirtschaft, sogar der Weltwirtschaft, der Wirtschaft im allgemeinen, sodann in Psychologisches, in zwischenmenschliche Beziehungen, in Gesellschaftliches, Rechtliches, Staatliches, Politisches, endlich in mancherlei technische Tatsachen und Probleme.

Und er kann es als selbstzweckhafte Erfüllung verstehen, solche Einsichten zu gewinnen und die so erfaßten Inhalte gegenwärtig zu haben.

16.14 Am ausgeprägtesten kann der Eigenwert der wirtschaftlichen Leistung in der Tätigkeit der Führenden werden:

114

bei den Unternehmern, Direktoren, hochgestellten Experten. Er besteht aber auch in den mittleren und unteren Rängen der wirtschaftlichen Hierarchie: bis hinunter zur ungelernten Hilfskraft.

16.15 Aus der engen Verbindung, die in vielen Berufen zwischen wirtschaftlicher und technischer Tätigkeit besteht, ergibt sich, daß das Selbstzweckhafte der wirtschaftlichen Leistung häufig auch technischen Inhalt hat.

16.16 Es ist hier auf ein Praktisches hinzuweisen.

In Technik und Wirtschaft sind Entwicklungen im Gange, welche das Selbstzweckhaftsein der Berufsarbeit beeinträchtigen können: weitestgetriebene Arbeitsteilung und Mechanisierung, dazu neuestens eigentliche Automatisierung. Mit diesen Maßnahmen wird die Erhöhung der Leistungskraft der einzelnen Unternehmungen und der Wirtschaft als Ganzen bezweckt und erreicht; sie zu verurteilen wäre wirklichkeitsfremd. Eine menschlich-wichtigste Aufgabe der Unternehmer ist es aber, dafür zu sorgen, daß unter den sich wandelnden Arbeitsbedingungen möglichst reiche Voraussetzungen und Gelegenheiten zu selbstzweckhafter Leistungserfüllung wirtschaftlichen und technischen Inhaltes geschaffen werden.

16.17 Auch die moderne Wirtschaft ist ein höchst vielfältig ausgebildeter Kulturbereich, an dem betrachtend teilzuhaben an sich sinn- und wertvoll sein kann.

16.18 Das wirtschaftliche Tun wirkt sich ähnlich wie das technische auf das Vitalzweckhafte zweifach aus:
— erstens fördernd: indem es dem Volksganzen bei der Beschaffung der für die Vitalzweckverwirklichung benötigten Mittel hilft und indem der Leistende selbst Wirtschaftsgüter erwirbt und darüber hinaus vielleicht auch Geltung und Macht erringt,
— zweitens beschränkend: indem es Disziplinierung, haushälterischen Sinn und Sparsamkeit verlangt.

16.19   Und ähnlich wie diejenige der Technik beeinflußt die Entwicklung der modernen Wirtschaft das Religiöse und Metaphysische.

Der Mensch, der in erfolgreichem wirtschaftlichem Handeln Wohlstand schafft, fühlt sich weniger als der Wirtschaftlich-Schwache auf die übernatürliche Hilfe angewiesen, welche der Gläubige durch Gebet und kultisches Handeln herbeizuführen hofft. Die praktische Wichtigkeit der Religion wird dadurch vermindert.

Zudem sind viele Wirtschaftlich-Interessierte überwiegend aufs Diesseitige ausgerichtet; sie vernachlässigen die »letzten Fragen« — und die Antworten, welche Religion und Metaphysik darauf geben.

Immerhin kann auch jetzt noch intensives und erfolgreiches wirtschaftliches Handeln religiös fundiert sein: wenn der Handelnde sein Tun als dem göttlichen Wollen entsprechend auffaßt.

16.20   Die durch den Aufschwung der modernen Wirtschaft bewirkte oder jedenfalls mit ihm verbundene Zuwendung zum Diesseits prägt sich im Werten und Zielverfolgen vieler moderner Menschen deutlich aus: Wohlstand im allgemeinen und persönlicher wirtschaftlicher Erfolg im besondern bilden den Hauptinhalt des in der abendländischen Welt vorherrschenden Befürwortens und Strebens, — des »Praktischen Materialismus« (»Materialismus« darum, weil das Materielle, eben das Wirtschaftliche, den Vorrang hat; »praktischer« Materialismus darum, weil es sich hauptsächlich um eine tatsächlich geübte Haltung, nicht um eine theoretisch gefaßte Lehre handelt).

Immerhin ist im praktischen Materialismus der Zugang zu geistig-selbstzweckhafter Lebensführung nicht versperrt: es gehört zum Wesen der Wirtschaftsgüter, daß sie mittelhaft sind, und mancher vorwiegend auf das Wirtschaftliche Ausgerichtete kommt irgendwann dazu, sich nach dem Wozu der in seinem Besitz befindlichen Güter zu fragen, — außerdem kann auch hier die Wirtschaftstätigkeit als solche Eigenwertes enthalten.

16.21   Die von der Wirtschaft ausgehende negative Beeinflussung von Religion und Metaphysik wirkt sich abschwächend auch auf die religiös oder philosophisch begründeten Moralauffassungen aus.

Anderseits entsteht auf dem Felde der Wirtschaft neues Moralisches: Hochschätzung der Arbeitsamkeit, des haushälterischen Sinnes, der Sparsamkeit, der Voraussicht, der Bereitschaft zur Zusammenarbeit mit andern, usw.

16.22   Ergänzend zur Moral: Wissenschaft, Technik und Wirtschaft schwächen überliefertes Moralisches nicht nur durch die negative Beeinflussung des religiösen oder philosophischen Glaubens, sondern auch durch die von ihnen bewirkte Umgestaltung der Lebensverhältnisse im allgemeinen und des Gesellschaftlichen im besondern: die sittlichen Normen können nur solange Geltung behalten, als sie praktisch anwendbar sind. Neue Voraussetzungen für das Moralische sind entstanden oder im Entstehen; damit sind der moralsetzenden Lebens- und Sozialphilosophie neue Aufgaben gestellt.

16.23   Erziehung, Ausbildung, Beruf und in der Gesellschaft vorherrschende Einstellung bewirken, daß in vielen Einzelnen bestimmte Zwecke — auch geistige Selbstzwecke — des wirtschaftlichen Leistungsfeldes und die mit ihnen verbundenen Werte so verfestigt werden, daß sie Teil der Zwecke-und-Werte-Strukturen bilden. Auch hier sind aber großenteils nur die allgemeinen Ziele festgelegt, wogegen in Hinsicht auf die konkrete Einzelzielsetzung weitgehend Wahlmöglichkeit besteht, — was in der modernen, Beweglichkeit verlangenden Wirtschaft unerläßlich ist.

Teilweise verfestigt sind auch die Auswirkungen auf den Vitalbereich (Beschränkung durch Disziplinierung) und auf den Bereich von Religion und Metaphysik (Unwichtigkeit des »Transzendenten«).

Und strukturhaft verfestigt ist häufig das mit dem wirtschaftlichen Tun verbundene Moralische.

1624. Auch durch die modern-wirtschaftlichen Verwirklichungen ist ein ausgedehnter Bereich von Kulturwirklichkeit geschaffen worden, der ein Geschichtlich-Neuartiges und aller Wahrscheinlichkeit nach in der Weltallwirklichkeit ein Höchstentwickeltes und Höchstrangiges ist.

Geistige Selbstzwecke: Staat und Politik

17.1   Seinem ursprünglichen und auch jetzt noch überwiegendwichtigen Wesen nach steht der Staat unter Vitalzwecken: erste Aufgabe des Staates ist es, der in ihm organisierten Menschengesamtheit das Leben und nach Möglichkeit Wohlfahrt zu sichern.

Der Staat ist, zunächst und noch immer sehr ausgeprägt, ein lebensdienliches Kulturhaftes, — genauer: ein Ganzes von lebensdienlich-kulturhaften Einrichtungen und Vorgängen.

17.2   Und großenteils von Vitalzwecken her bestimmt ist das Tun der im Staate oder politisch Handelnden: Erwerbsinteresse, Geltungs- und Machtstreben sind die wichtigsten treibenden Kräfte.

17.3   Es sind aber im Staatlichen und Politischen neben den Vitalzwecken auch geistige Endzwecke richtungweisend und handlungsbestimmend: sie werden praktisch wirksam
— erstens im Willen zur Gestaltung von Staatlichem in Hinsicht auf Geistiges, das von den Bürgern zu verwirklichen ist,
— zweitens im Willen der im Staate oder politisch Tätigen durch ihr Tun zu eigener geistig-selbstzweckhafter Verwirklichung zu gelangen.

17.4   Wie kann Staatliches zur Gestaltung des von den Bürgern zu verwirklichenden Geistigen beitragen?

Einerseits direkt: indem geistige Verwirklichungen als solche durch staatliche Maßnahmen unterstützt und gefördert werden, — z. B. in den staatlichen Schulen oder durch Beiträge an private

Schulen, durch Förderung der »zweckfreien« Wissenschaft, der Kunst, des Bibliothekwesens.

Anderseits indirekt: durch freiheitliches Recht, das den Bürgern die Möglichkeit gibt, nach eigenem Entscheid Ziele und Verwirklichungsweisen zu wählen, durch Wohlfahrtspolitik, dank welcher für möglichst viele Einzelne und Gruppen die Mittel zur Zielverwirklichung verfügbar werden.

17.5   Diese Feststellungen führen mitten hinein in die Meinungsverschiedenheiten über den richtigen Staat und die richtige Politik. Denn da das Im-Staate-Handeln in seinen Zielsetzungen weitgreifend und vielfältig, in seinem ausführenden Wirken schwierig und außerdem seinem Wesen nach kämpferisch ist, ist das staatliche und politische Richtige nur zum Teil allgemein anerkannt, zum andern — häufig großen — Teil dagegen mehr oder weniger scharf umstritten.

Es ergeben sich daraus die Notwendigkeit, die Wichtigkeit und der Wert des staatsphilosophischen, insbesondere staatsmoralischen Denkens, — des auf die Erkenntnis des Guten-im-Staate und des Guten Staates gerichteten geistigen Bemühens.

17.6   Grundlegend ist auch für das sozialphilosophische und insbesondere sozialmoralische Denken die allgemeine Auffassung vom Ziel des Menschseins: der Staat ist ein — höchst wichtiges — Sonderfeld der Verwirklichung des richtigerweise zu erstrebenden allgemeinen Menschentums.

Und zu dieser grundlegenden Klärung des Allgemeinmenschlichen gehört die Prüfung der Frage, ob der Sinn des Menschseins beim Einzelnen oder bei der Gesamtheit liege. Drei Antworten sind hier möglich (vgl. 11.7):
— erstens: der Sinn des Menschseins liegt beim Einzelnen,
— zweitens: der Sinn des Menschseins liegt bei der Gesamtheit,
— drittens: der Sinn des Menschseins liegt sowohl beim Einzelnen als auch bei der Gesamtheit.

Auch wenn selbstzweckhafte geistige Verwirklichung als der Sinn des Menschseins oder zumindest als zum Sinn des Menschseins gehörend aufgefaßt ist, können diese drei Antworten gegeben werden.

17.7 Indem die Staatsphilosophie jene Grundfrage beantwortet, bringt sie das Streben der beeinflußten Einzelnen und Gruppen nach geistiger Verwirklichung in eine bestimmte Richtung, — und es werden durch sie, wenn sie Geltung erlangt, die politischen Grundauffassungen beeinflußt oder sogar festgelegt.

17.8 Sodann stellt sich eine allgemeine praktische Frage: Wie ist in dem die Menschseinsziele verwirklichenden Ausführungshandeln richtigerweise die Stellung der Einzelnen einerseits, der Gesellschaft und des Staates anderseits?

Wiederum sind drei grundsätzliche Antworten möglich:
— erstens: möglichst freie Betätigung der Einzelnen ist richtig,
— zweitens: straff organisiertes, vom Staate gelenktes Gemeinschaftshandeln ist richtig,
— drittens: Verbindung von freier Betätigung der Einzelnen und staatlichen Ordnungs- oder Förderungseingriffen ist richtig.

Indem die Staatsphilosophie diese allgemeine praktische Frage beantwortet, legt sie für die Einzelnen und die Gruppen mehr oder weniger weitgehend die Zweckverwirklichungsweisen fest. Und damit auch die mit diesen verbundenen Möglichkeiten geistig-selbstzweckhaften Tuns, — Beispiel: Wo die Industrie verstaatlicht ist, gibt es nicht das besondere Geistig-Selbstzweckhafte, das nur in der Tätigkeit des selbständigen Fabrikanten werden kann.

17.9 Die Beantwortung der zweiten Frage ist von der ersten her beeinflußt.

Findet man den Sinn des Menschseins im Sein des Einzelnen, so wird man fürs Praktische die möglichst freie oder zumindest eine weitgehend freie, wenn auch im Hinblick auf die Erfüllungsmöglichkeiten der Schwächeren beschränkte Betätigung der Einzelnen vorziehen. Lebensphilosophischer Individualismus führt so zu politischem Liberalismus, der allerdings durch sozialpolitische Gesichtspunkte beeinflußt sein kann.

Sieht man den Sinn des Menschseins in der gesamtheitlichen Erfüllung, so wird man in der Regel eine die Einzelnen straff auf die Gesamtinteressen ausrichtende Ordnung befürworten.

Lebensphilosophischer »Universalismus« findet seinen praktisch-staatsphilosophischen Ausdruck in kollektivistischen, ständestaatlichen oder sonstwie interventionistischen Lehren. Sieht man den Sinn des Menschseins sowohl beim Einzelnen als auch beim gesellschaftlichen Ganzen, so wird man von vornherein geneigt sein, in bezug auf das Staatspraktische den Einzelnen weitgehende freie Betätigungsmöglichkeit zu lassen, aber gleichzeitig die zur Sicherung und Erhöhung der Gemeinschaftswohlfahrt nötigen Maßnahmen zu treffen. Der Individualismus und Universalismus verbindenden lebensphilosophischen Auffassung entspricht die sozialliberale Politik.

17.10 Indem der politische Denker sich auf das Im-Staate-Richtige und auf den Guten Staat besinnt, unternimmt er es, das staatliche Seinsollende festzulegen und insbesondere das politische, staatsgestaltende Handeln derer, die seine Lehre aufnehmen, zu bestimmen.

Politisches Denken hat in erster Linie Staats- und Gesellschaftsgestaltung zum Ziel, durch diese und hinter dieser aber auch Menschengestaltung: denn das konkrete Menschsein wird von Staat und Gesellschaft her tiefgreifend beeinflußt. Soweit der politische Denker menschengestaltend wird, wirkt er auf dem Leistungsfeld, welchem man mit Grund den höchsten Rang zuerkennen kann.

Beizufügen ist, daß das politische Denken, sei es schöpferischen, darlegenden, lehrenden oder kritischen Inhaltes, als solches für den es Ausübenden geistig-eigenwerte Erfüllung sein kann.

17.11 Eine der entscheidenden Taten des neuzeitlich-abendländischen politischen Denkens: Setzung des Grundsatzes und politischen Zieles »Freiheit, Gleichheit, Brüderlichkeit«, — diese drei Worte bedeuten eine neue Auffassung von Mensch und Gesellschaft und es wurde damit eine weitwirkende Neugestaltung des Gesellschaftlich-Staatlichen und darüber hinaus der Bedingungen und Möglichkeiten des Menschseins eingeleitet.

17.12   Die Ergebnisse des theoretisch-politischen, staats- und sozialphilosophischen Denkens müssen, um in der praktischen Politik Wirksamkeit zu erlangen, von Parteien und Parteipolitikern aufgenommen und als richtig anerkannt werden. Sie werden dadurch zu Führwahrgehaltenem, das geglaubt, aber kaum mehr kritisch geprüft wird, — zu Ideologie.

Ideologie zu verbreiten und ihr Geltung zu verschaffen, ist ein praktisch wichtiges politisches Tun; mancher, der es ausübt, erlebt es als gewichtige selbstzweckhafte Erfüllung.

17.13   Ideologie ist häufig Glaubensinhalt, welcher für das innere Wesen seiner Träger bestimmend ist: ihr entsprechend zu denken, zu wollen und zu handeln kann als ähnlich erfüllungbedeutend erlebt werden wie vom Religiös-Gläubigen das religiös bestimmte Verhalten. (Trotzdem ist es kaum zweckmäßig, die modernen politischen Ideologien als »Ersatzreligionen« zu bezeichnen; denn zum Wesen der Religion gehört die Einstellung auf ein übermenschliches Schicksalsbestimmendes hin, und diese fehlt in wichtigsten politischen Ideologien.)

17.14   Großenteils durch die Ergebnisse des staats- und sozialphilosophischen Denkens oder durch Ideologie geleitet, zum Teil allerdings auch die sich stellenden Aufgaben einfach mit Sinn für das Vernünftige und Nützliche lösend ist das konkrete Handeln der Politiker und Staatsmänner: dieses ist schaffend, gestaltend und mitunter schöpferisch auf dem Felde des Staatspraktischen.

Sind auch bei vielen in dieser Weise Tätigen Vitalzwecke — Geltung, Macht, Besitz — von starkem Einfluß, so wird in diesem Tun doch auch häufig geistig-selbstzweckhafte Erfüllung.

17.15   Und geistig-selbstzweckhafte Erfüllung kann auch im Handeln all derer werden, die im Staate oder auf den Staat hin als Behördenmitglieder, Beamte, Richter, Militärs, Journalisten, Parteifunktionäre, usw. tätig sind.

Wiederum zeigt sich das Geistig-Eigenwerte in den sechs Ausprägungen, auf die bei den technischen und wirtschaftlichen Leistungen hingewiesen wurde:

- erstens das Tätigsein als solches,
- zweitens das Ans-Ziel-Gelangen,
- drittens das Objektiv-Wertvollsein des Geleisteten,
- viertens das Für-andere-Menschen-Wertvollsein des Geleisteten,
- fünftens das Zusammenwirken mit andern,
- sechstens Einsicht, welche der in diesem Leistungsbereich Tätige gewinnt.

Auch diese selbstzweckhaften Verwirklichungen sind nach den inhaltlichen Besonderheiten der konkreten Leistungen und nach Stellung und Funktion der Leistenden vielfach variiert.

17.16 Mancherlei Wesens und Inhaltes sind die Tätigkeiten, die im Staate oder auf den Staat hin ausgeübt werden: aber jeder Handelnde kann in seiner Stellung die Befriedigung des Tätigseins als solchen erleben: es gibt sie nicht nur bei den Hochgestellten, Anordnenden und Befehlenden, sondern auch bei den Untergeordneten, Ausführenden, bis hinunter zu den Hilfskräften, — am stärksten wohl dann, wenn die Arbeit auf ein Neues oder Wichtiges gerichtet ist.

17.17 Und mögen die Tätigkeitsergebnisse inhaltlich noch so verschieden sein: das Ans-Ziel-Gelangen kann für alle Tätigen eine an sich wertvolle Erfüllung sein, — vom Politiker, der sich für eine Gesetzesvorlage einsetzt, bis zum Kanzlisten, der eine sauber gearbeitete Statistik erstellt.

17.18 Manches, das durch die im Staate oder auf die Gestaltung des Staates hin Leistenden verwirklicht wird, ist in der Welt des Gesellschaftlich-Wirklichen ein Besonderes, vielleicht ein Hohen-Rang-Habendes: von Organisationsformen und Rechtsbestimmungen in der Gemeindeverwaltung bis zu übernationalen, menschheitsweiten Institutionen.

Vielen ist es hier möglich, ihr Denken, Wollen und Tun in Objektiv-Wertvolles überzuleiten.

17.19 Unmittelbar und darum in seinem Eigenwert besonders deutlich erfaßbar ist das Für-andere-Wertvollsein der im Staate oder auf den Staat hin vollzogenen Leistung: weil der Staat immer direkt oder indirekt für die Gesamtheit, für Gruppen oder für seiner Hilfe bedürftige Einzelne sorgt.

Alle hier Tätigen können diesen besonderen Wert als selbstzweckhafte Erfüllung erfahren.

17.20 Und aus der im Staate oder auf den Staat hin vollzogenen Leistung entstehen vielerlei Beziehungen zwischen den Einzelnen, — innerhalb der Behörden, der Ämter, des Militärs, der Parteien, usw.: für manchen ist dies eigenwerte Erweiterung seines Seins in Richtung auf das Wirhafte.

17.21 Verschieden nach Inhalt, Weite und Bedeutung sind die Einsichten, die sich aus den hier betrachteten Leistungen ergeben. Aber jede der möglichen Einsichten kann von jemand als selbstzweckhafte Erfüllung erlebt werden.

17.22 Selbstzweckhafte Erfüllung wird auf dem Felde des Staatlichen und Politischen schließlich im Bewußtseiend-Teilhaben seitens der auf diesem Sondergebiet Nichttätigen, seitens derer also, für die Staat und Politik nur Betrachtungsinhalte bieten: die Fülle des aktuellen Geschehens läßt den Interessierten Tag für Tag neue wesentliche Einblicke gewinnen, — und dazu kommt die Befassung mit dem Allgemeinen und Grundsätzlichen einerseits, dem Vergangenen, Geschichtlichen anderseits.

17.23 Von den Verwirklichungen auf staatlichem und politischem Gebiet werden, gleich wie von den wirtschaftlichen und technischen, die Vitalzweckverwirklichungen zweifach beeinflußt:
— erstens fördernd: indem allgemein die Wohlstandssicherung und -erhöhung hauptsächliche Staatsaufgabe ist und indem, was die Einzelnen als solche anbelangt, viele im Staate oder auf den Staat hin Tätige mit dieser Tätigkeit Geld erwerben und manche Geltung und Macht erlangen,
— zweitens beschränkend: indem Disziplinierung und Triebbeschränkung unerläßlich sind.

17.24   Auf die Religion und die religiös begründete Morallehre hat auch die Entwicklung des modernen Staates negative
Auswirkungen, indem der Staat Verwirklichungen ermöglicht,
die teilweise die früher im religiösen Bereich erstrebten ersetzen,
— Beispiel: Interesse an der staatlichen Wohlstandssicherung
schwächt dasjenige an den religiösen Jenseitsverheißungen.

Immerhin erfährt die Religion vom modernen Staatlichen
und Politischen her auch Förderung. Vor allem organisatorisch
und finanziell: Staatskirche. Weiter in Hinsicht auf die Anerkennung der religiösen Lehre: wenn Parteien und Politiker aus
Überzeugung oder aus Erfolgsgründen das Religiöse betonen, —
und auch wenn eine gefürchtete politische Tendenz religions-
feindlich ist und dadurch für ihre Gegner die Religionsfreund-
lichkeit politisch vorteilhaft wird.

17.25   Auf dem Felde der Morallehre entstehen im Zusammenhang mit den neuen Entwicklungen in Staat und Politik
neue Auffassungen, neue Grundsätze, neue Leitbilder. Ideologie und Staatspraxis verlangen von den Einzelnen und den
Gruppen dann, daß sie sich anders als bisher einstellen: dies
kann zur Umgestaltung der bisher anerkannten Moralinhalte
führen. Beispiel: Wandlung in den Klassenbeziehungen mit dem
Werden des sozialliberalen Wohlfahrtsstaates.

17.26   Da die im Staate oder auf den Staat hin Tätigen ihre
Tätigkeit großenteils entweder beruflich oder sonst mit starkem Einsatz von Zeit und Kraft ausüben und da die meisten
Bürger in ihren politischen Ansichten durch Erziehung, Presse,
Parteien, Staatspropaganda, usw. nachhaltig beeinflußt sind,
sind viele Einzelne in ihren das Staatliche betreffenden Auffassungen, Zielsetzungen und Wertungen mehr oder weniger
weitgehend festgelegt: ihre Zwecke-und-Werte-Strukturen haben einen entsprechenden Inhaltsbereich, — wobei auch die
Vitalzweckeschicht einerseits, die Schichten des Religiösen und
Moralischen anderseits beeinflußt sein können.

Immerhin besteht in diesem Festgelegtsein eine weite Spanne
zwischen Starrheit und Beweglichkeit in bezug auf das zu be-
urteilende oder tätig zu behandelnde Konkrete: einige sind nur

in Allgemeinst-Grundsätzlichem, andre bis in die Äußerlichkeiten bestimmt — und zwischen diesen Extremen gibt es viele Zwischenstufen.

17.27 Daß der moderne Staat ein Bereich von geschichtlichneuer und aller Wahrscheinlichkeit nach höchstentwickelter und höchstrangiger Wirklichkeit ist, zeigt der Vergleich mit der vormodernen Kulturwelt und der außermenschlichen Naturwelt.

Geistige Selbstzwecke: Religion, Metaphysik, Morallehre

18.1 Wenn auch, wie mehrfach festgestellt wurde, die geistigen Selbstzwecke und die selbstzweckhaft-geistigen Verwirklichungen religiösen und metaphysischen Inhaltes durch die Entfaltung der neuzeitlich-abendländischen Kultur starken negativen Beeinflussungen unterlagen, so wäre es doch falsch, zu behaupten, daß sie keine erhebliche Bedeutung mehr hätten. Das Gegenteil trifft zu: Religion und Metaphysik sind auch jetzt noch geistige Mächte, die Denken, Werten, Zielsetzen, Wollen und Handeln sehr vieler Menschen bestimmen.

18.2 Neben der Religion und gegen sie hat sich in der neuzeitlich-abendländischen Kultur manches entfaltet: aber viele Zeitgenossen sind dadurch in ihrem Glauben kaum oder nur wenig beeinflußt: in ihnen lebt die Religion so weiter, wie sie am Ende des Mittelalters — das man auf diesem Sondergebiet bis über die Reformation hinaus erstrecken wird — ausgebildet war.

Allerdings gab es in Europa und Amerika in der Neuzeit mancherlei neue religiöse Gedanken, Lehren, Interpretationen und Haltungen, — aber das christliche Grunddogma wurde davon nicht so berührt, daß die Mehrheit der Gläubigen jetzt wesentlich anderen Glaubens wäre als die Menschen des europäischen Mittelalters; die wirklich tiefgreifenden Neuerungen (etwa der Verzicht auf den Satz von der Gottheit Jesu) werden nur von kleinen Minderheiten vertreten.

18.3 Man mag sich überlegen, warum die negativen Auswirkungen von Wissenschaft, Technik, Wirtschaft und Staat auf die Religion nicht vollständiger gewesen sind.

Vor allem dürfte hier von Bedeutung sein, daß der Gläubige von seinem Glauben inneren Gewinn hat: an sich läßt sich in einer Wirklichkeit, in welcher der Himmlische Vater über den Menschen wacht und der Erlöser für jeden das Tor zur Seligkeit aufgetan hat, mit höherer Selbsteinschätzung und größerer Zuversicht leben als in einem Universum-ohne-Gott. Alle wissenschaftlichen, technischen, wirtschaftlichen und staatlichen Errungenschaften können dem nach dem Ewigen Leben Trachtenden nicht das geben, was ihm die Religion verheißt.

Es kann aber auch der Glaube ohne solches Interesse am Jenseits so stark sein, daß er für den Gläubigen das Wesenszentrum ist. Gott — oder die Götter — und das Göttliche in der Welt sind dann in der Betrachtung und als Kraftquell des Tuns so stark erlebt, daß alles andere als untergeordnet erscheint.

18.4 Auch hat das wissenschaftliche Denken an sich oder in seiner tatsächlichen Verbreitung Grenzen, jenseits welcher der Glaube sich behaupten kann.

Vor allem wichtig ist hier, daß die Wissenschaften zwar einerseits das Bestehen eines Gottesreiches nicht nachgewiesen, es aber anderseits auch nicht als unmöglich erwiesen haben: der Gläubige kann sich darum sagen, die Glaubensannahmen bewegten sich im Felde des nach wissenschaftlichem Urteil Möglichen.

Sodann fehlt vielen Menschen der Wille zur Einheitlichkeit und Geschlossenheit des Denkens: man ist wissenschaftlich in der einen Sache und nichtwissenschaftlich in der andern, — das wissenschaftliche Denken ist bloß eine von mehreren dem Ich zur Verfügung stehenden Denkweisen. Da kann das religiöse Denken ohne große Schwierigkeit seine Stellung wahren.

Endlich sind manche Menschen vom wissenschaftlichen Geist kaum berührt: sie kennen zwar allerlei Forschungsergebnisse und benützen technische Geräte und Erzeugnisse, — aber die tieferen Zusammenhänge bleiben ihnen fremd. Sie erkennen darum kaum die Verschiedenheit zwischen dem Glauben einerseits und dem wissenschaftlichen und wissenschaftlich-technischen Denken anderseits.

18.5 Zudem hat theologisches Denken die Glaubenslehre der Wirklichkeitskenntnis, wie sie als Ergebnis der wissenschaftlichen Forschung Gemeingut der Gebildeten geworden ist, in manchem soweit angepaßt, daß dem alten Dogma zeitgemäßere Einkleidungen gegeben werden können.

18.6 All dies kann aber nicht hindern, daß viele wissenschaftlich denkende Menschen sich vom religiösen Glauben abgewandt haben:
— erstens, weil das wissenschaftliche Weltbild so sehr anders ist als das religiöse, daß der Vermutung, das religiöse Denken habe zwar nicht die irdische Natur und das Weltall, wohl aber das innerste Wesen, den Ursprung und die Bestimmung der Welt zu erkennen vermocht, die Überzeugungskraft fehlt,
— zweitens aus der grundsätzlichen Einstellung, als wirklich nur Dinge anzuerkennen, deren Wirklichkeit wissenschaftlich sicher oder jedenfalls sehr wahrscheinlich ist,
— drittens aus einer Selbsteinschätzung, in welcher den von den Religionen verheißenen Gütern keine überragende Bedeutung mehr zuerkannt wird.

18.7 Weitgehend oder vollständig vom religiösen Glauben abgewandt haben sich viele Praktisch-Denkende dadurch, daß außerreligiöse Verwirklichungen ihr Interesse und ihre Verwirklichungskraft größtenteils oder ganz beanspruchen.

18.8 Jedoch führt die Abwendung vom religiösen Glauben nicht notwendig und tatsächlich bei weitem nicht immer zur Abwendung auch von der Kirche. Vielmehr bleiben Kaum-mehr-Gläubige und Nicht-mehr-Gläubige häufig Mitglieder der Kirche, weil sie in dieser als Zeremonienorganisation Erwünschtes finden und weil sie sich gesellschaftlich nicht absondern wollen.

18.9   Unwahrscheinlich ist, daß in Europa und Amerika eine von neuer, d. h. erst in Zukunft erfolgender »göttlicher Offenbarung« ausgehende neue Religion erhebliche Verbreitung finden kann. Denn jede derartige Verkündigung würde durch die wissenschaftliche Kritik als inhaltlich zweifelhaft und durch die psychologische Durchforschung als menschlich-bedingt erwiesen.

Unwahrscheinlich ist im weiteren, daß viele sich von der christlichen Religion Abwendende sich einer andern, nichtchristlichen Religion — Islam, Hinduismus, Buddhismus — zuwenden. Denn jene Abwendung kommt zumeist aus einer Geisteshaltung, welche dem religiösen Glauben überhaupt ungünstig ist; überdies unterliegen im Abendland die nichtchristlichen Glaubenslehren stärker als die christliche der keine Rücksicht auf Heilig-Gehaltenes nehmenden wissenschaftlichen Durchdringung.

18.10   Gerade aus der wissenschaftlichen Durchdringung der Religionen ergibt sich aber ein andersgearteter Zugang zu diesen: betrachtende Teilhabe an einer oder mehreren Religionen, ohne daß deren Aussagen für wahr gehalten werden.

Notwendig ist hiebei, daß für die Interessierten die wichtigsten religiösen Texte verfügbar sind, — was vor der Zeit des hochentwickelten Buchwesens nicht möglich war: nichtgläubig-betrachtende Teilhabe an den Religionen ist eine geistige Erfüllung, welche erst in der Neuzeit weite Verbreitung finden konnte.

18.11   Entsprechend der geringeren Wichtigkeit des religiösen Fühlens, Denkens, Schaffens, Darlegens, Lehrens, Lehreanwendens, usw. sind auch die mit diesen verbundenen geistigen Selbstzwecke und Eigenwerte, gemessen an der Gesamtheit des Geistig-Eigenwerten, jetzt von geringerer Bedeutung als im Mittelalter, dem »Zeitalter des Glaubens«.

Wichtiger sind anderseits die Selbstzwecke und Eigenwerte der nichtgläubigen Religionsbetrachtung.

18.12   Wie wirken sich diese Wandlungen auf den beschränkenden Einfluß des Religiösen innerhalb der Vitalsphäre, der bei vorherrschendem Glauben stark war, aus?

Die Abschwächung der religiösen Überzeugungen führt zur Lockerung der religiös bedingten Disziplinierung des Vitalen: daraus folgt das Wiederstärkerwerden der naturhaften Zwecke und Triebe, — es sei denn, daß jene Lockerung durch Wirkungen aus andern Feldern der kulturhaften Erfüllung ausgeglichen werde, z. B. durch Disziplinierung im Zusammenhang mit wissenschaftlicher oder technischer Leistung.

Anderseits kann durch die betrachtende — nichtgläubige — Beschäftigung mit Religionen eine allgemeine Geistigkeit gefördert werden, welche im Vitalbereich beschränkend wirkt.

18.13   Überwiegend negativ ist die Wirkung der modernen Wissenschaft auf die — philosophische — Metaphysik: die Wirklichkeitserforschung ist jetzt Sache spezialisierter Fachwissenschaften, die zwar kaum die »letzten Fragen« zu beantworten vermögen, aber mit ihrer Forschung Einsichten gewonnen haben, durch die das Interesse am metaphysischen Die-Welt-Deuten stark vermindert wurde.

Es ist für die die Wirklichkeit erforschende Wissenschaft lediglich eine ganz allgemeine metaphysische Grundlage nötig: daß die Gegenstände des Beobachtens und Erforschens real sind. Für den Großteil der Wissenschaftlich-Denkenden dürfte dieser Realismus die einzige anerkannte Metaphysik sein.

18.14   Immerhin ergeben sich aus der Entwicklung der Wissenschaften auch positive Auswirkungen auf die Metaphysik:
— erstens können neue wissenschaftliche Erkenntnisse (z. B. solche der Atomphysik oder der Biologie) Ausgangspunkt für neue metaphysische Überlegungen werden,
— zweitens kann die Wissensverbreitung das Interesse an dem, was von den Wissenschaften noch nicht erforscht wurde, und damit an den zu-erraten-suchenden Aussagen der Metaphysik, obwohl es im ganzen vermindert ist, doch bei manchen Einzelnen steigern.

Mit Grund wird aber von den Wissenschaften her die Frage aufgeworfen, ob das Denken überhaupt berechtigt sei, das von ihnen bisher noch nicht Erkannte mit andern als wissenschaftlichen Methoden anzugehen.

18.15 Teilweise beeinflußt durch metaphysisches Denken aus vormoderner Philosophie, teilweise von neu geschaffenen, vielleicht modern-wissenschaftliche Erkenntnisse verwendenden Grundgedanken ausgehend, wurden in der Neuzeit eine Reihe von metaphysischen Systemen erdacht, welche auch jetzt noch dem Metaphysisch-Interessierten mancherlei selbstzweckhafte Verwirklichung ermöglichen, — sei es, daß sie für wahr, für das Weltwesen enthüllend gehalten werden, sei es, daß als wertvoll verstanden wird, an ihnen als an wesentlichen Geistesleistungen betrachtend teilzuhaben.

18.16 Eher als auf dem Felde der Religion ist auf dem der Metaphysik die Entstehung neuer Lehre möglich. Denn neue Metaphysik bestünde wahrscheinlich in der Erweiterung von wissenschaftlichen Einsichten durch die Annahme allgemeiner Prinzipien (z. B. der naturwissenschaftlichen Entwicklungslehre durch die Annahme einer kosmischen Evolution), — neue Religion dagegen in konkreten Aussagen über göttliche Wesen oder Mächte. Immerhin ist hier der Übergang fließend: aus neuer Metaphysik könnten neue religiöse Auffassungen entstehen, — ohne daß eine neue »göttliche Offenbarung« behauptet würde.
Auch hier ist aber wenig wahrscheinlich, daß eine breite, dauernde Anhängerschaft gewonnen werden könnte: die wissenschaftliche Kritik würde das Zweifelhafte sowohl der Aussageinhalte wie der metaphysischen Denkverfahren nachweisen; damit bildet sie eine Gegenkraft gegen Neigungen, das Wissenschaftlich-Erkannte zu-erraten-suchend zu überschreiten.

18.17 Geistige Selbstzwecke und Eigenwerte auf dem Felde der metaphysischen Leistung sind noch immer realisierbar. Tatsächlich sind sie aber in der modernen Kultur von sehr viel geringerer Bedeutung als diejenigen, die im wissenschaftlichen Denken und Leisten verwirklicht werden.

18.18 Der Schwund von Kraft und Einfluß des religiösen Glaubens wirkt sich auch auf Stellung und Geltung der religiösen Morallehre aus: die Verbindlichkeit des religiös begründeten Moralischen nimmt ab.

Das Moralische als solches bleibt nötig und wichtig, — aber es kann nicht mehr ausschließlich oder auch nur überwiegend auf religiöse Grundlage gestellt werden.

18.19 In diesem Zusammenhang stellt sich die Frage, wieweit die Inhalte der religiösen Moral aus der Religion abgeleitet oder aber Ergebnis allgemeineren Moraldenkens seien. Sind die Gebote der religiösen Moral richtig, weil sie religiös sind, — oder werden sie von der religiösen Moral vertreten, weil sie richtig sind?

Da grundlegende Moralsätze sich in mehreren, nach der Weltauffassung verschiedenen Religionen und überdies in philosophischen Moralsystemen finden, ist anzunehmen, daß das zweite in manchem — und in Wichtigem — zutrifft. Die religiöse Moral ist weitgehend religiöse Einkleidung für Moral, die ihre Richtigkeit aus dem Wesen und den Lebensverhältnissen des Menschen ableiten kann.

In der Zeit des Glaubensschwundes ist es eine dringende Aufgabe, sich auf dieses allgemeingültige Moralische zu besinnen.

18.20 Es gibt aber religiöses Moralisches, dessen Richtigkeit in der Religion begründet ist: z. B. die Nachfolge Christi oder das (buddhistische) Streben nach dem Nirwana als moralische Gebote.

Solcher Art ist überwiegend jenes Religiös-Moralische, welches den Gläubigen auf geistige Verwirklichungen — die eben nur im Rahmen des nach dem Glauben Bestehenden als möglich erachtet werden — ausrichtet und verpflichtet.

Glaubensschwund bewirkt die Verminderung der Hochschätzung von (im Glauben für erreichbar gehaltenen) spirituellen Zielen und der Verpflichtung auf diese. Hier ist dem modernen Moraldenken die Aufgabe gestellt, die religiöse Spiritualität durch eine — inhaltlich überzeugende und tatsächlich erreichbare — nichtreligiöse zu ersetzen.

18.21 Die dem Moraldenken und -schaffen hier gestellte Aufgabe kann nicht durch die Wissenschaft gelöst werden. Denn es handelt sich um Zielsetzung, die ihrem Wesen nach außerhalb der Wissenschaft liegt: Zielsetzung ist Teil der Lebens- und Gesellschaftsgestaltung, Wissenschaft ist Feststellung von Objektiv-Gegebenem.

Wenn auch die Moral und das Moralschaffen an sich außerwissenschaftlich sind, so werden sie von der Wissenschaft her doch zweifach beeinflußt:

— erstens: indem die Wissenschaft die Möglichkeiten aufzeigt, innerhalb welcher sich die Zielsetzung vernünftigerweise (indem sie sich auf Realisierbares richten soll) zu halten hat,

— zweitens: indem die wissenschaftliche Geistestätigkeit durch eigene Ziele (z. B. Erkenntnis) und Verhaltensregeln (z. B. Sachlichkeit, Wahrheitsliebe) bestimmt ist, die in die allgemeine Moral aufzunehmen sind.

18.22   Auf dem Felde der Moral ist — anders als in Religion und Metaphysik — die Schaffung und Verbreitung neuer Lehre, auch eigentlicher Lehresysteme, dringend erwünscht: es ist die Morallehre zu schaffen und zur Geltung zu bringen, welche den nicht-mehr-religiösen Menschen Ziele und Richtlinien für die sinnvolle Lebens- und Gemeinschaftsgestaltung gibt.

18.23   Dem entspricht, daß die mit dem Moraldenken, -schaffen, -darlegen, -lehren, -verbreiten, -anwenden verbundenen geistigen Selbstzwecke und Eigenwerte für Menschen unserer Kultur lebendige Wirksamkeit haben oder jedenfalls in Zukunft bekommen können, — wobei die zum engeren Bezirk der moralschöpferischen Leistung gehörenden aus dem Wesen dieser Verwirklichung wenigen Besonders-Begabten vorbehalten sind.

Geistige Selbstzwecke: Kunst

19.1   Da die »Welt«, als das Diesseitig-Zugängliche und damit zum Jenseitigen Gegensätzliche, für den modernen Menschen wichtiger ist als für den Menschen der Hochkulturen der ersten Stufe hat für ihn die weltliche Kunst erhöhte Wichtigkeit: weil sie ihm lebendige Begegnung mit der Welt, intensives In-der-Welt-Sein ermöglicht.

Die weltliche Kunst hat sich darum in der neuzeitlich-abendländischen Kultur viel stärker und breiter entfaltet als die religiöse.

19.2 Die weltliche Kunst ermöglicht dem Weltfreund ähnliches wie die Wissenschaft: Begegnung mit der Wirklichkeit, — aber in bildhafter oder nacherlebbarer Gestaltung, nicht in begrifflicher.

Wissenschaft und weltliche Kunst ergänzen sich in diesem Sinne unmittelbar.

19.3 Die Kunst der Neuzeit ist zum Teil Weiterführung derjenigen von Mittelalter und Antike, zum Teil aber neuartige Verwirklichung, — diese
— erstens als Behandlung neuer Themenkreise,
— zweitens als neue Formauffassung und Gestaltungsweise,
— drittens als neuer Kunstzweig.

19.4 Neue Themenkreise:
Wirkliches jeder Art kann in der neuzeitlichen Kunst Thema, d. h. Darstellungsgegenstand und -inhalt werden. Damit wird erstens das schon vor der Neuzeit bestehende und bekannte Wirkliche — Einzelmenschliches, Gesellschaftliches, Kulturelles, Naturdinge — viel eingehender behandelt als etwa in der Kunst des Mittelalters. Und zweitens ist jetzt Thema mancherlei Wesen, das erst in der Neuzeit entstanden ist oder erkannt wurde, — z. B. die Arbeitswelt der Industriegesellschaft, die von der Physik erforschte Wirklichkeit, das von der Tiefenpsychologie Erkannte.

Neue Themen werden aber auch außerhalb der Wirklichkeitsdarstellung gestaltet: in der nichtgegenständlichen Kunst, — so in der modernen Malerei, in der Musik, im Tanz.

Im ganzen ist die Kunst der Neuzeit sehr viel reicheren Inhaltes als die vorneuzeitliche.

19.5 Neue Formauffassungen und Gestaltungsweisen:
Zwar ist in der neuzeitlichen Kunst mancherlei Anknüpfung an Mittelalterliches (z. B. in der Neugotik) oder Antikes (z. B. in Renaissancekunst und Klassizismus): aber vieles ist im Stil neuartig, Schöpfung von Künstlern unserer menschheitsgeschichtlichen Epoche, — so Barock und Rokoko, Realismus und Naturalismus, Impressionismus, Expressionismus, Kubismus (wobei allerdings für jede dieser Kunstrichtungen außerhalb der neuzeitlichen Kunst Parallelen gefunden werden können).

19.6 Neue Kunstzweige:
Bestimmend ist hier vor allem Neues, das in der Technik geschaffen wurde. Gänzlich neue Kunstarten sind dank der Erfindung der Photographie und der Kinematographie, neue Bezirke innerhalb bekannter Kunstarten durch die Erfindung der Lithographie, des Klaviers, der elektronischen Musikinstrumente, usw. entstanden.

Neues ergab sich aber auch aus intellektuellen Fortschritten: z. B. Oper und große Orchesterwerke auf der Grundlage von vollkommenerer Kompositionslehre und -schulung.

19.7 Entsprechend der Weiterführung von Älterem einerseits, der Schaffung von Neuem anderseits sind auf dem Felde der Kunst für Menschen der Neuzeit, insbesondere der Gegenwart, geistige Selbstzwecke sowohl älteren oder gar ältesten wie auch neueren, vielleicht neuesten Inhaltes realisierbar.

Die eigenwerten Verwirklichungen auf dem Felde der Kunst sind damit jetzt vielfältiger, variantenreicher als in früheren Jahrhunderten.

19.8 Es kommt dazu, daß jedem jetzt lebenden Künstler oder Kunstfreund sehr viele frühere Leistungen bekannt sind oder zumindest bekannt sein können. Nur wenige große Werke hatte die Weltliteratur dem Kunstfreund des ausgehenden Mittelalters zu bieten, sehr viele dagegen demjenigen unserer Zeit; das gleiche gilt für die Malerei und erst recht für die Musik. Und wieviel Kunsttechnisches, das für die früheren schaffenden

Künstler schwierig war, ist für die jetzt lebenden leicht, — eben dank des erfolgreichen Bemühens der früheren.

Auch aus diesem Grunde sind die eigenwerten Verwirklichungen künstlerischen Inhaltes in unserer Zeit weiter, vielfältiger, reicher.

19.9 Das Weiter- und Reicherwerden des künstlerischen Erlebens der aufnehmend-teilhabenden Kunstfreunde insbesondere ist dadurch gewaltig verstärkt, daß sie dank der modernen Vervielfältigungs- und Mitteilungstechnik, dem hohen Volkswohlstand und, in den liberalen Demokratien, der Geistesfreiheit sich ohne erhebliche Schwierigkeit — großenteils zu Hause durch Lesen, Reproduktionen-Betrachten, Rundfunkhören, Fernsehen — mit den sie interessierenden Kunstwerken und -darbietungen befassen können.

Jeder Kunstfreund kann jetzt in jeden seiner Tage Künstlerisches hohen Wertes einbeziehen. Und für sehr viele ist dieses Einbeziehen eine innere Notwendigkeit, Auswirkung des geistigen Wesens, der Zwecke-und-Werte-Struktur.

19.10 An-Künstlerischem-Teilhaben beschränkt sich aber nicht auf das Ästhetische. Es ist, zumal für Teilhabende ohne starken religiösen oder ideologischen Glauben, eine Hauptweise der Befassung mit problematischem Menschlichem — und mit der Frage des Richtigen von individueller Erfüllung und Gemeinschaft im besondern. Die Kunst ist für viele moderne Menschen das wichtigste Vorfeld des Ziel-und-Wert-Findens.

19.11 Im Kulturbestand unserer Zeit ist das Künstlerische ein Gebiet reichster, weitestentfalteter Verwirklichung.

Und in der Weltallwirklichkeit ist es zwar kaum ein Einzigartiges (weil wahrscheinlich auf vielen andern Sternen kunstschaffende und -betrachtende Geistträger sind), — aber jedenfalls ein zum Höchstrangigen gehörendes.

20.1 Dadurch, daß der moderne Mensch in beträchtlichem Wohlstand und überdies in einer technisch leistungsstarken Zivilisation lebt, stehen ihm mehrere weitere Verwirklichungsbereiche offen, die in den Hochkulturen der ersten Stufe noch nicht oder erst gering ausgebildet waren; zu erwähnen sind hier: Befassung mit Berichten, Unterhaltung, Hobby, Sport und Reisen.

20.2 Auch auf dem Felde der Berichte wird Begegnung mit Wirklichem, und zwar
— erstens tätige: beschreibende, analysierende, kommentierende, auch kritisierende,
— zweitens aufnehmende und zum teilhabenden Sichbefassen führende.

Im Unterschied zur Wissenschaft ist hier die Begegnung nicht begrifflich-streng und nicht Allgemeines erarbeitend, sondern lebendig auf einzelnes gehend — und damit lebendig-konkrete Kenntnis, vielleicht sogar Einsicht gebend. Jedoch hilft Wissenschaft häufig dem Berichtenden oder Berichtaufnehmenden: indem sie die sachkundige Erfassung und Durchdringung des Behandelten ermöglicht. Anderseits kann Bericht Ausgangsstoff für wissenschaftliche Arbeit sein.

20.3 Berichten ist Leistung: Tatsachenerfassung, Durchdringung von Wesen und Geschehen, Feststellung von Tendenzen, Wertung. Das Ergebnis ist der Bericht: zumeist rasch-vergänglich, aber doch ein Kulturelles, das an sich Rang hat und im Kulturganzen wichtig ist.

Manches Berichten kommt dem künstlerischen Gestalten nahe oder enthält solches: Sprachkunst bei dem, der mit Worten beschreibt, Bildkunst beim Photographen und Filmmann.

Und weil das Berichten anspruchsvolle Leistung, zum Teil sogar künstlerischer Qualität ist, kann es in ähnlicher Weise als selbstzweckhaft erlebt werden wie etwa das wissenschaftliche Darstellen und Darlegen (vgl. 14.6).

20.4 Die Aufnahme des Wort- oder Bild- oder Wort-und-Bild-Berichtes bringt den Aufnehmenden zur Begegnung mit dem Behandelten: dieses wird für ihn — mehr oder weniger deutlich, intensiv und langedauernd — gegenwärtig.

Solche Gegenwärtigkeit kann als geistig-selbstzweckhaft erlebt und erstrebt werden: geistige Erfüllung liegt dann darin, an dem im Bericht Dargestellten — und vielleicht auch an der meisterlichen Darstellung — wissend, verstehend, miterlebend teilzuhaben.

20.5 Buch, Zeitung, Zeitschrift, Film, Hörfunk, Fernsehen sind Berichtsmittel, die erst in der Neuzeit — die letzten drei erst in der jüngsten Zeit — geschaffen wurden: die durch sie ermöglichten Verwirklichungen waren den früheren Menschen nicht zugänglich.

20.6 Dank der neuzeitlichen Berichtsmittel ist der Mensch der Gegenwart in seiner Einstellung zur Welt anders als sein Vorgänger: man könnte ihn »teilhabereicher« nennen, — reicher in der Teilhabe an Dingen, von denen ihm sehr viele ohne die Berichtsmittel nicht bekannt wären.

Hinzuweisen ist auf die Qualitätsstufen, die innerhalb dieses Teilhabereichtums bestehen: es gibt Teilhabe an Bedeutendstem (etwa am Denken und Wollen eines großen Staatsmannes oder an ins Völkerleben eingreifenden kulturellen Wandlungen), aber auch an Unwichtigem (etwa an den Vergnügen eines mondänen »Prominenten«), und an vielem zwischen diesen beiden Gegensätzen Liegendem.

20.7 Mit den bereits behandelten Verwirklichungsgebieten — Wissenschaft, Technik, Wirtschaft, Staat und Politik, Kunst, Religion, Metaphysik, Morallehre — steht die Berichterstattung dadurch in Verbindung, daß sie häufig Tatsachen und Geschehnisse dieser Bereiche, am meisten Aktuelles, zum Inhalt hat und so die Interessierten jedenfalls in der betrachtenden Teilhabe, vielleicht aber auch in der Leistung und der Gemeinschaftsverwirklichung fördert.

20.8 Sehr erweitert ist in der modernen Kultur, verglichen mit der vormodernen, sodann die Unterhaltung, — dies dank technischen und wirtschaftlichen Fortschritten, die einen viel größeren und leistungsstärkeren Mittelaufwand für Unterhaltungszwecke gestatten.

Unterhaltung ist Teilnahme oder Tätigkeit ohne anderes Ziel, als sich auf angenehme Weise zu beschäftigen. Es gibt mancherlei Erzeugnisse, Darbietungen und Beschäftigungen, die unter diesem Zweck stehen: »Unterhaltungs«literatur, -musik, -theater, -film, -sendung in Radio und Fernsehen, Zirkus; Spiele, Kreuzworträtsellösen, usw.

Unterhaltungsleistung und Kunst überlappen sich in mehreren Fachbereichen (Musik, Operette, Revue, Komödie, »leichte« Romane): manches Künstlerische ist ganz oder überwiegend auf Unterhaltung ausgerichtet. Zudem läßt sich auch Werken und Darbietungen, von denen an sich höherrangige Verwirklichung ausgehen könnte, in bloß unterhaltungsuchender Einstellung begegnen.

20.9 Dreifach wird Geistig-Selbstzweckhaftes und -Eigenwertes auf dem Felde der Unterhaltung:
— erstens in der Leistung: im Werkschaffen und Darbieten der Unterhalter,
— zweitens im Teilhaben der Unterhaltenen,
— drittens in der dank der Unterhaltung erreichten Gemeinschaft.

Die Selbstzwecke des Unterhaltungsbereiches sind in der modernen Kultur zahlreicher, vielfältiger und als Ganzes gewichtiger als in der vormodernen.

20.10 Eine aktivere Verwirklichung als das Unterhaltenwerden und das Sichunterhalten ist das Hobby: dieses ist die auf einem eng begrenzten Sachgebiet um ihrer selbst willen vollzogene Tätigkeit ohne Erwerbsabsicht und zumeist ohne Anspruch auf fachlich vollwertiges Leistungsergebnis, — es zeigt besonders klar, daß Tätigsein als solches eigenwert und selbstzweckhaft sein kann.

In unserer Zeit ist Hobby eine Betätigung, für welche ziemlich viel Denkkraft, Zeit und (technische und wirtschaftliche) Mittel eingesetzt werden.

20.11 Sehr viel größer als in der vormodernen ist in der modernen Kultur sodann die Bedeutung des Sports. Auch hier gibt es selbstzweckhafte Erfüllung, — von zweierlei Art:
— erstens solche des eigenen Aktivseins, der eigenen sportlichen Leistung,
— zweitens solche des miterlebenden Teilhabens (das im Zuschauen, Zuhören oder Lesen erfolgt).

20.12 Warum wird die sportliche Leistung vom Leistenden als selbstzweckhaft erlebt? Weil sie freudvolle Betätigung an sich oder freudvolles Kräftemessen und damit freudvolles Ans-Ziel-Gelangen ist (im Kampf gegen objektive Schwierigkeiten, auch gegen Gefahr, gegen die Zeit, gegen andere Sportler).
Ist auch der Inhalt der sportlichen Leistung weder unmittelbar noch mittelbar geistig, so werden in ihr doch mehr oder weniger intensiv geistige Vermögen eingesetzt: jedenfalls in diesem Sinne ist sie geistige Verwirklichung.

20.13 Im miterlebenden Teilhaben sportlichen Inhaltes fehlt das eigene Aktivsein; dafür besteht Teilhabe an der — im genannten Sinne geistigen — Verwirklichung der Aktiven: zumeist ist sie selbstzweckhafte Vergegenwärtigung.
Diese Teilhabe ist oft, und wohl fast immer, nicht mehr als in besonderer Weise erregende Unterhaltung, — es kann sich aus ihr aber auch die Vergegenwärtigung von wesentlichem Seelisch-Geistigem, etwa von Willenskraft und Mut, ergeben.

20.14 Daß sowohl in der unterhaltungschaffenden wie in der sportlichen Leistung, in geringerem Maße auch im Hobby vitalzweckbestimmte — auf Geld und Ruhm zielende — Verwirklichung erstrebt werden kann, ist ergänzend festzuhalten.

20.15 Endlich das Reisen, — ebenfalls eine Verwirklichungsweise, die in der modernen Kultur sehr viel wichtiger ist als in der vormodernen.

140

Es bringt die Begegnung mit Wirklichkeit außerhalb des gewöhnlichen Lebenskreises: mit Landschaften, mit Bauwerken und Siedlungen, mit Museen und Ausstellungen, mit künstlerischen und sportlichen Veranstaltungen, mit Menschen und mit Gesellschaftlichem, mit Dingen der Technik und der Wirtschaft, mit Staatlichem und Politischem, mit Sprachen, usw. Solche Begegnung kann im Erfassen bloß des Oberflächlichen bestehen oder aber zu Wesentlichem vordringen, sie kann einfach aufnehmend, betrachtend oder aber kritisch sein, sie kann sich auf nur wenige oder aber auf viele Inhalte richten: und fast immer wird in ihr ein — inhaltlich von der konkreten Begegnungssituation abhängiges — Geistig-Selbstzweckhaftes verwirklicht werden (das allerdings in vielen Fällen nicht das wichtigste Ziel ist).

20.16   Auch Zwecke, darunter geistige Selbstzwecke, der hier behandelten Verwirklichungsfelder können sich im Einzelnen so verfestigen, daß sie Wesenszüge und also Teil der Zwecke-und-Werte-Struktur werden.

Damit in Zusammenhang steht in manchen — z. B. in aktiven Sportlern — eine scharfe Disziplinierung innerhalb der Vitalsphäre.

20.17   Die Kulturwirklichkeit, die in der Neuzeit auf diesen Sondergebieten geschaffen wurde, ist natürlich nur von beschränkter Weite und Vielfalt, — aber auch sie ist viel reicher als die entsprechende in den Hochkulturen der ersten Stufe erreichte.

*

20.18   Übersicht der Endzwecke, welche in Menschen der neuzeitlich-abendländischen Kultur, d. h. der Hochkultur der zweiten Stufe, wirksam sind (anschließend an die Abschnitte 5.13 und 12.21):

I.   Vitalzwecke: inhaltlich gleich wie bei den Menschen der Hochkulturen der ersten Stufe, jedoch jetzt häufig in nochmals gesteigerter Bewußtheitsweite, -helle und -intensität;

II. geistige Selbstzwecke:
– solche, die sich gegenüber den entsprechenden Selbstzwecken der vorneuzeitlichen Menschen nicht erheblich
verändert haben:

1. des Religionsbereiches:
a) Leistung (mit Ausnahme der Stiftung einer neuen Religion,
– sie ist in der modernen Kultur kaum mehr möglich),
b) religiös bestimmte Lebensführung und Gemeinschaftsverwirklichung,
c) Betrachtung (erweitert durch die Betrachtung fremder
Religionen),

2. des Kunstbereiches:
a) Leistung in den schon vor der Neuzeit bekannten Kunstarten,
b) miterlebende Aufnahme und Teilhabe (entsprechend),
c) Verstehen und Befolgung des dargestellten Vorbildlichen
(entsprechend),

3. des Moralbereiches:
a) Leistung,
b) Betrachtung und Beurteilung,
c) Befolgung,
d) Verwirklichung der in der Moral gesetzten geistigen Selbstzwecke,
– solche, die in der neuzeitlich-abendländischen Kultur neu
entstanden sind oder gegenüber dem vorneuzeitlichen Bestand stark erweitert und differenziert wurden:

4. des Wissenschaftsbereiches:
a) Leistung: Forschen und Erkennen, Begriffs- und System-
schaffen, Darstellen, Darlegen, Lehren, – vielfältig nach
Fachgebieten und Leistungsfunktionen differenziert,
b) Aufnahme, Vergegenwärtigung, Wissend-Teilhaben, Verstehend-Teilhaben, Miterlebend-Teilhaben, Auseinandersetzung,

5. im Bereich der Technik:
a) Leistung: Tätigsein und Erfolghaben, Schaffung von Ob-
jektiv-Wertvollem, Für-andere-Leisten, Mit-andern-Zu-

sammenwirken, Einsicht-Gewinnen, — vielfältig nach Fachgebieten und Leistungsfunktionen differenziert,

b) Nichtproduzierend-Tätigsein,

c) Teilhabe: wie 4 b,

6. im Bereich der Wirtschaft:

a) Leistung: wie 5 a,

b) Teilhabe: wie 4 b,

7. im Bereiche von Staat und Politik:

a) Leistung: wie 5 a,

b) Teilhabe: wie 4 b,

8. im Bereiche der Kunst:

a) Leistung: Werkschaffen und Ausführend-Darbieten als gegenüber der vorneuzeitlichen Kunst verschiedene, neuartige Verwirklichung: neue Themenkreise, neue Formauffassungen und Gestaltungsweisen, neue Kunstzweige, — auch hier werden die unter 5 a aufgeführten Selbstzwecke verwirklicht,

b) dem Neuen der neuzeitlichen Kunst entsprechendes Betrachtend-Vergegenwärtigen, Gegenwärtighaben, Teilhaben, Sichauseinandersetzen,

c) Befassung mit dem künstlerisch gestalteten Menschlich-Problematischen,

9. auf dem Felde des Berichtens:

a) Leistung: wie 5 a,

b) Teilhabe: wie 4 b,

10. im Bereiche der Unterhaltung:

a) Leistung: dem künstlerischen ähnliches Werkschaffen und Aufführend-Darbieten,

b) Teilhabe: wie 4 b,

11. in den Bereichen Hobby, Sport, Spiel, Reisen:

a) Tätigsein, Ans-Ziel-Gelangen, Mit-andern-Zusammenwirken, Tätig-Einsicht-Gewinnen,

b) Teilhabe: wie 4 b.

Daß nicht nur das Leistend-Tätigsein, sondern auch das Teilhaben zu Gemeinschaft und also zu wirhafter Erfüllung führen kann, ist beizufügen. — Wirhafte Erfüllung bedeutet, sich als

einer dem Einzelnersein übergeordneten Gemeinschaft angehörend aufzufassen. Im ganzen ist aber in der modernen Kultur
die Ichhaftigkeit stärker ausgeprägt als in der vor- oder nicht-
modernen.

Mit allen diesen Zwecken sind Werte — großenteils Eigenwerte — verbunden, welche das zweckgerichtete Wollen und
Tun beeinflussen. Entsprechend der Erweiterung des Selbst-
zweckereiches ist in der modernen Kultur auch das Eigenwerte-
reich weiter und vielfältiger geworden.

20.19   Für viele Einzelne sind geistige Selbstzwecke und Eigenwerte der in der neuzeitlich-abendländischen Kultur ausgebildeten Art — infolge von Erziehung, Schulung, Ausbildung, Arbeit
und Gesellschaftseinfluß, wobei in jedem Falle eine ausreichende
anlagemäßige Befähigung vorhanden sein muß — wesensbestimmend: sie bilden damit in den Zwecke-und-Werte-Strukturen
Sonderbereiche modernen Inhaltes.

20.20   In den Zwecke-und-Werte-Strukturen der Gegenwartsmenschen sind neben den erst in der Neuzeit ausgebildeten
geistigen Inhalten häufig vorneuzeitliche: solche, die in weitgehend abgeschlossener Gestalt aus dem Mittelalter in die Neuzeit übernommen wurden, — religiöse Zwecke und Werte vor
allem.

Und in der ältesten Schicht bestehen natürlich noch immer,
durch die moderne Kultur teilweise beschränkt und teilweise
angeregt, die Vitalzwecke und -werte.

20.21   In den konkreten Inhalten ihrer geistigen Selbstzwecke
und Eigenwerte sind die modernen Menschen untereinander
viel stärker verschieden als die Menschen der Hochkulturen der
ersten Stufe und auch noch der früheren Neuzeit: die Fülle und
Vielfalt der jetzt bestehenden Möglichkeiten von Leistung und
Teilhabe hat unvermeidlich die sehr starke Spezialisierung der
Tätigen und Teilhabenden zur Folge.

L'uomo universale, der Mensch von allseitiger Erfüllung,
kann heute nicht mehr Ideal sein: selbst für den begabtesten
Einzelnen ist jetzt nicht mehr Allseitigkeit, sondern nur noch

einige Vielseitigkeit, die aber, am Kulturganzen gemessen, sehr beschränkt ist, möglich.

20.22 Das Große der bisherigen Leistung der neuzeitlich-abendländischen Kultur: in den fortgeschrittensten Ländern dem Menschen stärkste Erkenntnisfähigkeit, sehr weites und tiefdringendes Wissen, meisterliche Umweltbeherrschungsmacht, großen Reichtum an technischen und wirtschaftlichen Gütern, eine zugleich Freiheit und Wohlfahrt sichernde Gesellschaftsordnung, damit auch vielfältige Möglichkeiten der selbstzweckhaften geistigen Erfüllung gegeben und in andern, aufstrebenden Ländern die Verwirklichung dieser Erreichnisse in erheblichem Umfange eingeleitet zu haben.

Daß neben diesem Hellen auch Dunkles ist, darf nicht verschwiegen werden: da der moderne Mensch mächtig ist, ist er auch zerstörungsmächtig.

20.23 Das Große der bisherigen Menschheitsgeschichte als Ganzen: daß, wo einst nur Urlandschaft und wilde Tiere waren, jetzt Menschen sind, deren Bewußtheit bis in verborgenste Wirklichkeitsbezirke dringt, deren Verwirklichungskraft zu meisterlichem Gestaltenkönnen gelangt ist und deren tatsächliches Tun über dem Naturgegebenen eine Kulturwelt sehr hohen Ranges geschaffen hat.

Blick in die Zukunft

21.1 Es stellt sich die Frage nach der Richtung und den möglichen Ergebnissen der zukünftigen Entwicklung. Und da wird man, in aller bei Voraussagen gebotenen Vorsicht, annehmen dürfen, daß die wichtigsten Tendenzen der modernen Kulturentfaltung wirksam bleiben werden, — abgesehen vom Falle einer die Menschheit weit zurückwerfenden Kriegskatastrophe.

21.2 In der Wissenschaft stehen wir mitten in einer breiten, kraftvoll aufsteigenden Entwicklung, — nichts berechtigt zur

Annahme, daß sie nicht noch lange andauern werde. Es ist sogar erkennbar, in welchen Richtungen sie sich wahrscheinlich bewegen wird. Hiefür einige Beispiele:

— in der Astronomie werden das Gesamtwesen, das Gesamtgeschehen und die Gesamtgeschichte des Universums, aber auch viele Einzeltatsachen genauer erkannt werden;
— die Physik wird tiefer in die Welt des Kleinsten eindringen;
— Physik und Chemie werden neues Wissen über technisch wichtige Stoffe, Energien und Wirkungszusammenhänge erarbeiten und damit neue technische Anwendungen vorbereiten;
— die physikalische und chemische Natur des Lebensstoffes wird erhellt werden und vielleicht wird die Überleitung von nichtlebender in lebende Materie gelingen;
— die Biologie wird das Lebensgeschehen weiter erforschen, sie wird bisher-verborgene Strukturen und Bedingtheiten ans Licht bringen, sie wird die Entwicklung und Verwandtschaft der Arten weiter klären;
— die Verhaltensforschung wird die Kenntnis des Seelischen und Gesellschaftlichen der Tiere erweitern;
— die medizinische Forschung wird zu mancherlei theoretisch wesentlichen und praktisch wichtigen neuen Einsichten gelangen;
— die Psychologie wird tiefer ins kaum- und nichtbewußte Seelische eindringen;
— die Geschichtswissenschaften werden einerseits Bisher-Nichtbekanntes entdecken, anderseits Bekanntes aus neuer Gegenwartserfahrung neu deuten;
— die Kunstwissenschaften werden weitere Erkenntnisse über Werke, Künstler, Stile, Entwicklungen und Bedingtheiten gewinnen;
— die Soziologie wird die gesellschaftlichen Gebilde, Zusammenhänge und Entwicklungen vollständiger und genauer erfassen, dabei stets das sich herausbildende Neue in ihre Forschung einbeziehend;
— die Wirtschaftswissenschaft wird die Strukturen und Zusammenhänge der Wirtschaft, die Rechtswissenschaft diejenigen der Rechtsordnung, die Staatswissenschaft diejenigen von

Staat und Politik in ihrer ständigen Fortentwicklung bearbeiten und in Hinsicht auf praktische Eingriffe beurteilen;
— die Mathematik und die Logik werden für die anspruchsvoller werdende Wissenschaft verbesserte Denkinstrumente schaffen.

21.3 Daß die Wissenschaften jemals »alles« erforscht haben könnten, ist ausgeschlossen. Nicht nur darum, weil in jedem größeren Wissensgebiet bei jedem Wissensstand wahrscheinlich noch Ungelöstes besteht. Sondern auch — und vor allem — darum, weil aus der Gesellschaft an einige Wissenschaften immer neue Fragen gestellt werden und weil mit der Kulturentwicklung ständig neue Forschungsfelder entstehen.

Jedoch ist möglich, daß mit der Zeit nur noch wenig für die »Weltanschauung« Wichtiges im dunkeln bleibt; denkbar ist ein Wissensstand, in welchem alles für diese Gesamtauffassung Wesentliche erkannt und, soweit nötig in vereinfachter Form, den Gebildeten zugänglich ist. Als große — nicht mehr wissenschaftliche — Aufgabe bliebe dann, was die »Weltanschauung« anbelangt, auf der Grundlage des Gesamtwissens eine Lebensphilosophie zu vertreten, welche unter dem für den Menschen Erreichbaren das Wertvollste aufzeigt und zugleich die besten Verwirklichungswege lehrt.

21.4 Aufsteigende Entwicklung ist zweitens auf dem Gebiete der Technik im Gang, — auch sie wird weitergehen. Beispiele:
— die Herstellung von komplexen künstlichen Stoffen aus einfachen natürlichen wird erweitert und verfeinert werden;
— die Energieversorgung wird durch die Indienstnahme der Atomenergie erweitert werden;
— die Maschinen- und Apparatetechnik wird für Industrie, Baugewerbe, Handwerk, Landwirtschaft, Verkehr, Handel, Banken, usw. zahlreiche neue Arbeitsmaschinen und -geräte schaffen;
— die Automation wird fortschreiten;
— für die Verwendung in der wissenschaftlichen Arbeit werden neue elektronische Geräte entwickelt werden.

147

21.5 Dazu wird auf dem Gebiete der Technik eine sehr starke geographische Erweiterung erfolgen: weil die Länder Asiens, Afrikas und Lateinamerikas, die bisher von der neuzeitlich-abendländischen Kultur nur wenig übernommen haben, den Rückstand in ihrer technischen Ausstattung verringern werden.

21.6 Auch in Hinsicht auf den Weitergang der Technik ist es unwahrscheinlich, daß jemals alle Probleme gelöst sein werden: immer werden Techniker vor neuen Aufgaben stehen, für die sie — durch Verbesserung und Ausbau des Bekannten oder mit neuen Erfindungen und Verfahren — neue Lösungen finden.

Jedoch ist denkbar, daß einmal, nicht in naher Zukunft, sich die jetzt steil aufsteigende Entwicklungskurve abflachen wird: in dem Sinne, daß die Zahl der Neuerungen grundlegender Art abnimmt.

21.7 Aufsteigende Entwicklung ist drittens in der Wirtschaft im Gange, — auch sie wird weitergehen und den allgemeinen Wohlstand fortschreitend heben. Beispiele:
— die Mittel und Methoden für Erzeugung und Verteilung der Güter werden weiter verbessert werden;
— neue Güter und Dienstleistungen werden das Angebot, aus dem der Konsument auswählen kann, und damit die Bedürfnisbefriedigung erweitern;
— die Einkommen werden steigen;
— gleichzeitig geht die Arbeitszeitverkürzung weiter: mehr Freizeit und längere Ferien bedeuten mehr »Konsumzeit«;
— die staatliche Wirtschaftspolitik wird ihre Methoden verbessern und ihre Wirkungsmöglichkeiten ausbauen.

21.8 Und auch auf dem Gebiete der Wirtschaft wird eine starke geographische Erweiterung erfolgen: indem die moderne, d. h. technisierte und rationell organisierte Wirtschaft allmählich und mit den nötigen Anpassungen die älteren, weniger leistungsfähigen Wirtschaftsformen der »unterentwickelten Länder« ersetzt.

21.9 Ist aber nicht Rohstoff- und Energiemangel zu befürchten? Der zu wissenschaftlicher und technischer Meisterschaft gelangte Mensch wird aller Wahrscheinlichkeit nach diese Gefahr während sehr langer Zeit zu bannen wissen.

21.10 Weiterhin aufsteigende Entwicklung ist schließlich im staatlichen Bereich zu erwarten. Hauptrichtungen der Entwicklung:
— die Staaten werden ihre Wohlfahrtseinrichtungen weiter ausbauen;
— die Staaten werden ihre Zusammenarbeit verstärken, teilweise unter Übertragung von Souveränitätsrechten an übergeordnete Zusammenschlüsse;
— die Bemühungen in der Richtung auf eine weltstaatliche Organisation werden fortgesetzt werden und vermutlich wenigstens die Erfolge haben, die angesichts der weltumspannenden technisch-wissenschaftlichen Entwicklung unerläßlich sind.

21.11 Die Entwicklungen im staatlichen Bereich hatten schon bisher zur Folge und werden wohl in Zukunft noch mehr bewirken, daß der Einzelne in seinem freien Wollen und Tun vom Staate her häufig beschränkt wird. Angesichts des Bevölkerungswachstums und der zunehmenden Komplizierung des modernen Lebens war und ist dies wohl unvermeidlich: Recht und Wohlfahrt für alle stehen jetzt und fortan über der freien Betätigung der Einzelnen.

Trotz der Notwendigkeit solcher Eingriffe den Einzelnen genügend Leistungsfreiheit zu erhalten, damit das Gesamtwohl von dieser Seite ständig intensiv gefördert werde, ist und bleibt eine Hauptaufgabe der modernen Staatskunst.

21.12 Anzunehmen ist weiter, daß die Bedeutung der weltlichen, d. h. von religiösen Gegenständen und Zwecken unabhängigen Kunst erhalten bleiben oder sich sogar verstärken wird: zu jeder Zeit wird der Kunstfreund in neuen Kunstwerken künstlerisch neuerfaßter Weltwirklichkeit und neugeschaffenen Formgebilden begegnen können.

21.13 Verstärken werden sich voraussichtlich die modernen Tendenzen auf den Gebieten Berichterstattung, Unterhaltung, Hobby, Sport und Reisen.

21.14 Und alle diese zu vermutenden Entwicklungen werden sich im Zwecke-und-Werte-Bereich auswirken: wichtig ist hier vor allem, daß sich die mit den Erreichnissen der neuzeitlich-abendländischen Kultur verbundenen besonderen geistigen Selbstzwecke und Eigenwerte fortschreitend erweitern, verstärken und differenzieren werden.

DIE FRAGE NACH DEM RICHTIGEN

Festgelegtsein und Freisein

22.1 Was erstrebt der Einzelne in seinem tatsächlichen Wollen und was verwirklicht er in seinem tatsächlichen Handeln, — welche einzelnen der sehr vielen Ziele, die von Gegenwartsmenschen verwirklicht werden können, sind für ihn konkret maßgebend?

Jeder ist natürlich auf einen nur sehr kleinen Teil des Ganzen beschränkt, und bestimmend ist hiebei einerseits seine Zwecke-und-Werte-Struktur, anderseits sein bewußtes, freies Entscheiden.

22.2 Die meisten Menschen der Gegenwart sind in ihrer Zwecke-und-Werte-Struktur von mehreren Seiten her bestimmt:
— durch individuelle Anlage,
— durch Familie, Jugendmilieu, Erziehung, Schulung, Ausbildung,
— durch Beruf oder sonstige wesensprägende Tätigkeit,
— durch Lebensverhältnisse und Milieu des Erwachsenen,
— durch Morallehre, Sitte, Recht: diese wirken einerseits durch Milieu, Erziehung, Schulung, anderseits indem der Einzelne bewußt von ihnen Kenntnis nimmt und sich allenfalls mit ihnen auseinandersetzt,
— durch Religion, Philosophie, politische Ideologie: diese werden, ebenfalls teils indirekt, durch Milieu- und Erziehungseinflüsse, teils direkt, durch Kenntnisnahme, Auseinandersetzung und Gutheißung erfahren,
— durch vorbildliche Gestalten und Zustände, welche gutgeheißen werden, aber auch durch Nichtvorbildliches, welches abgelehnt wird: beidem begegnet der Interessierte in geschichtlichen und biographischen Berichten, in psychologischen und

soziologischen Untersuchungen, in Werken der Dichtung, — durch Werbung, welche das Konsumverhalten beeinflußt. Von alledem kann mehr oder weniger umfassende Festlegung von Zwecken und Werten ausgehen.

22.3 Durch seine Anlage ist der Einzelne in erster Linie auf die Vitalzwecke und -werte festgelegt. Es bestehen hier mancherlei Festgelegtheiten, durch welche die Einzelnen in ihrem inneren Wesen gleich oder ähnlich sind: so die allgemeine Ausrichtung auf Selbstbehauptung und die besonderen mit der letzteren verbundenen Einzelzwecke und -werte. Es bestehen auch mancherlei Verschiedenheiten: hauptsächlich diejenigen zwischen Mann und Frau, ergänzend zahlreiche innerhalb der Männer- und der Frauengesamtheit.

Viele Menschen sind in ihrem Wesen weiter durch anlagemäßige Interessen und Zwecke geistiger Art bestimmt: so manche Forscher, Künstler, Erfinder und andere Technisch-Aktive, Unternehmer, Politiker.

22.4 Grundlegend ist im Leben der meisten der Einfluß von Familie und Jugendmilieu. Wer in einer geistig interessierten Familie und Umwelt aufwächst, hat am ehesten die Chance, selber ein Geistig-Interessierter zu werden. Umgekehrt erschwert die geistige Uninteressiertheit von Familie und Umwelt bei den Heranwachsenden das Erwachen geistigen Interesses und das Entstehen geistiger Selbstzwecke.

Immerhin sind diese Einflüsse nicht immer ausschlaggebend: es kam schon mancher Geistig-Aktive aus ungeistigem Milieu.

22.5 Erziehung, Schule und Ausbildung wirken sich auf die Einstellung einerseits zum Geistigen im allgemeinen, anderseits zu bestimmten Zielsetzungen und Verwirklichungen im besondern aus, — entweder positiv, d. h. befürwortend, fördernd, auf Bejahung festlegend, oder negativ, d. h. von ihnen ablenkend und in dieser Haltung festlegend.

Dabei entsteht nicht immer ein bewußter Wille zur Beeinflussung auf das Geistige hin oder vom Geistigen weg: diese kann schon durch die Vermittlung berufspraktischer Einstellungen — z. B. Freude am technischen Gestalten, Bejahung der Arbeit für die Gesamtheit, oder aber Ausrichtung auf bloßen Gelderfolg — gegeben werden.

22.6 Die Festlegung durch Beruf und andere wesensprägende Tätigkeit ist um so nachhaltiger, je wichtiger die Leistung in der Auffassung des Leistenden ist. Nun gibt es, seit jeher und auch in unserer Zeit, sehr viel Arbeit, die von den Arbeitenden nur als notwendige Last erlebt wird: viel Geistig-Eigenwertes kann da nicht werden. Jedoch ist anzunehmen, daß durch die Steigerung der beruflichen Anforderungen mehr Menschen zu beruflicher Interessiertheit gelangen.

Auch jetzt schon besteht gegenüber früher eine sehr viel stärkere Differenzierung der durch Tätigkeit festgelegten Selbstzwecke und Eigenwerte: die Zahl der inhaltlich verschiedenen selbstzweckhaften Erfüllungen, zu welchen die Leistenden dank ihrer Leistung gelangen können, ist sehr viel größer als je zuvor.

22.7 Festgelegtheit durch Lebensverhältnisse und Milieu des Erwachsenen: manches ist davon abhängig, ob der Einzelne eine Familie habe oder nicht, Freunde und Bekannte habe oder nicht, in einem kulturell aktiven oder trägen Kreis lebe, leichten oder erschwerten Zugang zur freien Natur habe, usw.

22.8 Festgelegtsein durch Morallehre: auch in der neuzeitlich-abendländischen Kultur ist ein großer Teil der tatsächlich wirkenden Morallehren religiös begründet, — wobei sich immerhin die Frage stellt, ob nicht mancher Inhalt der religiösen Moral darum in diese aufgenommen worden sei, weil er als solcher, aus seinem Dem-Menschlichen-Entsprechen richtig ist.

Was wird durch die religiöse Morallehre aus den vielen menschlichen Möglichkeiten herausgehoben und gefördert, was eingeschränkt oder verhindert? Wie beeinflußt sie insbesondere die Zwecke-und-Werte-Strukturen der Gläubigen?

Erstens wirkt sie sich im Vitalbereich aus: die Vitalzwecke werden zwar anerkannt oder geduldet, weil ja das Menschengeschlecht sich erhalten und in die Zukunft hinein fortsetzen muß, — aber die naturhaften Triebe und die Bereitschaft, sich von den naturhaften Lüsten und Unlüsten bestimmen zu lassen, werden zurückgebunden, jedenfalls so, daß Störungen des Gemeinschaftslebens vermieden werden, und oft darüber hinaus so, daß Raum für eigenwerte geistige Verwirklichung geschaffen wird.

Zweitens fördert sie ausgewählte geistige Verwirklichungen, die zum Teil mit Naturhaftem verbunden (so in der Familie und im Staat), zum Teil dagegen von ihm frei oder zu ihm gegensätzlich sind (z. B. Lebenserfüllung der Priester).

22.9   Andere Inhalte der tatsächlich anerkannten und befolgten Moral kommen aus nichtreligiös-philosophischer Morallehre, wobei das moralphilosophische Denken der Antike auch jetzt noch stark nachwirkt. Auch sie können in Zwecke-und-Werte-Strukturen verfestigt sein.

Als in weiterem Sinne moralphilosophisch könnte man die viele Wissenschaftler bestimmenden Auffassungen von der richtigen wissenschaftlichen Einstellung bezeichnen: Bejahung der Erkenntnis, Wahrheitsliebe, Sachlichkeit, Bereitschaft zur Kritik.

Auch die philosophisch begründete Moral beschränkt im Bereich des Naturhaften das durch Urtriebe und Urgefühle bestimmte Wollen und Tun, auch sie hebt aus der Fülle der möglichen geistigen Verwirklichungen einzelne als gute, beste Ziele heraus. Hiefür ist die Auffassung des Aristoteles, daß die »Theoria«, d. h. die erkennende und wissende Weltbetrachtung, das Erfreulichste sei, ein nicht nur besonders einprägsames, sondern darüber hinaus wegen seines Inhaltes durch die Jahrtausende leuchtendes Beispiel.

22.10   Sitte und Recht haben ihre Grundlage teilweise in Morallehre, teilweise dagegen einfach in lebens- und gesellschaftspraktischen Bedürfnissen: Wahrung und Sicherheit der Einzelnen und des friedlichen Einvernehmens der Einzelnen und Gruppen sind Erfordernisse außerhalb und vor der religiösen oder philosophischen Moralsetzung.

Manches sittliche und rechtliche Gebot geht auf altes Menschliches oder Vormenschliches zurück: so Regeln für die Beziehungen zwischen Ehegatten, zwischen Eltern und Kindern, zwischen Gruppengefährten. Anderes ist neueren oder neuesten Ursprunges: so Rechte und Pflichten in der modernen Wirtschaft.

Wesensbestimmend werden Sitte und Recht, weil durch sie das Erlaubte, das Gebotene und das Verbotene festgelegt werden, — wobei die Festlegung durch das Recht schärfer, verpflichtender ist: Rechtsvorschrift ist durch den Staat erzwingbar, sittliches Gebot nur durch den Druck, der durch Gutheißung oder Ablehnung in der Gesellschaft ausgeübt wird.

Gegenstand der Sitte sind zunächst und vor allem die Arten der Befriedigung der naturhaften Bedürfnisse: Sitte, die das Essen und Trinken, das Sichkleiden und Wohnen, die Beziehungen zwischen den Geschlechtern, die Beziehungen innerhalb der Familie und der weiteren Gesellschaft regelt, — immer soweit nicht schärfere Rechtsvorschriften zu befolgen sind. Sitte gibt es aber auch in Hinsicht auf die Verwirklichung von Geistigem und insbesondere von geistigen Endzwecken: so von Endzwecken künstlerischen oder philosophischen Inhaltes (z. B. Diskussion und Kritik betreffende Sitte).

22.11   Religion und Philosophie wirken ziel- und wesensbestimmend nicht nur durch die zu ihnen gehörende Morallehre, sondern auch außerhalb dieser: der Gläubige, welcher von Gott, und der Philosophisch-Interessierte, welcher von einem hohen Sein erfährt, werden in der so erlangten Bewußtheit auch ohne Moralsätze, nämlich durch den begrifflichen oder bildhaften Inhalt als solchen, auf ein Höchstes gelenkt.

Ähnlich wirkt die politische Ideologie ziel- und wertbestimmend großenteils durch die Aufzeigung von Idealem: des besten Gesellschaftszustandes, — wobei immerhin aus dieser Vorstellung mancherlei Moralisches abgeleitet werden kann.

Das in Religion, Philosophie und Ideologie aufgezeigte Ideale ist zum Teil vitalzweckhaften Inhaltes: Vorstellungen vom besten Einzelleben und der besten Gesellschaft, die überwiegend oder ganz unter Vitalzwecken stehen. Anderseits können im Ideal die höchstgewerteten Möglichkeiten geistiger Verwirklichung faßbar gemacht werden: z. B. Weisheit.

22.12 Was in vorbildlichen — oder warnenden und zum Gegenteil lenkenden nichtvorbildlichen — Gestalten und Zuständen erlebt wird und so inneres Wesen bestimmen kann, ist ebenfalls großenteils vitalzweckhaft: der dem Vorbildlichen oder Nichtvorbildlichen Begegnende wird hier direkt oder indirekt einer richtigen und zu erstrebenden Weise der individuellen oder gemeinschaftlichen Vitalzweckverwirklichung bewußt. Häufig ist es aber geisteszweckhaft: dann kann es dem Begegnenden die Ausrichtung auf ein Geistig-Selbstzweckhaftes einprägen. Beispiel: Goethe, — durch von ihm geschaffene Gestalten, aber auch durch sein eigenes vorbild- und leitbildhaftes Sein.

22.13 Endlich das Bestimmtwerden durch Werbung, welche das Konsumverhalten beeinflußt: der Beeinflußte wird zu Zielauffassungen, Wertmaßstäben, Weisen der Bedürfnisbefriedigung überredet, die für ihn wesensprägend werden können.

Inhaltlich sind die Werbung und damit das Durch-Werbung-Bestimmtwerden hauptsächlich auf Vitalzweckbefriedigungen, daneben aber auch auf geistige Verwirklichungen gerichtet.

22.14 Trotz all dieses Festgelegtwerdens und Festgelegtseins besitzen die meisten Einzelnen einen — mehr oder weniger weiten — Bereich des freien Entscheidens und damit des freien Ziele-und-Wege-Wählens. Dies erstens darum, weil die Festlegung nicht alle Zwecke und Werte erfaßt, zweitens darum, weil auch innerhalb des Festgelegten einige Freiheit in bezug auf die tatsächliche Anwendung und Ausführung bestehen muß.

Festgelegtsein und Freisein bestehen also nebeneinander: der moderne Mensch besitzt, da er sich ständig mit einer Fülle von möglichen Verwirklichungen zu befassen hat, auch bei starker Festgelegtheit einige Freiheit der Wahl von Zielen und Zielekombinationen; entsprechend ist er immer wieder vor die Notwendigkeit der Entscheidung gestellt.

22.15 Weitergreifende Freiheit des Stellungnehmens und Entscheidens entsteht dadurch, daß Zwecke-und-Werte-Auffassungen miteinander in Wettbewerb, ja in Kampf treten: infolge von neuen Erfahrungen und Einsichten, von Änderungen in den Lebensverhältnissen, von Begegnung mit bisher nicht erfaßten Lehren und Werken, von neuen sozialen und politischen Tendenzen, von neuer Propaganda, usw. Gerade in unserer Zeit sind solche Einflüsse nicht nur Zwecke-und-Werte-Strukturen bildend, sondern auch umgestaltend und mitunter auflösend.

Solcher Widerstreit kann bewirken, daß der Einzelne die gegensätzlichen Auffassungen gegeneinander abwägt und zwischen ihnen entscheidet. Und insbesondere kann er so in bezug auf Zwecke und Werte, die bisher in seiner Zwecke-und-Werte-Struktur festgelegt waren, frei werden.

Richtigkeitsprinzipien

23.1   In dem durch Zwecke-und-Werte-Struktur festgelegten Fürrichtighalten, aber auch in der freien Zielwahl und in der Ziel- und Wertempfehlung (in welcher bestimmte Ziele und Werte befürwortet und zur Annahme empfohlen werden) wirken — bald scharf, bald eher undeutlich bewußt — Ideen und Vorstellungen über erwünschtes, erstrebenswertes, richtiges Sein und Tun oder über *das* erwünschte, erstrebenswerte, richtige Sein und Tun.

Tatsächlich sind aber vielerlei und in manchem gegensätzliche Ziele und Werte maßgebend, und in dieser Vielfalt wirkt auch Gegensätzlichkeit der Leitideen und -vorstellungen. Es stellt sich darum die Frage nach dem in allgemeiner Betrachtung Richtigen oder Besten, — sie ist die Frage nach einem Beurteilungsmaßstab, der unabhängig von den einzelnen Strebenden und Handelnden, Lehrenden und Vorbildersetzenden gilt und deren Fürrichtighalten unter Umständen als unrichtig erweist.

23.2   Viele halten die Frage nach dem in allgemeiner Betrachtung Richtigen und Besten für abschließend beantwortet: diejenigen, die das Maßgebende in religiösen, philosophischen oder ideologischen Auffassungen, in allgemein anerkannten Verhaltensgrundsätzen oder in zielzeigenden Vor- und Leitbildern zu finden gewiß sind.

Sind aber diese Maßstäbe nicht doch letztlich von einzelnen Menschen oder durch Gruppenmeinungen gesetzt? Geht ihnen also die allgemeine Verbindlichkeit ab? Oder setzt sich durch die Ziele und Werte setzenden Einzelnen und Gesamtheiten etwas durch, das allgemeine Geltung und Verbindlichkeit beanspruchen darf?

23.3 Richtigkeit, die nicht nur menschlich begründet ist, kennt der Religiös-Gläubige: diejenige, die er für von Gott gesetzt oder dem Weltwesen entsprechend hält.

23.4 Richtigkeit, die tiefer und fester begründet ist als nur im Wollen der ziele-und-werte-setzenden Einzelnen und Gesamtheiten, kennt der Philosophisch-Denkende, der ein bestimmtes allgemeines Wesen des Menschen und damit auch der Menschheit annimmt.

23.5 Solche tiefer und fester begründete Richtigkeit kennt der Betrachter der Menschheitsgeschichte, der überzeugt ist, daß sich die Menschheit in einer aufsteigenden Entwicklung befindet, aus welcher sich konkrete Ziele und Werte als die entwicklungsgemäßen ableiten lassen.

23.6 Wie können sich diese Auffassungen vor dem kritischen Denken behaupten? Zu überlegen ist hier zunächst, welches die richtige Grundlage für das kritische Denken sei.

Es gibt kritisches Denken, das von einer religiösen oder philosophisch-metaphysischen Grundeinstellung ausgeht, von einem religiösen oder philosophischen Glauben, in dem ein bestimmtes Sosein der Welt und des Menschen und allenfalls der »überweltlichen Wirklichkeit« angenommen wird: Sinn der Kritik ist dann, zu prüfen, ob und wieweit das Untersuchte mit dem Fürrichtiggehaltenen übereinstimme. Solches Denken hat den Mangel, daß die Annahmen, auf die es sich stützt, weder denknotwendig noch empirisch gesichert sind: jedem Glaubensinhalt lassen sich abweichende und sogar widerstreitende entgegenhalten, ohne daß die Möglichkeit einer objektiven Entscheidung der Richtigkeit bestünde.

Es gibt kritisches Denken, das von einer Ideologie ausgeht und die ideologische Zulässigkeit des Geprüften feststellen will. Auch dieses Denken ist mangelhaft: weil es entweder in unbeweisbaren Glaubensannahmen oder in Gesellschaftsdeutung zeitbedingten und also wandelbaren Inhaltes oder in Wertungen und Zielsetzungen, also in Menschlich-Gesetztem, begründet ist.

Es gibt kritisches Denken, das von Interessen ausgeht: Sinn der Kritik ist dann die Feststellung der Interessengemäßheit. Zu jedem Interesse lassen sich aber Gegeninteressen ausdenken — und jedenfalls fehlt dem Interesse die Verbindlichkeit für Nichtinteressierte.

Es gibt kritisches Denken, das in anderer Weise von vorgefaßter, nicht als objektiv-richtig erwiesener Meinung ausgeht: wiederum besteht der Mangel der fehlenden Verbindlichkeit für diejenigen, welche abweichende Meinungen haben.

Und es gibt das kritische Denken, das sich auf das Wissenschaftlich-Erkannte stützt und nur das Wissenschaftlich-Erweisbare als Grundlage des Urteilens anerkennt: Sinn der Kritik ist dann, festzustellen, ob die zu prüfende Aussage der wissenschaftlich erkannten Wirklichkeit oder Denknotwendigkeit gemäß sei. Solche Kritik ist die einzige, welche das Objektiv-Zutreffen ihrer Aussagen beweisen kann; wegen dieser Qualität wird sie hier als die einzige geeignete aufgefaßt.

23.7   Die auf das Wissenschaftlich-Erkannte gestützte Kritik kann die auf Gott oder das Weltwesen zurückgeführte Richtigkeitsannahmen der Religiös-Gläubigen nicht bestätigen.

Denn als wirklich lassen sich im wissenschaftlichen Denken hier nur der Glaube in seinen verschiedenen Ausprägungen und die Glaubensannahmen erkennen: letztere insbesondere können wirklich sein, ohne daß das, was in ihnen als wirklich gedacht oder vorgestellt ist, tatsächlich zutrifft. Das Religiöse ist zwar Gegenstand der Wissenschaft: aber nicht der Wissenschaft vom Sosein der Welt (als der Gesamtheit des Wirklichen), sondern der Psychologie und der Religionswissenschaft, d. h. der Wissenschaft vom religionhabenden Menschen und von der Religion als Kulturwirklichem.

23.8 Auch die philosophischen Lehren, in welchen ein bestimmtes zu erstrebendes Sosein des Menschen als dem allgemeinen Wesen des Menschen und also der Menschheit entsprechend angenommen wird, sind wissenschaftlich nicht als zutreffend zu erweisen.

Denn alles Menschlich-Wirkliche entspricht dem Wesen des Menschen: daher ergibt sich aus diesem Wesen eben auch die Vielfalt und Widersprüchlichkeit der Ziele und Werte, welche die Frage nach dem Objektiv-Richtigen aufwirft.

23.9 Ebensowenig läßt sich durch das wissenschaftlich-kritische Denken die objektive Berechtigung anderer glaubensgebundener oder von interessenbestimmten Ziel- und Wertannahmen bestätigen.

23.10 Dagegen läßt sich wissenschaftlich feststellen, daß Lebens-, Kultur- und Geistesentwicklung in der Vergangenheit wirksam war und bis in die Gegenwart hineinreicht. Entwicklungsrichtungen und -ergebnisse lassen sich in Einzelbeobachtungen ermitteln und darnach zusammenfassend deuten, woran sich Mutmaßungen und Voraussagen über zukünftige Zustände und Veränderungen anknüpfen lassen, — allerdings nie in dem Sinne, daß ein bestimmter Endzustand objektives Ziel der Menschheit oder des Weltganzen sei.

Wenn nun auch hier die Frage nach dem durch ein objektivgültiges Menschheitsziel gebotenen Verhalten verfehlt wäre, so ist anderseits jedenfalls die Frage berechtigt, ob es nicht konkrete einzelmenschliche und gesellschaftliche Zielsetzungen und Wertausrichtungen gebe, welche dem bisherigen, immerhin seit Jahrtausenden im Gang befindlichen Entwicklungsgang gemäß seien.

23.11 Unzweifelhaft wirklich ist eine kultur- und geistesgeschichtliche Entwicklung, in welcher der Mensch durch Entfaltung und allmählich weiter werdende Anwendung seiner

Geistesvermögen als Lebewesen stärker und erfolgreicher wurde, so daß er jetzt wahrhaft der Herr der Erde ist.

Alles, was zur Erhöhung der menschlichen Lebenskraft beitrug oder beiträgt, war oder ist dieser Entwicklung gemäß. Daraus läßt sich nun ein erster Maßstab für die Beurteilung des Zielsetzens, Verwirklichens und Wertens ableiten: entwicklungsgemäß und unter dem Gesichtspunkt der Entwicklungsgemäßheit richtig ist das die menschliche Lebenskraft Fördernde, Steigernde. Entscheidend sind in dieser Richtigkeitsbeurteilung letztlich die Vitalziele, — man kann das hier angewandte Richtigkeitsprinzip abkürzend die »Vitalrichtigkeit« nennen.

23.12 Neben der aufsteigenden Entfaltung der der menschlichen Lebenskraft dienenden Vermögen und Erreichnisse verläuft aber, und zwar seit den frühen Hochkulturen, eine zweite: Ausbildung und Wichtigwerden von geistigen Selbstzwecken, durch diese bestimmter Kulturaufbau und -ausbau, Entstehen von durch sie geprägten Menschentypen.

Alles, was zur Erweiterung und Erhöhung der selbstzweckhaften geistigen Verwirklichungen beitrug oder beiträgt, war oder ist dieser zweiten Entwicklung gemäß. Daraus läßt sich ein zweiter Maßstab für die Beurteilung des Zielsetzens, Verwirklichens und Wertens ableiten: entwicklungsgemäß und unter dem Gesichtspunkt der Entwicklungsgemäßheit richtig ist das Geistig-Selbstzweckhafte und das es Fördernde. Entscheidend ist hier die Geistigkeit, die Spiritualität, — man stellt sich unter ein Richtigkeitsprinzip, das man abkürzend die »spirituelle Richtigkeit« nennen kann.

23.13 Die Hauptrichtungen und -ergebnisse der Kultur- und Geistesgeschichte lassen sich in drei Haupttypen des gegenwärtigen Menschseins fassen (die als »Idealtypen« zu verstehen sind, jedoch weitverbreitet tatsächliche Realität haben):

zwei Extremtypen:

— erstens das ganz oder doch stark überwiegend durch Vitalzwecke bestimmte moderne (d. h. in seinen Zielsetzungen und Verwirklichungen von den modernen Gegebenheiten ausgehende) Menschsein,

— zweitens das stark überwiegend (ganz ist praktisch ausgeschlossen) durch geistige Selbstzwecke bestimmte moderne
Menschsein,
ein Verbindungstyp:
— drittens das moderne Menschsein, in welchem sowohl die
Vitalzwecke als auch die geistigen Selbstzwecke erhebliches
Gewicht haben, also ungefähr gleichgewichtig nebeneinander
stehen.
Die zwei oben formulierten Richtigkeitsprinzipien sind auch
auf diese drei Menschseinstypen anzuwenden.

23.14   Unter dem Gesichtspunkt der Vitalrichtigkeit erscheinen in erster, grober Beurteilung:
— das hauptsächlich durch Vitalzwecke bestimmte Menschsein
als richtig, damit der hauptsächlich durch Vitalzwecke bestimmte Mensch als richtig eingestellt,
— das hauptsächlich durch geistige Selbstzwecke bestimmte
Menschsein als Verwirklichung von Unwichtigem, vielleicht
von Zuvermeidendem, damit der hauptsächlich durch geistige
Selbstzwecke bestimmte Mensch als nicht richtig eingestellt,
— das durch Vitalzwecke und geistige Selbstzwecke gleichgewichtig bestimmte Menschsein als Verwirklichung einerseits
von Wichtigem und Richtigem, anderseits von Unwichtigem
und vielleicht von Zuvermeidendem, damit der durch Vitalzwecke und geistige Selbstzwecke gleich stark bestimmte
Mensch als teilweise richtig, teilweise unrichtig eingestellt.
Diese Wertung liegt den lebenspraktischen Auffassungen zugrunde, welche das Leben im allgemeinen oder einzelne Vitalzweckverwirklichungen in den höchsten Rang stellen.

23.15   Sorgfältigere Anwendung des Prinzips der Vitalrichtigkeit wird allerdings das Ergebnis der ersten, einigermaßen
groben nicht voll bestätigen.
Dies zunächst darum, weil unter den durch die moderne Technik geschaffenen Verhältnissen die Vitalzweckverwirklichung
nicht mehr unbedingt und mit voller Sicherheit lebenskraft-
erhöhend wirkt. Innerhalb der Völker erweisen sich den Stär-
keren aufzuerlegende Beschränkungen als im Vitalinteresse der

Schwächeren und der Gesamtheit liegend. Und im Internationalen sind Maßnahmen gegen die rücksichtslose Durchsetzung der Machtansprüche der Staaten und Staatengruppen höchst erwünscht. Ordnende Einflüsse aus dem Bereiche der geisteszweckbestimmten Auffassungen und Verwirklichungen sind darum auch unter dem Gesichtspunkt der Vitalzweckrichtigkeit jedenfalls dann wertvoll, wenn sie den inneren oder äußeren Frieden stärken.

Zweitens darum, weil manches, das zu Beginn ausschließlich Verwirklichung geistigen Selbstzweckes ist, in späterer Anwendung der Vitalzweckverwirklichung nützt.

Drittens darum, weil verschiedene Arten der selbstzweckhaften geistigen Verwirklichung den Verwirklichenden in Hinsicht auf das vitalzweckhafte Wollen und Tun stärken. So wird der politische Begabung und hohe Geistigkeit Verbindende die Chance haben, ein überlegenerer Politiker zu werden als der politisch begabte Ungeistige.

23.16   Unter dem Gesichtpunkt der spirituellen Richtigkeit erscheinen in erster, grober Beurteilung:
— das hauptsächlich durch Vitalzwecke bestimmte Menschsein als niedrig, damit der hauptsächlich durch Vitalzwecke bestimmte Mensch als nicht richtig eingestellt,
— das hauptsächlich durch geistige Selbstzwecke bestimmte Menschsein als richtig, damit der hauptsächlich durch geistige Selbstzwecke bestimmte Mensch als richtig eingestellt,
— das durch Vitalzwecke und geistige Selbstzwecke gleichgewichtig bestimmte Menschsein als Verwirklichung einerseits von Unwichtigem, anderseits von Wichtigem, damit der durch Vitalzwecke und geistige Selbstzwecke gleich stark bestimmte Mensch als teilweise Unwichtiges, teilweise das Richtige und Wichtige verfolgend.

Diese Wertung liegt allen lebenspraktischen Auffassungen zugrunde, welche das Geistige im allgemeinen oder einzelne geistige Verwirklichungen in den obersten Rang stellen. In mancher — religiösen oder nichtreligiösen — Moral folgt daraus die mehr oder weniger scharfe Ablehnung des Naturhaft-Menschlichen: im Praktischen kann sie zu Askese führen.

23.17   Realistische Überlegung läßt aber erkennen, daß alles Geistige das Leben (selbst dann, wenn das Leben für Geistiges hingegeben wird) — und das meiste Geistige Leben in einiger Wohlfahrt zur Grundlage hat.

Weiter zeigt sie, daß auch mit der Vitalzweckverwirklichung Geistig-Selbstzweckhaftes verbunden sein kann; letzteres trifft immer dann zu, wenn die Vitalerfüllung von eigenwertem Erleben, das sich durch erhebliche Intensität auszeichnet, begleitet ist.

Drittens ergibt sich aus ihr, daß das Vitalerleben das geistig-selbstzweckhafte Erfassen und Gegenwärtighaben von Allgemeinmenschlichem und darüber hinaus von allgemeiner Lebenswirklichkeit vorbereiten und fördern kann. So: von der eigenen Triebhaftigkeit aus die Triebwirklichkeit anderer Menschen, des Menschen überhaupt und auch der Tiere verstehen.

23.18   Von beiden Standpunkten aus — demjenigen der Vitalrichtigkeit und demjenigen der spirituellen Richtigkeit — ergibt die genauere Überlegung die Anerkennung des zunächst Niedriggewerteten oder Abgelehnten.

Im ersten Falle, Wertung nach der Vitalrichtigkeit, erweist sich manches Geistig-Selbstzweckhafte als den Vitalzwecken dienend; im zweiten Falle, Wertung nach der spirituellen Richtigkeit, erscheint die Vitalbedürfnisbefriedigung als unentbehrliche Grundlage der geistigen Verwirklichungen und als Vorbereitung von geistig-selbstzweckhafter Erlebensbewußtheit bestimmten Inhaltes.

Die positive Wertung ist im zweiten Falle stärker als im ersten, weil die Vitalgrundlage für die geistigen Verwirklichungen unentbehrlich ist, wogegen das selbstzweckhafte Geistige für die Vitalverwirklichungen notfalls entbehrt werden könnte.

23.19   Wenn auch in der Wertung nach der Vitalrichtigkeit das selbstzweckhafte Geistige als nützlich erkannt wird, so steht hier doch die Vitalzweckverwirklichung im höchsten Rang.

Umgekehrt bleibt, wenn in der Wertung nach der spirituellen Richtigkeit die Vitalzweckverwirklichung als in Hinsicht auf die geistig-selbstzweckhafte Erfüllung grundlegend oder in anderer Weise nützlich anerkannt wird, die letztere im höchsten Rang.

Hier wie dort ist denkbar, daß die Rangunterschiede nicht mehr wie in erster grober Beurteilung vom untersten Wert-negativen (Schlechten, Bösen, Sündigen) zum obersten Wert-positiven reichen, sondern sich innerhalb des Positiven (mit dem Nur-wenig-Wertvollen als unterstem) halten, womit die Spanne zwischen Höchstem und Niederstem wohl absolut kleiner wird.

Entscheidung

24.1   Es bleibt die Frage gestellt, welches der beiden Richtig-keitsprinzipien — Vitalrichtigkeit oder spirituelle Richtigkeit — richtigerweise Geltung haben solle und anzuwenden sei.

Diese Frage kann so beantwortet werden, daß der Antwor-tende zu den beiden Prinzipien und der sich aus ihrer An-wendung ergebenden menschlichen Wirklichkeit unmittelbar-wertend Stellung nimmt.

Sie kann aber auch, weil die beiden Prinzipien je einer Haupt-tendenz der Kulturentwicklung entsprechen, von der Beant-wortung einer weiteren Frage abhängig gemacht werden: Ist eine der beiden Haupttendenzen der Kulturentwicklung die wichtigere, die für die Ziel- und Wertfindung wesentliche, ent-scheidende — und, wenn ja, welche?

Denkbar ist, daß auf Grund der Beantwortung der zweiten Frage das Ergebnis unmittelbar-wertender Stellungnahme kritisch geprüft werden muß.

24.2   Ist eine der beiden Haupttendenzen der Kulturentwick-lung die wichtigere und eben wegen ihrer Wichtigkeit die für die Ziel- und Wertfindung entscheidende?

Wonach ist die Wichtigkeit einer Kulturentwicklung zu be-urteilen? Nach subjektiven Momenten einerseits, — nach objek-tiven Rangunterschieden anderseits.

Für das auf das Objektiv-Feststellbare gerichtete Denken könnte sich Verbindlichkeit nur aus dem zweiten ergeben.

24.3 Von objektiver Wichtigkeit einer Kulturentwicklung darf man dann sprechen, wenn tatsächliches Geschehen eines weiten Kulturbereiches sich über lange Zeit und in erheblichem Umfange durch sie charakterisieren läßt; von größerer objektiver Wichtigkeit oder objektivem Wichtigersein dann, wenn eine Kulturentwicklung in ihren geschichtlichen Auswirkungen größeres Gewicht hat als eine andere.

Eine objektiv-wichtige Kulturentwicklung ist unzweifelhaft diejenige, die zum Entstehen der neuzeitlich-abendländischen Kultur führte. Läßt sich aber feststellen, daß innerhalb dieser Gesamtentwicklung entweder die Entfaltung des lebensdienlichen oder aber diejenige des selbstzweckhaften Geistigen und Kulturhaften die objektiv-wichtigere sei?

24.4 Daß die durch Entfaltung des lebenswichtigen Geistigen und Kulturhaften gekennzeichnete Entwicklungstendenz ein innerhalb der Menschenwelt Objektiv-Wichtiges ist, zeigt die gesamthafte Würdigung sowohl der Kulturgeschichte als auch der jetzigen kulturellen Gegebenheiten.

Der Mensch ist in den späteren vorgeschichtlichen Kulturen zu einiger, in den Hochkulturen der ersten Stufe zu erheblicher, in der neuzeitlich-abendländischen Kultur zu sehr hoher Macht über die Umwelt und die gesellschaftliche Wirklichkeit gelangt und dank dieser Macht, die er großenteils als Mittel für seine Vitalzwecke einsetzt, auf unserm Planeten das lebensmächtigste Wesen geworden: das ist für Wesen und Stellung des Menschen innerhalb des ihn umgebenden Nahbezirkes des kosmischen Ganzen und in Hinsicht auf die in diesem Seinsbezirk bestehenden Weisen des Soseins von großer Wichtigkeit.

Zumindest steht also fest, daß die Entwicklung des lebensdienlichen Kulturellen keineswegs als unwichtig, als nebensächlich eingeschätzt werden darf.

24.5 Die gesamthafte Würdigung sowohl des Ganges der Kulturgeschichte als auch der jetzigen Kulturgegebenheiten zeigt anderseits das Objektiv-Wichtigsein der durch die Entfaltung des selbstzweckhaften Geistigen gekennzeichneten Kulturentwicklung.

Beginnend mit den späteren vorgeschichtlichen Kulturen, bedeutend verstärkt in den Hochkulturen der ersten Stufe, zu großer Breite gelangt in der neuzeitlich-abendländischen Kultur, wurde, war und ist das durch geistige Selbstzwecke bestimmte Menschsein, dem in der Menschheitswirklichkeit und damit jedenfalls in dem uns umgebenden kosmischen Nahbezirk der höchste Ausbildungsrang zuzuerkennen ist.

Es steht fest, daß auch die Entwicklung des selbstzweckhaften Geistigen nicht als unwichtig und nebensächlich eingeschätzt werden darf.

24.6 Welche der beiden objektiv-wichtigen Entwicklungen aber ist die objektiv-wichtigere?

Die beiden Wichtigkeiten können nicht gemessen und also nicht quantitativ verglichen werden: ein Vergleich, dem objektive Gültigkeit zukäme, ist nicht möglich.

24.7 Darf man aber nicht annehmen, daß in der einen der beiden Hauptentwicklungen — also entweder im Möglichst-lebensstark-Werden oder aber im Aufstieg zum geistig-selbstzweckhaften Sein — der Sinn der Menschheits- und insbesondere der Kulturgeschichte liege?

Die Bejahung würde davon ausgehen, daß es einen Sinn der Geschichte gebe. Sinn wiederum erfordert, daß der Sinnhabende ihn entweder selbst setzt oder von einem Sinngeber erhält, wobei dieser die Autorität haben muß, für den Sinnempfänger richtungsweisend zu sein.

Ist die Menschheit selbst sinnsetzend? Nein: denn sie ist kein bewußtes Wesen, — sich selbst Sinn setzen aber ist nur einem bewußten Wesen möglich.

Steht über der Menschheit ein Sinngeber? Jedenfalls kein Einzelner und auch keine Gruppe: solcher Sinngebung würde die die Menschheit verpflichtende Macht fehlen. Und von aus dem Übermenschlichen kommendem Sinnbefehl weiß die wissenschaftlich-kritische Wirklichkeitskenntnis nichts.

Auf einen Geschichts- oder Menschheitssinn läßt sich somit beim Vergleich der beiden Wichtigkeiten nicht abstellen.

24.8 Unzulässig wäre für das wissenschaftlich-kritische Denken die Annahme, daß eine bestimmte menschheitliche Entwicklung dem »Weltsinn« entspreche. Denn weder ist in der Welt eine Welt-Selbstbewußtheit — Voraussetzung des Sichselbst-Sinnsetzens der Welt — noch in oder »über« der Welt eine der Welt Sinn gebende Macht erkennbar. (Versteht man unter Welt das Ganze des Wirklichen, so kann es kein über der Welt stehendes Wirkliches geben.)

24.9 Wenn auch der Vergleich der beiden Wichtigkeiten — und damit der Entscheid zugunsten der Vitalrichtigkeit oder der spirituellen Richtigkeit — weder in objektivem Messen noch durch Zurückgehen auf einen objektiven Geschichts-, Menschheits- oder Weltsinn möglich ist, so ist er doch nicht ausgeschlossen: es können ihn die Einzelnen in ihrem subjektiven Fürwichtighalten und Fürrichtighalten vollziehen.

24.10 Das subjektive Fürwichtighalten und Fürrichtighalten ist großenteils in der Zwecke-und-Werte-Struktur des Einzelnen festgelegt: dieser urteilt als einer, der durch seine Anlagen, mehr aber noch durch andere Menschen, Frühere und Zeitgenossen, und durch mancherlei gesellschaftliche Einflüsse in seinem Wesen geprägt ist.
In seinem Aus-Festgelegtheit-Urteilen ist der Einzelne weitgehend Träger einer der beiden Hauptentwicklungstendenzen; diese setzen sich dank solchen Trägern aus jeder Gegenwart in die Zukunft fort.

24.11 Neben dem Aus-Festgelegtheit-Urteilen steht das In-Freiheit-Urteilen: hier gehört das Fürrichtighalten nicht zur Zwecke-und-Werte-Struktur des Urteilenden, sondern dieser hat die tatsächliche innere Möglichkeit des Gutheißens oder Ablehnens.

24.12 Aus dem in jahrmillionenlanger Lebensentwicklung entstandenen naturhaften Wesen des Menschen und aus der sich über Jahrtausende erstreckenden Entwicklung der durch Vitalbedürfnisse bestimmten Kulturwirklichkeit ergibt sich, daß

168

viele Einzelne – mehr oder weniger deutlich bewußt – der Vitalrichtigkeit den Vorzug geben: in ihren Zwecke-und-Werte-Strukturen sind Vitalzwecke und -werte vorherrschend. Hier ist das Geistige nur der Vitalzweckverwirklichung dienend oder höchstens Beiwerk zu dieser.

Unter dem modernen Praktischen Materialismus ist diese Einstellung weit verbreitet. Verstärkend wirkt dabei, daß die Schwächung der Religion viele moderne Menschen der Bindung an geistige Ziele und Werte, die für Gläubige selbstverständlich ist, beraubt hat.

24.13 Anderseits ist als Ergebnis der Hochkulturentwicklungen in vielen Menschen die strukturhafte Überzeugung wirksam, daß die spirituelle Richtigkeit das richtige Prinzip des Sicheinstellens ist.

In andern ist wenigstens eine strukturhafte Neigung zugunsten des Geistigen wirksam: sie sind der die spirituelle Richtigkeit bejahenden Belehrung zugänglich.

24.14 Neben den vielen Innerlich-Festgelegten sind aber einige, die in innerer Freiheit zwischen den beiden Richtigkeitsprinzipien wählen können.

In freiem Entscheiden wird der eine der Vitalrichtigkeit den Vorzug geben: weil er das naturhafte Leben als das Hauptsächliche auffaßt und im Geistigen nur eine dienende Kraft, vielleicht sogar ein vom Wesentlichen Wegführendes sieht, – der andere dagegen der spirituellen Richtigkeit: weil die selbstzweckhaft-geistigen Verwirklichungen einen Seinsreichtum bedeuten, von dem die bloße Vitalerfüllung weit entfernt bleibt.

24.15 Zwischen den beiden Richtigkeitsauffassungen – Bejahung der Vitalrichtigkeit dort, der spirituellen Richtigkeit hier – besteht ein tiefer Gegensatz im Prinzipiellen.

Jedoch braucht sich das im Praktischen nicht störend auszuwirken: weil jeder für sich seinen eigenen Weg gehen kann, ohne dem Andersdenkenden in den Weg zu treten.

Auch kann sich eine praktische Verbindung beider Auffassungen in dem Sinne ergeben, daß jeder Vertreter einer Richtigkeitsauffassung den zwar zweitrangigen, aber noch positiven Wert des als untergeordnet-wichtig eingestuften Bereiches voll anerkennt: der die Vitalrichtigkeit Vertretende den Wert des Geistig-Selbstzweckhaften als eines letztlich Lebensdienlichen oder eines das vitalzweckbestimmte Sein angenehm Ausschmückenden, — der die spirituelle Richtigkeit Vertretende den Wert des Vitalzweckhaften als der Grundlage des Geistigen und als erwünschter inhaltlicher Bereicherung des letzteren.

24.16 An diesem Punkt des Überlegungsganges ist — in subjektiver Stellungnahme — zwischen den beiden Richtigkeitsprinzipien zu wählen: entschieden wird im Sinne der Bejahung, Annahme, Anerkennung, Befürwortung und Anwendung der spirituellen Richtigkeit.

Die den Inhalt der folgenden Darlegungen bestimmende Überzeugung, daß die spirituelle Richtigkeit das richtige Richtigkeitprinzip ist, liegt in der Linie der geistigen Entwicklung, deren wichtigste Träger und mächtigste Förderer die Geistig-Großen aller Kulturbereiche waren oder sind. Sie hat Ziele und Werte zum Inhalt, welche von vielen durch diese geistige Entwicklung Innerlich-Bestimmten aus ihrer Zwecke-und-Werte-Struktur hochgehalten, von andern, Innerlich-Nichtfestgelegten, in freiem Entscheiden angenommen werden.

Aber sie entspricht nur einer, nicht »der«, objektiv-wichtigen Kulturentwicklung, und sie ist den sie Ablehnenden gegenüber nicht beweisbar.

24.17 Wie aber, wenn die hier getroffene metaphysische Annahme — aus der Nichtfeststellbarkeit abgeleitete Nichtanerkennung eines Geschichts- oder Weltsinnes — unrichtig wäre: wenn es also einen Geschichts- oder Weltsinn trotz seiner Unerkennbarkeit als wirklich und wirkend gäbe? Dann könnte die Entscheidung zugunsten der spirituellen Richtigkeit erstens diesem Sinn voll entsprechen (weil selbstzweckhafte Geistigkeit dem Willen Gottes oder dem Ziel des »Weltgeistes« entspräche), oder zweitens teilweise entsprechen (wenn der Sinn in der Entstehung eben des zur Entscheidung zwingenden Prinzipienwiderstreites läge), oder drittens nicht entsprechen (weil die geistige Entwicklung des Menschen zumindest vom Weltsinn aus unerheblich wäre) oder viertens widersprechen (wenn allein die Vitalrichtigkeit sinngemäß wäre). Trotzdem ließe sich die aus Innerlich-Festgelegtsein oder freiem Entscheiden kommende Bevorzugung der spirituellen Richtigkeit auch im zweiten, dritten und vierten Falle rechtfertigen, — im zweiten: weil der Entscheidende sich selbst das Recht zuspräche, für das eine und gegen das andere der beiden widerstreitenden Prinzipien zu entscheiden; im dritten: weil der Entscheidende in dem von ihm gestaltbaren Bereich autonom das Wertvolle setzte; im vierten: weil der Entscheidende in eigenem, autonomem Werten für sich selbst den Geschichts- oder Weltsinn nicht als maßgebend anerkennte und an dessen Stelle ein für die Menschen Wertvolleres, Höheres setzte.

24.18 Die Überzeugung, daß die spirituelle Richtigkeit das richtige Richtigkeitsprinzip ist, ist auf das Menschliche überhaupt und im allgemeinen gerichtet: also auf alle Menschen, und insbesondere auch auf jene, für welche die geistig-selbstzweckhafte Verwirklichung eine vorläufig nicht oder kaum genutzte Möglichkeit bildet. Es folgt hieraus, daß die geistige Verwirklichung des einen nicht die Möglichkeiten der geistigen Verwirklichung anderer ungebührlich behindern darf.

Praktisch heißt dies, daß aus der spirituellen Richtigkeit die allgemeine Menschlichkeit zu bejahen und zu vertreten ist.

Geistesmenschliche Verwirklichung

25.1 Unter der spirituellen Richtigkeit ergeben sich Verwirklichungen, die
— erstens inhaltlich durch geistige Selbstzwecke bestimmt sind,
— zweitens unter der Gewißheit des Vorranges dieser besonderen geistigen Selbstzwecke oder des Geistig-Selbstzweckhaften im allgemeinen stehen.

Verwirklichung dieser Art sei im folgenden »geistesmenschliche Verwirklichung« genannt.

25.2 Die Verwirklichungen, die ein Mensch vollzieht, gehören zu seinem Sein, d. h. zu der durch artspezifische, kollektive und individuelle Inhalte gekennzeichneten Geschehenswirklichkeit, in welcher das Leben besteht.

Insofern ein Mensch geistesmenschliche Verwirklichung vollzieht, hat er »geistesmenschliches Sein«. Die Verschiedenheit der beiden Begriffe liegt darin, daß im ersten auf den Vorgang des Verwirklichens, im zweiten auf die Wesenseigenart des verwirklichenden oder durch zurückliegende Verwirklichung innerlich reicher gewordenen Menschen Gewicht gelegt ist.

25.3 Der Begriff »geistesmenschlich« geht vom Vorstellungsbild »Geistesmensch« aus: dieser ist der Mensch, dessen Sein wesentlich sehr weitgreifende (und dabei in jedem Falle zumindest erheblich tiefe, also nicht nur oberflächliche), sehr tiefdringende (und dabei wenigstens einige Weite erreichende) oder zugleich sehr weitgreifende und sehr tiefdringende, dazu sehr intensive Verwirklichung von hohen Anspruch stellenden geistigen Selbstzwecken ist, wobei wiederum die Bewußtheit des Vorranges dieser besonderen Selbstzwecke oder des Geistig-Selbstzweckhaften im allgemeinen besteht. Im Geistesmenschen ist das Nicht-geistig-Selbstzweckhafte auf das Unentbehrliche beschränkt und es ist, abgesehen von unmittelbarer Not oder Bedrohung, zweitrangig.

Die meisten Menschen, die Geistesmenschliches verwirklichen, sind nicht Geistesmenschen: ihre geistig-selbstzweckhafte Verwirklichung ist zuwenig weitgreifend oder tiefdringend, zuwenig intensiv, zuwenig anspruchsvoll.

Der Geistesmensch ist aber eine tatsächliche Möglichkeit, und es gibt Einzelne, die Geistesmenschen sind. Darüber hinaus ist er eine leitbildhafte Idealvorstellung.

25.4 Das geistesmenschliche Sein des Geistesmenschen ist etwas Seltenes, Besonderes: um es vom übrigen geistesmenschlichen Sein abzuheben, sei es hier »Geistesmenschentum« genannt.

25.5   Schließlich kann es nötig sein, die auf das geistesmenschliche Sein gerichtete Einstellung als solche zu kennzeichnen: hiefür sei der Ausdruck »Geistesmenschlichkeit« verwendet.

25.6   Aus der hier vertretenen Überzeugung, daß die spirituelle Richtigkeit der richtige Beurteilungsmaßstab ist, ergibt sich die Hochschätzung
— der geistesmenschlichen Verwirklichungen und des geistesmenschlichen Seins als der wertvollsten Erfüllung,
— der Geistesmenschlichkeit als der richtigen Einstellung,
— des Geistesmenschen als des Trägers des höchsten für Menschen erreichbaren Seins,
— des Geistesmenschentums als dieses höchsten Seins.

25.7   Wenn aber das Geistesmenschentum das höchste geistesmenschliche Sein ist, so heißt dies, daß es geistesmenschliches Sein von weniger hoher Stufe gibt, wobei die Rangunterschiede mehr oder weniger groß sein können.
Und aus dem Noch-im-Nichthöchsten-Stehen kann, mit dem Blick auf das Geistesmenschentum als Ideal, die innere Pflicht abgeleitet werden, fortschreitend zu höherer Verwirklichung aufzusteigen und nach Möglichkeit dem Idealen näher zu kommen.
Daß jene Rangunterschiede bestehen und diese Pflicht zum Aufstieg wirksam sein kann, wird bei der folgenden Behandlung der einzelnen Inhaltsgebiete des geistesmenschlichen Seins vorausgesetzt.

25.8   Aus der Bejahung des geistesmenschlichen Seins ergibt sich, daß die Behinderung und erst recht die Verhinderung von geistesmenschlichem Streben und Verwirklichen negativ zu werten sind.
Grundsätzlich ist also insbesondere die geistesmenschliche Verwirklichung, welche sich auf das geistesmenschliche Sein anderer Menschen störend oder hindernd auswirkt, mit negativem Wert belastet; ist die Störung erheblich, so müssen auch hier die Ansprüche und Rechte der Einzelnen gegeneinander abgewogen werden.

Diese Einschränkung ist im folgenden ebenfalls vorausgesetzt.

25.9 Das geistesmenschliche Sein ist gegen das nichtgeistesmenschliche abzugrenzen. Bei letzterem sind zwei Arten zu unterscheiden:
— erstens: geistig-selbstzweckhafte Verwirklichung, bei der die Bewußtheit vom Vorrang der verwirklichten Einzelzwecke im besondern oder der geistig-selbstzweckhaften Verwirklichung im allgemeinen fehlt,
— zweitens: Verwirklichung anderen als geistig-selbstzweckhaften Inhaltes.
Es ist klar, daß sich nichtgeistesmenschliches Sein der ersten Art leichter in geistesmenschliches überleiten läßt als solches der zweiten.

25.10 Seit wann gibt es geistesmenschliches Sein? Jedenfalls seit dem Beginn der Philosophie: denn diese wurde durch Menschen geschaffen, für welche Denken und Erkennen Lebenssinn war.

25.11 Wer heute nach geistesmenschlichem Sein trachtet, steht auf dem Felde der vielen Früheren, die Sein dieses Wesens besaßen; insbesondere ist er Erbe und Nachfolger von Geistesmenschen der — älteren oder jüngeren — Vergangenheit.
Aber das geistesmenschliche Sein der überlieferten Art ist nie das endgültig und abschließend festgelegte: jederzeit können Schöpferische an ihm weiterbauen.

25.12 Wozu sich mit dem geistesmenschlichen Sein, der Geistesmenschlichkeit, dem Geistesmenschentum — in ihrem Allgemeinen und in ihren einzelnen, besonderen Ausprägungen — befassen? Vielleicht nur um der bloßen Betrachtung willen; aber wertvoller ist die Besinnung auf die konkreten Möglichkeiten des eigenen geistesmenschlichen Seins (auch dann, wenn dieses als Allgemeines aus strukturhafter Einstellung von vornherein gutgeheißen wird).

ZWEITER TEIL

DIE MÖGLICHEN INHALTE DES GEISTESMENSCHLICHEN SEINS

INHALTLICHE VIELFALT

26.1 Indem der Einzelne geistige Selbstzwecke, ihres Vorranges oder desjenigen der geistig-eigenwerten Verwirklichung im allgemeinen bewußt, verwirklicht, gelangt er zu geistesmenschlichem Sein. Der geistigen Selbstzwecke gibt es aber viele, — also gibt es auch viele konkrete Inhalte des geistesmenschlichen Seins.

Die vielen geistigen Selbstzwecke, die von Menschen tatsächlich verwirklicht werden, lassen sich in drei Hauptgruppen zusammenfassen:
— erste Gruppe: Zwecke der selbstzweckhaften Bewußtheit,
— zweite Gruppe: Zwecke der selbstzweckhaften Leistung,
— dritte Gruppe: Zwecke der geistig-selbstzweckhaften Gemeinschaft.

26.2 Eigenwerte Bewußtheit ist Bewußtheit, die dem Menschsein Sinn gibt, — Bewußtheit, um derentwillen es sich lohnt, ein Mensch zu sein.

Die Bewußtheit ist ursprünglich Mittel zur Verwirklichung naturhafter Zwecke: das Bewußtsein, in seinen Anfängen zu frühem Tierseelischem gehörend, konnte sich halten und weiterentfalten, weil es sich im Dienste der Lebensbehauptung und -ausbreitung bewährte, und es wurde eben wegen dieser Lebensnützlichkeit vom Menschen in der Kulturentwicklung ausgebaut.

Dann aber trat in den Hochkulturen, vielleicht schon in späteren Primitivkulturen eine wesensverändernde Wandlung ein: die Bewußtheit wurde von Geistig-Führenden und von Den-Führenden-Nachfolgenden um ihrer selbst willen gesucht, verwirklicht, erweitert, vertieft. Bewußt zu sein und bewußt zu werden entwickelte sich zum geistigen Selbstzweck, in manchen Einzelnen zum Hauptlebenssinn.

26.3 Eigenwerte Leistung ist Leistung, die als solche dem Menschsein Sinn gibt: Leistung, um derentwillen es sich lohnt, ein Mensch zu sein.

Auch die Leistung ist ursprünglich Mittel zu Vitalzwecken, und zwar solchen einerseits der Einzelnen, anderseits der Gruppen und Gemeinschaften; Ursinn der Leistung ist die Lebensbehauptung. Auch sie hat Wurzeln im Vormenschlichen, wurde jedoch erst im Laufe der menschlichen Entwicklung, dank den besondern geistigen Vermögen des Menschen, zu weiter und starker Wirkungskraft gebracht.

Und auch sie wurde in den Hochkulturen, vielleicht sogar schon früher, bei manchen Menschen zu etwas so Starkem und Hohem, daß seine Betätigung teilweise Eigenwert bekam: Leistung um der Leistung willen, Leistung als selbstzweckhafte Erfüllung.

Eigenwerte, selbstzweckhafte Leistung ist geistig-eigenwert, geistig-selbstzweckhaft: denn das Leistungsvermögen gehört zu den geistigen Vermögen; sein Besonderes ist, daß in ihm das Wollen und Handeln den Vorrang haben.

26.4 Geistig-eigenwerte Gemeinschaft ist Gemeinschaft, die dem Menschsein Sinn gibt: in heller Bewußtheit erlebtes In-Gemeinschaft-Sein, um dessentwillen es sich lohnt, ein Mensch zu sein.

Das Aufeinanderbezogensein der Individuen ist alte, schon auf unteren Stufen der Tierentwicklung entstandene Lebenswirklichkeit: In-Gemeinschaft-Sein ist ursprünglich Vitalzweck.

Aber über diesem Vitalzweckhaften erhob sich in den Hochkulturen, vielleicht schon früher, Gemeinschaft geistigen Inhaltes, Sinnes und Wertes: die Verbundenheit zwischen den Einzelnen ermöglicht eigenwertes Erleben und Wirken besonderer Art und dazu ein In-die-andern-Eingehen, In-andern-Weiterdauern, welches für den Einzelnen einen Teil seiner Beschränkung auf das eigene Ich sprengt.

26.5 Inhaltliche Verschiedenheiten zwischen den geistig-selbstzweckhaften Verwirklichungen der Einzelnen bestehen zunächst in dem Sinne, daß für die Verwirklichenden die drei Hauptgebiete des geistesmenschlichen Seins — Bewußtsein, Leistung, Gemeinschaft — verschieden wichtig sind. Das geistesmenschliche Sein kann bestehen:

— nur in Bewußtheit,
— nur in Leistung (und in der mit dieser unmittelbar zusammenhangenden Bewußtheit),
— nur in Gemeinschaftsverwirklichung (und in der mit dieser unmittelbar verbundenen Bewußtheit und Leistung),
— in Leistung und in mit dieser nicht unmittelbar zusammenhangender Bewußtheit,
— in Gemeinschaftsverwirklichung und in mit dieser nicht unmittelbar zusammenhangender Bewußtheit,
— in Leistung und in mit dieser nicht unmittelbar zusammenhangender Gemeinschaftsverwirklichung,
— in voneinander unabhängiger Bewußtheit, Leistung und Gemeinschaftsverwirklichung.

26.6   Innerhalb jedes Hauptgebietes sind mehrere Teilgebiete, innerhalb mancher Teilgebiete mehrere wichtige Unterbezirke: dementsprechend gibt es eine große Zahl von Typen der — inhaltlich einfachen oder kombinierten — geistesmenschlichen Verwirklichung.

26.7   Und innerhalb jedes Unterbezirkes sind mehr oder weniger zahlreiche konkrete Einzelverwirklichungen möglich, — Beispiele: konkrete Verwirklichungen der Kunstfreunde, der Wissenschaftsfreunde, der Wissenschaftlich-Leistenden, der Technisch-Leistenden.

Es mag sein, daß jeder, der Geistig-Selbstzweckhaftes verwirklicht, in dieser Verwirklichung seine inhaltliche Besonderheit hat, die ihn von allen andern Verwirklichenden unterscheidet.

26.8   Hieraus folgt, daß sich der konkrete Inhalt des geistesmenschlichen Seins des Einzelnen nicht in lebensphilosophischer Überlegung feststellen, empfehlen oder gar vorschreiben läßt: die Aussagen über den Inhalt dieser Verwirklichung sind notwendig allgemein.

GEISTESMENSCHLICHE BEWUSSTHEIT

Durch Bewußtwerden zur Bewußtheit

27.1   Alle tatsächlich bestehende Bewußtheit, auch die geistes-menschliche, ist das Ergebnis von Bewußtwerden. Bewußt-werden ist das geistige Geschehen, das zu Bewußtheit führt und diese zum Ergebnis hat.

Es ist nur solche Bewußtheit möglich, zu welcher die ent-sprechende Bewußtwerdensfähigkeit tatsächlich besteht. Also sind die Möglichkeiten des Bewußt-Seins durch die Gegeben-heiten des Bewußt-Werdens bestimmt und beschränkt.

27.2   Denkbar ist, daß geistig hochentfaltete Lebewesen außer-halb der Erde Bewußtwerdensfähigkeiten von anderer Art als der menschlichen besitzen und somit zu Bewußtheit von anderer Art als der menschlichen gelangen. Bewußtheit von anderer Art als der menschlichen ist für uns aber konkret nicht vorstellbar.

27.3   Vorstellbar ist für uns dagegen die Vervollkommnung der menschlichen Bewußtheit in den durch unsere menschlichen Vermögen gegebenen Richtungen. Ein Beispiel hiefür ist die »göttliche Bewußtheit«: sie ist vorgestellte Vollkommenheit des mit menschlicher Bewußtwerdensfähigkeit Erreichbaren.

27.4   Der Arten des Bewußtwerdens gibt es mehrere. Die all-gemein-wichtigsten sind die folgenden.
Grundarten:
— das Empfinden: Bewußtwerden mittelst der Sinnesvermögen,
— das Fühlen: Bewußtwerden mittelst des Vermögens, seelisch gestimmt, gespannt, erregt oder bewegt zu werden,
— das Vorstellen: Vergegenwärtigung von Dingen, die nicht als Tatsächlich-Faßbares gegeben sind und trotzdem ähnlich be-wußt werden wie Tatsächlich-Gegenwärtiges,

— das Denken: das mit Begriffen, Sätzen, Zahlen, Formeln, Figuren, Symbolen, usw. arbeitende Bewußtmachen von objektiven Inhalten.

Ergänzend wirken:

— das Intuieren: unmittelbares Erfassen des Gegenstandes, d. h. Erfassen ohne Mitwirkung von Empfinden, Fühlen, Vorstellen und Denken,

— das Assoziieren: Auftreten von Bewußtseinsinhalten als Folge von andern,

— das Erinnern: Wiedervergegenwärtigung von Früher-Bewußtgewordenem.

Durch Verbindung dieser Grundarten sind kombinierte Bewußtseinsarten gebildet:

— das Wahrnehmen: in ihm ist das Empfinden durch Erinnern und Assoziieren ergänzt,

— das Verstehen: Erfassung von seelischem Wesen und von Sinnzusammenhängen, in welcher Wahrnehmen, Fühlen, Vorstellen, Denken und Intuieren zusammenwirken können,

— das Erleben: das Hellbewußtwerden von Zuständen und Geschehnissen, verbunden mit dem Gefühl ihres Bedeutendseins.

Innerhalb dieser Hauptarten gibt es zahlreiche Unterarten, und von diesen sind manche in dem Sinne speziell, als sie nur von verhältnismäßig wenigen angewandt werden (Beispiel für die letzteren: logische Analyse). Und zwischen den Unterarten wiederum sind vielfältige Verbindungen und Kombinationen.

27.5   Die einzelnen Weisen des Bewußtwerdens können für sich allein oder zusammen mit andern wirksam sein. Im zweiten Falle wird der Gegenstand durch zwei oder mehrere Bewußtmachungsvermögen erfaßt.

27.6   Das Bewußtwerden führt zu Bewußtheit, Bewußt-Sein, d. h. dazu, daß der erfaßte Gegenstand im Bewußtsein gegenwärtig ist: daß er dem Bewußtheit habenden Menschen bewußt ist.

Den Hauptarten des Bewußtwerdens entsprechen Hauptarten der Bewußtheit, der Gegenwärtigkeit des Bewußten:

- dem Empfinden die Gegenwärtigkeit von Empfundenem,
- dem Fühlen die Gegenwärtigkeit von Gefühltem,
- dem Vorstellen die Gegenwärtigkeit von Vorgestelltem,
- dem Denken die Gegenwärtigkeit von Gedachtem,
- dem Intuieren die Gegenwärtigkeit von Intuiertem,
- dem Assoziieren die Gegenwärtigkeit von Assoziiertem,
- dem Erinnern die Gegenwärtigkeit von Erinnertem,
- dem Wahrnehmen die Gegenwärtigkeit von Wahrgenommenem,
- dem Verstehen die Gegenwärtigkeit von Verstandenem,
- dem Erleben die Gegenwärtigkeit von Erlebtem.

Hiebei sind allerdings die Ergebnisse des Intuierens, des Assoziierens und des Erinnerns gleichen oder sehr ähnlichen Inhaltes wie diejenigen der übrigen sieben Bewußtheitsarten: also wie Empfundenes, Gefühltes, Vorgestelltes, Gedachtes, Wahrgenommenes, Verstandenes oder Erlebtes, — die weitere Betrachtung der Bewußtheit wird deshalb im folgenden auf diese sieben Hauptarten beschränkt.

Ergänzend ist beizufügen, daß den Unterarten innerhalb der Hauptarten des Bewußtwerdens Unterarten der Bewußtheit, des Bewußt-Seins entsprechen.

27.7   Die einzelnen Bewußtheitstypen können für sich allein bestehen oder verbunden sein. Ein und derselbe Gegenstand kann in nur einer oder in mehreren Bewußtheitsweisen gegenwärtig sein.

27.8   Eigenwert und selbstzweckhaft können sein und sind tatsächlich sehr häufig (bei allen Typen des Bewußtwerdens und -seins):
- erstens das Bewußtwerden als das bewußtheitschaffende Vergegenwärtigen,
- zweitens die Bewußtheit als die Gegenwärtigkeit des im Bewußtwerden Vergegenwärtigten,
- drittens (und ergänzend) die Weitergabe, die Mitteilung des im Bewußtwerden Vergegenwärtigten und in der Bewußtheit Gegenwärtigen.

Das Bewußtwerden ist, auch wenn es als an sich wertvolle

geistige Tätigkeit erlebt wird, in der Regel ein Untergeordnetes: untergeordnet der Bewußtheit, welche das eigentlich wichtige Selbstzweckhafte dieses Bereiches ist.

Die Weitergabe von In-der-Bewußtheit-Gegenwärtigem ist dem In-der-Bewußtheit-Gegenwärtighaben insofern nachgeordnet, als der Weitergebende diesen Inhalt zuerst selber besitzen muß und erst nachher weitergeben kann. Aber sie ist ihm nicht immer rangmäßig untergeordnet: sie kann gleichen oder sogar höheren Ranges sein, — es bestehen hier Verbindungen zur eigenwerten Leistung und zur eigenwerten Gemeinschaft.

27.9 Daß Bewußtwerden und Weitergabe von Bewußtem Geschehen sind, ist klar.

Genauer zu betrachten ist dagegen das Wesen des In-der-Bewußtheit-Gegenwärtighabens. Letzteres ist nicht bloß ein Zustand, sondern ebenfalls ein mehr oder weniger intensives geistiges Geschehen: das Gegenwärtighaben ist nur dadurch möglich, daß ständig ein Gegenwärtig*halten* im Gange ist, — das Vergegenwärtigte muß vom Bewußtsein gegenwärtig gehalten werden, was nicht selten eine bewußte Anstrengung erfordert.

27.10 Warum kann das Bewußtwerden als eine an sich wertvolle geistige Tätigkeit erlebt werden? Weil es ein selbständiges, teilweise in schwieriger und damit interessanter Auseinandersetzung bestehendes Dem-Gegenstand-Begegnen und Den-Gegenstand-Erfassen ist.

Diese Auseinandersetzung ist bei den verschiedenen Arten des Bewußtwerdens verschieden stark ausgeprägt. Gewichtig kann sie beim Wahrnehmen sein, sofern sich dieses auf nicht leicht zu erfassende Gegenstände richtet, noch mehr beim Denken und Verstehen, wenn diese sich um schwierig zu klärende Tatsachen und Zusammenhänge bemühen.

27.11 Warum kann die Bewußtheit, als Im-Bewußtsein-Gegenwärtighaben, eigenwert und selbstzweckhaft sein?

Weil in ihr der bewußte Mensch an den Bewußtheitsgegenständen teilhat und weil seine innere Welt dank diesem Teilhaben weit und reich ist. Es liegt darin eine entweder bloß gefühlshaft unbestimmte oder aber bestimmt wertende Bejahung dessen, was Bewußtheitsgegenstand ist: es wird als wertvoller aufgefaßt, mancher Bewußtheitsgegenstände bewußt zu sein als ihrer nicht bewußt zu sein.

Letzteres kann selbst dann gelten, wenn ein Bewußtheitsgegenstand in moralischer oder ästhetischer Wertung abgelehnt wird: ihn in der Bewußtheit gegenwärtig zu haben, kann auch unter dieser Voraussetzung als wertvoll aufgefaßt sein, — etwa um der Vollständigkeit der Erfassung eines Inhaltegebietes willen.

27.12 Warum kann die Weitergabe von In-der-Bewußtheit-Gegenwärtigem eigenwert und selbstzweckhaft sein?

Weil der Einzelne hier die Möglichkeit hat, wertvolles Geistiges andern mitzuteilen und damit die Bewußtheit, die für ihn selbstzweckhaft ist, in andern aufleben zu lassen. Das Ich des Weitergebenden tritt hier hinter eine in allgemeinerer Weise an-sich-wertvolle Bewußtheit zurück und wird ihr gegenüber dienend: es geht davon aus, daß solche Bewußtheit überhaupt, also auch in andern, Bekannten oder Fremden, wertvoll ist, daß sie, wo immer sie ist, ein an sich wertvolles geistiges Sein ist.

Der Einzelne gelangt hier von dem auf sich selbst beschränkten, ichhaften Sein zu Über-Ichhaftem, Überpersönlichem, vielleicht zu einem der Idee nach Menschheitsweiten. Es liegt hierin eine erste Möglichkeit, die Beschränkung des Einzelnerseins zu durchbrechen.

27.13 Jedem Einzelnen von einiger Begabung und Schulung sind zahlreiche selbstzweckhafte Verwirklichungen des Bewußtwerdens und -seins möglich: Selbsterfassung, Teilhabe an Kunstwerken und künstlerischen Darbietungen, an religiösen Lehren, an philosophischen Einsichten, an Ergebnissen der wissenschaftlichen Forschung, Naturerleben, aufmerksame Verfolgung des sozialen und politischen Geschehens, Reisen, usw.

Und sogleich drängt sich die Wichtigkeit des Rechtlichen und Wirtschaftlichen auf: der Verwirklichende muß das Recht, die wirtschaftlichen Mittel und die Zeit für solche Verwirklichung haben.

27.14 Ein erheblicher Unterschied besteht zwischen den Verwirklichungsmöglichkeiten des Bewußtheitsbereiches und denjenigen des Leistungsbereiches in dem Sinne, daß dem durch-
schnittlichen Einzelnen dort eine sehr viel weitere selbstzweckhafte Erfüllung zugänglich ist als hier. Beispiel: Vergegenwärtigung von Ergebnissen wissenschaftlicher Forschung ist vielen
möglich, eigene wissenschaftliche Arbeit nur wenigen.

27.15 Die eigenwerten Verwirklichungen des Bewußtwerdens
und -seins sind auch leichter zu erreichen als diejenigen der
Gemeinschaft, soweit diese die Verbindung mit andern Einzelnen voraussetzt. Beispiele: das Geistig-Selbstzweckhafte der
Familiengemeinschaft setzt das Bestehen der Familie, dasjenige
der Freundschaft bestehende Freundschaft voraus, — zu selbstzweckhaftem Kunsterleben dagegen kann der Einzelne ganz
allein gelangen. (Immerhin gibt es Gemeinschaftserleben, in
welchem der Einzelne nicht auf andere Einzelne angewiesen ist:
das auf Großgemeinschaften bezogene Erleben. Hier hängt es
nur vom Einzelnen ab, ob er sich als einer Gemeinschaft zugehörig erlebt und darin eigenwerte Erfüllung findet.)

27.16 Die Weitergabe von Bewußtseinsinhalten ist weniger
leicht zu verwirklichen als Bewußtwerden und -sein: denn entweder richtet sie sich an andere Einzelne und setzt entsprechende
zwischenmenschliche Beziehung voraus — oder sie besteht in
publizistischer, schriftstellerischer, künstlerischer, wissenschaft-
lich-darstellender oder lehrender Leistung, die nur von wenigen
ausgeführt werden kann.

27.17 Soweit die auf dem Felde des Bewußtwerdens und -seins
vollzogene eigenwerte Verwirklichung nicht Weitergabe ist, ist
sie auf den Einzelnen beschränkt — ist sie Erreichnis innerhalb
der inneren Welt des Einzelnen. Solches Verwirklichen ist ein
im Innern des Einzelnen verborgen-leuchtendes Licht.
    Auch als solches ist es von oberstem Wert. Und es ist der
Hauptsinn vieler religiöser, philosophischer, wissenschaftlicher
und künstlerischer Leistungen, den aufnehmenden Menschen
solche eigenwerte Bewußtheit zu ermöglichen, — in Einzelnen

dieses verborgen-leuchtende Licht ins Leuchten zu bringen und im Leuchten zu erhalten.

27.18   Der für sich selbst selbstzweckhaft-bewußte Einzelne ist ein oberstes Ziel der Menschheit.

27.19   Wie aber wird aus dem geistig-eigenwerten und geistig-selbstzweckhaften Bewußtwerden, Bewußtsein und Bewußtheit-Mitteilen das geistesmenschliche? Indem sich das Eigenwert- und Selbstzwecksein mit der Überzeugung verbindet, daß solche Verwirklichung in ihrer Besonderheit oder daß eigenwerte Bewußtheitsverwirklichung überhaupt oder daß, noch weiter, geistig eigenwerte Verwirklichung im allgemeinen unter allen vollziehbaren Verwirklichungen den höchsten Rang haben.

Nur wenn diese Rangbewußtheit besteht und bestimmend ist, ist die eigenwerte Bewußtheitsverwirklichung geistesmenschlich.

27.20   Wie erhebt sich die geistesmenschliche Bewußtheitsverwirklichung zu Geistesmenschentum?

Indem sie besonders weit oder tief — oder weit-und-tief —, besonders intensiv und von besonders hohem Anspruch bestimmt wird.

Geistesmenschliches Empfinden und Wahrnehmen

28.1   »Empfinden« ist ein Sammelbegriff für mehrere Weisen des Bewußtwerdens und -seins. Entsprechend gibt es mehrere Weisen des Wahrnehmens (in welchem das Empfinden durch Erinnerung und Assoziation ergänzt und erweitert ist).

In Hinsicht auf das eigenwerte, also auch das geistesmenschliche Empfinden sind die Hauptarten das Sehen und Hören; entsprechend sind die Hauptarten des selbstzweckhaften und insbesondere des geistesmenschlichen Wahrnehmens die mit dem Sehen oder Hören verbundenen.

Zweitrangig sind Riechen, Schmecken, Tasten, innerkörperliches Empfinden und das mit ihnen verbundene Wahrnehmen.

186

28.2   Im Bereiche des Sehens kann eigenwert und selbstzweckhaft — auch im Sinne der geistesmenschlichen Verwirklichung —
schon das Sehen von Linien-, Flächen- und Körperformen, von
Farben und von Bewegungsformen sein.

Das Als-eigenwert-Gewertetsein zeigt sich hier darin, daß
das Gesehene als »schön« (oder »fein«, »zierlich«, »monumen-
tal«, »großartig«: mit solchen Wertungen wird zumeist auch
eine besondere Weise des Schönseins ausgedrückt) erlebt wird, —
und im Schönheitserleben ist mit dem Empfinden oder Wahrnehmen ein Fühlen verbunden: das schönheitserfassende Fühlen.

28.3   »Schöne« Formen, Farben und Bewegungen finden sich
sehr zahlreich und vielgestaltig in der Natur:
— Landschaften: Ebenen, Hügelgebiete, Felder, Wälder, Berge,
   Flüsse, Bäche, Seen,
— Tag- und Nachthimmel, Wolken,
— im Mineralreich: Steine, Kristalle, Mikrostrukturen,
— im Pflanzenreich: Bäume, Sträucher, Gräser, Kräuter, Mikroorganismen, einzelne Blüten, Früchte, Zweige und Blätter,
— in der Tierwelt: Mikroorganismen, Insekten, Fische, Vögel,
   Säugetiere aller Art; einzelne Organe, Fell, Federn,
— daran anschließend: der menschliche Körper.

In der Neuzeit wurde der Bereich des Sehbaren sehr stark
erweitert: durch die Erfassung von Geographisch-Fernem, insbesondere Exotischem, durch die Entdeckung von Erdgeschicht-
lich-Vergangenem, durch die Entdeckung von Mikroskopisch-
Kleinem und von Formen, die nur durch das Fernrohr gesehen
werden können.

28.4   Schöne Formen und Farben finden sich zahlreich und
vielgestaltig im Reich der Kulturgegenstände:
— Einrichtungsgegenstände: Möbel, Teppiche, Geräte,
— Leistungsmittel: Werkzeuge, Maschinen, Apparate, Fahr-
   zeuge,
— Kleider, Haartrachten, Schmuck,
— Bauten: Gebäude als solche, einzelne Räume, einzelne Bau-
   elemente, Gruppen von Gebäuden, Bautengesamtheiten wie
   Dörfer und Städte,

— Zeichnungen, Bilder, Statuen, Druckerzeugnisse (alle nur in bezug auf Form und Farbe betrachtet).

Wenn auch hier das Zuständlich-Ruhen überwiegt, so ist doch manches durch Bewegung schön: Maschinen, Apparate, Fahrzeuge, Flugzeuge.

Auf diesem Gebiet ganz besonders ist in der Neuzeit der Reichtum des Sehbaren gesteigert worden: vor allem durch die Leistungen der modernen Technik, aber auch durch die Erfassung und Heranbringung von Fernem, insbesondere Exotischem und von Geschichtlich-Vergangenem. Für den modernen Sehfreudigen bietet die Welt sehr viel mehr Schönes als für den früheren.

28.5 Als eigenwert kann das reine, d. h. auf die Erfassung von Formen, Farben und Bewegungen beschränkte Sehen aber auch dann erlebt sein, wenn das Gesehene nicht als »schön« gewertet ist, sondern bloß als »interessant«, — wobei das Interessante für den Sehenden nichtschön oder sogar häßlich sein kann.

Sinn des Sehens ist dann, daß der Sehende die Besonderheit jeder betrachteten Gestalt und die Vielheit dieser Besonderheiten erfaßt und gegenwärtig hält. Damit kann einhergehen, daß die Wichtigkeit der Schönheit abnimmt: die Gestalteigenart wird ausschlaggebend, — im Höchstfall ist jede Gestalteigenart interessant und anschauenswert. So wird der eine viele oder alle Pflanzen, der andere viele oder alle Tiere, der dritte viele oder alle Menschen, der vierte viele oder alle Bauformen sehend zu erfassen bemüht sein.

28.6 In der bildenden Kunst gibt es schon seit der vorgeschichtlichen Zeit gestaltendes Tun, durch welches Form- und Farbgestalten geschaffen wurden, die als solche, ohne Bezug auf einen Inhalt, als schön wirken: alle ornamentale Kunst und dazu die Architektur.

Die moderne »ungegenständliche« Kunst hat das Feld solchen Gestaltens erheblich erweitert: Malerei, Graphik und Bildhauerei schaffen in nicht auf einen Gegenstandsinhalt bezogenen Werken Form- und Farbgestalten — in Einzelfällen mit Bewegungen verbunden —, die als solche den Betrachter zu eigenwerter Sehvergegenwärtigung und -gegenwärtigkeit führen. Wenn man davon spricht, daß die moderne Kunst zu den Ursprüngen der Kunst zurückgekehrt sei, so hat dies unter der hier angewandten Beurteilung eine besondere Berechtigung: einer der Ursprünge der bildenden Kunst war der Wunsch nach schmückender, »das Auge erfreuender«, d. h. eigenwertes Sehen ermöglichender Form, — die moderne Kunst entwickelt neue Weisen, diesen uralten Wunsch zu befriedigen, sie erweitert den Reichtum an Sehbarem, dem zu begegnen für den Sehfreudigen selbstzweckhaft sein kann.

28.7   Meistens ist aber das Sehen und Anschauen von Form als solcher nur ein Teil, und vielleicht nicht einmal der wichtigste, des Erfassens und Betrachtens: dann nämlich, wenn sie Form eines Inhaltlichen ist, das vom Betrachtenden als wichtig aufgefaßt wird.

Solche Verbindung von Form und Inhalt ist schon in der Naturbetrachtung möglich. So: das Form- und Farbmuster eines Kristalls, einer Blume, eines Baumes, eines Schmetterlings sehen und dadurch zu den physischen Eigenschaften des Gesehenen geleitet werden.

Vor allem aber besteht sie in den Werken der »gegenständlichen« bildenden Kunst: in Werken, welche Natur- oder Kulturwirkliches, Menschen in tatsächlich vorhandenem oder vorgestelltem Sosein, vorgestelltes Jenseitiges, usw. darstellen.

Im Zusammenhang mit dem Gegenständlichsein der gegenständlichen Kunst ist das Schönheitserleben erweitert: schön ist hier nicht nur das Formhafte als solches, sondern das Gestaltete einschließlich seines Inhaltlichen, — wobei Schönheit auch darin liegen kann, daß der Inhalt sinnlich faßbar gemacht ist.

28.8   Anderseits hat der Betrachter auch bei gegenständlichem Sehbarem stets die Möglichkeit, sich hauptsächlich ans Formale zu halten und das Inhaltliche nur als dessen Träger aufzufassen.

Insbesondere können gegenständliche Kunstwerke den Betrachter zu neuem Formerleben anregen, das sich dann auf die Kunstbetrachtung wie auf die Betrachtung der außerkünstlerischen Wirklichkeit auswirkt. Beispiele: Monet, Cézanne.

28.9 Sehr viele Einzelne verwirklichen geistig-selbstzweckhaftes Sehen; in vielen wird dieses, dank der Verbindung mit entsprechender Vorrangsbewußtheit, zu einem geistesmenschlichen Erreichnis.

In den meisten dieser Menschen ist aber das geistig-selbstzweckhafte und insbesondere geistesmenschliche Sehen nicht das einzige, häufig nicht einmal das wichtigste Geistig-Selbstzweckhafte und insbesondere Geistesmenschliche: vielmehr steht es zumeist neben anderem und Andersartigem.

28.10 Jedoch ist denkbar, daß ein Mensch nur durch sein eigenwertes Sehen eine umfangreiche und vielgestaltige geistesmenschliche Erfüllung aufbaut: sein geistesmenschliches Sein liegt dann darin, daß er, des Vorranges des Geistigen bewußt, seine Geisteskraft, soweit er geistig-selbstzweckhafte Verwirklichung erstrebt, ganz auf die Welt des Sehbaren richtet, von welcher er entweder möglichst viel oder einiges häufig wiederholend in großer Deutlichkeit sehend erfaßt und anschauend gegenwärtig hält.

28.11 Geistesmenschentum — also geistesmenschliches Sein von höchstem Rang —, in welchem das eigenwerte Sehen hervorragend wichtig ist, war und ist tatsächlich oft gegeben: vor allem in den großen Meistern der bildenden Kunst.

Zumeist ist es aber mit andersartiger geistig-selbstzweckhafter Verwirklichung, vor allem Leistung, verbunden.

28.12 Geistesmenschentum, das nur auf selbstzweckhaftes Sehen beschränkt ist, ist aber jedenfalls denkbar. Es würde darin bestehen, daß der Verwirklichende Sehbares, und nur solches, besonders weit oder besonders fein oder zugleich besonders weit und fein, dazu sehr intensiv und höchste, d. h. nur mit Einsatz hoher Geisteskraft erfüllbare Ansprüche stellend erfaßt und gegenwärtig hält.

28.13 Im Bereiche des Hörens kann eigenwert und selbstzweckhaft schon das Hören von Tönen und Tonfolgen, also von Klängen, Melodien und Rhythmen sein. Wiederum zeigt sich

190

das Eigenwertsein in den angewandten Wertungen: »schön«, »herrlich«, »großartig«, »fein«, »zierlich«, wobei in den letzten vier wiederum besondere Arten des Schönseins bezeichnet werden.

28.14 Schönes Tonhaftes gibt es in der Natur, wenn auch nur in sehr viel geringerer Häufigkeit und Vielfalt als sehbares Naturschönes. Beispiele: Tönen des Windes, des Wassers, des Gewitters; Vogelgesang, andere Tierlaute. Auch die vollständige Stille, der man etwa im winterlichen Hochgebirge begegnet, kann im Tonerleben als schön gewertet werden.

Denkbar ist, daß ein Mensch von ausgeprägter Hörbegabung den Zugang zur Natur stark durch das eigenwerte Hören findet.

28.15 Schönes Tonhaftes gibt es aber vor allem in der Musik: Tonwerke, von Werkschaffenden erdacht und gestaltet, von Ausführenden nachgeschaffen und für sich selber oder für andere zu Gehör gebracht.

Großenteils ist in der Musik die musikalische Form als solche das Wesentliche; Musik dieser Art ist schön, ohne daß eine Beziehung zu einem auszudrückenden oder zu beschreibenden Inhalt bestünde. Eigenwert und selbstzweckhaft ist hier das Hören von Klang, Melodie und Rhythmus als solchen.

28.16 Aber auch die musikalische Form ist häufig, ja zumeist mit Erlebbarem von nichtsinnlicher Art verbunden: Gefühle und andere Bewußtheitszustände können durch Musik so meisterlich ausgedrückt sein, daß der Aufführende oder Hörende durch diese im Innersten ergriffen wird.

Auf der Ebene des Weniger-Anspruchsvollen kann Musik Menschengruppen gleichstimmen und so von sozialer Nützlichkeit werden: Militär- und Festmusik, Kirchenmusik, auch Musik zur Arbeit.

28.17 Im ganzen ist aber die Musik weniger gegenständlich als die bildende Kunst: darum bietet sie dem Streben nach formaler Neuerung und Erweiterung ein viel größeres Feld als diese.

Dabei besteht die Möglichkeit, daß die musikalischen Form-
neuerungen sich auf eine allgemeinere Formbewußtheit auswirken und so auch in die bildende Kunst und die Dichtung
ausstrahlen.

28.18   Tönen, das von manchen für interessant, von einigen
für schön gehalten wird, ergibt sich in großer Vielfalt aus dem
übrigen Tun der Menschen.

Da ist vor allem die Sprache: sie hat eine neben ihrem Sinn-
gehalt für sich bestehende Tonerscheinung, — nicht nur in der
dichterischen, sondern auch in der Alltagssprache (weshalb einer
sogar eine Sprache, die er nicht versteht, hörend schön finden
kann).

Da sind weiter die vielerlei Töne und Geräusche der Arbeits-
und Verkehrswelt, — vom Surren und Hämmern in der
Mechanikerwerkstatt bis zum Lärm in der Kesselschmiede,
vom Fahrradklingeln bis zum Heulen der Polizeisirene, vom
Peitschenknall bis zum Donnern des aufsteigenden Strahlflug-
zeugs.

Da ist das mit dem gesellschaftlichen Leben als solchem ver-
bundene Tonhafte: Töne, Geräusche und Lärm von Festen und
Zeremonien, aber auch von Streit, von Demonstration und
Aufruhr, von Revolution und Krieg.

Die Tonwirklichkeit ist durch diese außermusikalischen Bereiche erheblich erweitert.

28.19   Sehr viele Einzelne verwirklichen geistig-selbstzweckhaftes Hören, — Musikhören vor allem, daneben Hören von
Nichtmusikalischem. Dieses Geistig-Selbstzweckhafte ist in vielen, dank entsprechender Vorrangsbewußtheit, geistesmenschliches Erreichnis, das wiederum zumeist mit andersartigem
Geistesmenschlichem verbunden ist, jedoch auch das einzige
Geistesmenschliche sein kann.

28.20   Geistesmenschentum — also geistesmenschliches Sein
höchsten Ranges —, in welchem das eigenwerte Tonempfinden
und -wahrnehmen hervorragend wichtig ist, ist vor allem durch
die Großen der Tonkunst verwirklicht; entscheidend ist hier

allerdings die hervorragende Leistung. Weiter kann hochausgebildetes Tonempfinden in der Leistung des Dichters mitwirken und Teil von dessen Geistesmenschentum sein.

Es ist aber auch Geistesmenschentum denkbar, das Vollkommenheit des reinen, für sich verwirklichten (nicht mit Leistung verbundenen) Hörens ist.

28.21 Häufig sind Sehen und Hören verbunden, — man könnte hier von Sehen-Hören sprechen.

Solches Sehen-Hören gibt es in der Begegnung mit der Natur: einen Fluß, das Meer, ein Gewitter, den Wald, Tiere sehen-hören.

Es gibt das Sehen-Hören in der Begegnung mit künstlerischen Darbietungen: Musiktheater, Schauspiel, Tanz und die entsprechenden Film- und Fernsehdarstellungen sind sehend-hörend zu erfassen.

Es gibt das Sehen-Hören in der Begegnung mit außerkünstlerischem Menschlichen: mit den inhaltlich vielfältigen Vorgängen der Arbeitswelt und des Gruppenlebens vor allem.

28.22 Auch das Sehen-Hören kann geistig-selbstzweckhafte und insbesondere geistesmenschliche Verwirklichung sein: so bei den Theaterfreunden, aber auch bei manchem Beobachter von Natur oder Menschenwelt.

Und es kann Inhalt von Geistesmenschentum sein: so — in Verbindung mit künstlerischer Leistung — bei den Großen der Theaterkunst.

28.23 Auch wer die Erfassung und Betrachtung von Sehbarem, Hörbarem oder Seh-Hörbarem nicht als hauptsächliche geistig-selbstzweckhafte Verwirklichung auffaßt, sollte sich dessen Bedeutung im ganzen geistesmenschlichen Sein vergegenwärtigen: vielleicht erkennt er, daß er bisher einen ihm an sich zugänglichen Bereich vernachlässigt hat, in dem er eine wertvolle Ergänzung seiner geistig-selbstzweckhaften Erfüllung finden könnte.

28.24 Richtigerweise wird man die Wichtigkeit des selbst-zweckhaften Sehens, Hörens und Sehen-Hörens auch bei der Festlegung der konkreten Ziele der Erziehung bedenken, welche die Zuerziehenden — neben anderem — zu geistesmenschlichem Sein zu befähigen trachtet: es handelt sich hier um Erfüllung, für welche sehr viele ausreichende Begabung haben.

28.25 Das Geschmacksempfinden steht in der Hauptsache mit Essen und Trinken, also mit triebhaften Betätigungen in Zu-sammenhang: es wirkt darum nicht — oder kaum — außerhalb des Vitalzweckbereiches. Geistig-eigenwertes Empfinden dieses Inhaltes ist kaum je anderes als Geistig-Eigenwertes der unter-sten Stufe, der Übergangszone zwischen dem Vitalzweckhaften und dem Eigentlich-Geistigen.

28.26 Daß Geruchsempfinden selbstzweckhaft sein kann, be-weist die Freude an natürlichen und künstlichen Wohlgerüchen. Jedoch sind für die meisten Einzelnen diese Empfindungen zu wenig differenziert und vielfältig, als daß sie in erheblichem Umfange geistig-selbstzweckhaft oder gar geistesmenschlich werden könnten.

Immerhin ist denkbar, daß seltene, besonders-begabte Ein-zelne auf dem Felde des Geruchsempfindens eine Verwirk-lichungsstufe erreichen, die mit dem selbstzweckhaften Sehen oder Hören von Seh- und Hörbegabten gleichrangig ist.

28.27 Zweifellos geringer ist vom Standpunkt der geistig-selbstzweckhaften und insbesondere geistesmenschlichen Ver-wirklichungen die Bedeutung der Tast- und der übrigen Haut-empfindungen: es wird sich hier kaum je mehr ergeben als Empfindung, die nur für kurze Zeit, in geringer inhaltlicher Differenziertheit und vitalzweckgelenkt eigenwert ist. Auch hier wird die Übergangszone zwischen dem Vitalzweckhaften und dem Eigentlich-Geistigen kaum verlassen.

Beizufügen ist jedoch, daß alles geistig-selbstzweckhafte Sich-selbst-Erleben, wenn es vollständig sein soll, auch diese an sich zweitrangige Empfindungswirklichkeit in heller Bewußtheit er-fassen und gegenwärtig haben muß.

29.1 »Fühlen« wird hier in zwei Bedeutungen verstanden:
— erstens als fühlende Vergegenwärtigung, als die Entstehung, als das Auftreten von Gefühlen,
— zweitens als Gefühlsgegenwärtigkeit, als Vorhandensein eines Gefühls, als Gefühlhaben.

29.2 Zwar treten die meisten Gefühle spontan auf: sie sind nicht im gleichen Sinne gewollt und bewußt gelenkt wie etwa das Denken und die Gedanken.

Und doch gibt es auch im Fühlen ein Bewußtwerden- und Bewußtsein-Wollen:
— erstens in dem Sinne, daß der Einzelne sich bemüht, zu fühlen, also sich dem Fühlen als einer besonderen Weise des Bewußtwerdens und -seins zu öffnen,
— zweitens in dem Sinne, daß er sich bemüht, sein Gefühls-bewußtwerden und -sein zu erweitern, zu vertiefen, zu vollkommenerer Helle und Klarheit zu bringen,
— drittens darin, daß insbesondere Mitfühlen erstrebt wird: daß der Einzelne fühlend erfaßt und gegenwärtighält, was in andern Menschen unmittelbar entstandene Gefühlswirklichkeit ist oder war,
— viertens in Hinsicht auf die Dauer der Gefühle: diese kommen und gehen, oft dauern sie nur kurze Zeit; der Fühlende kann sich bemühen, sie einigermaßen lange gegenwärtigzuhalten.

29.3 Die Gefühle, die im vergegenwärtigenden Fühlen bewußt werden und im gegenwärtighaltenden Fühlen bewußt sind, erstrecken sich über einen weiten Inhaltsbereich, in welchem es zwei Hauptbezirke gibt: einerseits die naturhaften Gefühle, andererseits die kulturhaften Gefühle, wobei jedoch zwischen beiden eine breite Zone wenig bestimmter Übergänge und Verbindungen ist.

Die naturhaften Gefühle stehen ihrem Ursprung und Wesen nach unter den Vitaltrieben; sie sind zur naturhaften Triebhaftigkeit gehörende Lenkungskräfte, welche dem Einzelnen die

Vitalzwecke bewußt werden lassen und ihn zu deren Verwirklichung antreiben. Ihrem Inhalt nach sind sie

— entweder Unbehagen, Unlust, Schmerz, Angst, usw.: Gefühle, welche die Beseitigung oder Vermeidung eines Zustandes nahelegen,
— oder Behagen, Lust, usw.: Gefühle, welche das Beharren in einem Zustand oder die Fortsetzung eines Tuns nahelegen.

Die kulturhaften Gefühle sind mit dem geistigen Tun und Sein, die erst beim Menschen einigermaßen hoher Kultur möglich wurden, verbunden; auch sie sind

— entweder unlustbetont und die Beseitigung eines, hier geistigen, Zustandes nahelegend,
— oder lustbetont und das Beharren oder Fortschreiten in einer bestehenden oder eingeleiteten geistigen Verwirklichung nahelegend.

29.4 Eigenwert sind sehr häufig die lustbetonten Gefühle: in ihnen zu beharren ist angenehm, lustvoll, erfreulich, glückhaft, — und wohl jeder faßt solches zeitweilig als selbstzweckhaft auf.

Als zwar nicht an sich eigenwert, wohl aber zu einem eigenwerten Zustand führend können weiter die Beseitigung und die Vermeidung von unlustbetonten Gefühlen aufgefaßt werden: das eigenwerte Erreichnis besteht dann in der Abwesenheit von Unlustgefühlen, — man kann diese als das Höchste der Gefühlswirklichkeit werten, wenn man davon ausgeht, daß jede Lust nur kurz dauert und bald einer Unlust Platz machen muß.

Unter einem besonderen Gesichtspunkt kann jedoch auch Unlust Gegenstand und Inhalt von eigenwerter Bewußtheit sein: dann nämlich, wenn es dem Fühlenden darauf ankommt, das Ganze der Gefühlswirklichkeit zu erfassen und gegenwärtigzuhaben. Alles Fühlen erscheint dann als selbstzweckhaft.

29.5 Das naturhafte Fühlen kann inhaltlich in Zusammenhang stehen:

— erstens mit der Lebenserhaltung des Einzelnen: mit der Ernährung, dem Sichkleiden, dem Wohnen, mit Gesundheit und Krankheit, mit Sicherheit und Gefahr, mit Wohlstand und Armut,

- zweitens mit der Fortpflanzung: mit den geschlechtlich bedingten Beziehungen, mit der Eltern-Kinder-Beziehung, mit Wohlergehen oder Nichtwohlergehen der Familie,
- drittens mit dem Gruppenleben außerhalb der Familie: mit dem Eingeordnetsein oder Nichteingeordnetsein des Einzelnen, mit Geltung, Ruhm und Macht des Einzelnen, die erreicht sind oder noch erhofft und erstrebt werden, mit dem Wohlergehen oder Nichtwohlergehen, der Macht oder Nichtmacht der Gruppe, insbesondere des Volkes.

Die sogeartete Gefühlswirklichkeit hatte ihren Ursprung in der Seelenwelt von Primitiven und weiter zurück von höheren Tieren. Wesentliche Unterschiede zwischen dem Ursprünglichen und dem Jetzigen bestehen jedoch darin, daß dieses von höher entfalteter Bewußtheitshelle, -klarheit und -intensität ist.

29.6 Naturhaftes Fühlen als eine besondere Weise des Bewußtwerdens und -seins ist zwar ein Geistiges und kann ein Geistig-Selbstzweckhaftes sein. Jedoch ist es, soweit es nichts anderes als naturhaftes Fühlen ist, inhaltlich mit den Vitaltrieben so eng verbunden, daß es nicht als ein selbständiger geistiger Bereich verstanden werden kann: im Vordergrund steht hier immer die Verwirklichung der Vitalzwecke.

Immerhin ist in drei Sonderfällen das Fühlen naturhaften Inhaltes der Qualität des Selbständig-Geistigseins einigermaßen nahe:
- erstens wenn der Fühlende sein naturhaftes Fühlen als ein für alle Menschen und darüber hinaus auch für viele Tiere wichtiges Seelisches versteht und so eines allgemeinen Seelisch-Wirklichen bewußt wird,
- zweitens wenn der Fühlende sich stark mit dem Unlustbetonten befaßt und dessen Erfassung als selbstzweckhaft wertet,
- drittens wenn das Fühlen vorwiegend Mitfühlen, im Sinne von Miterleben des Fühlens anderer Menschen und vielleicht auch von Tieren, ist.

29.7 Häufig ist das naturhafte Fühlen mit naturhaftem Empfinden (und Wahrnehmen) verbunden: man kann dann von naturhaftem Empfinden-Fühlen (Wahrnehmen-Fühlen) oder Fühlen-Empfinden (Fühlen-Wahrnehmen) — je nachdem, welches Bewußtseinsvermögen den Vorrang hat — sprechen.

Auch diese Bewußtwerdens- und Bewußtheitskombinationen stehen in der Regel unter den Vitalzwecken, in bezug auf welche sie dienend sind. Jedoch können sie unter den gleichen Voraussetzungen wie das einfache naturhafte Fühlen der Qualität des Selbständig-Geistigseins angenähert sein.

29.8 Wieweit führen das naturhafte Fühlen, Empfinden-Fühlen, Wahrnehmen-Fühlen, Fühlen-Empfinden, Fühlen-Wahrnehmen zu geistesmenschlichem Sein?

Bei diesem muß das Selbständig-Geistigsein zweifach ergänzt werden: durch das Geistig-Selbstzweckhaftsein und durch die Bewußtheit vom Vorrang dieses besonderen Geistigen oder des Geistigen im allgemeinen.

Geistig-selbstzweckhaft kann an sich jedes einigermaßen selbständige Geistige werden, also auch dasjenige des naturhaften Fühlens. Und ob diesem besonderen Geistig-Selbstzweckhaften der Vorrang zuzuerkennen oder ob es als Teil eines weiteren, allgemeineren vorranghabenden Geistigen aufzufassen sei, hängt vom wertenden Einzelnen ab. Somit ist möglich, daß Einzelne auf diesem Felde zu geistesmenschlicher Verwirklichung gelangen.

Zu beachten ist hier der Unterschied zwischen dem eigenwerten Fühlen naturhaften Inhaltes, das nicht-geistesmenschlich, und demjenigen, das geistesmenschlich ist: im zweiten distanziert sich der Fühlende von sich selber, indem er sein Fühlen betrachtet und wertet. Jedoch ist der Übergang zwischen den beiden fließend, — es gibt hier Geistesmenschliches, das von bloß vitaltriebbestimmter Gefühlswirklichkeit kaum verschieden ist und also im ganzen der geistesmenschlichen Bewußtheit auf unterster Stufe steht.

29.9 Auch im Geistesmenschentum, dem geistesmenschlichen Sein höchsten Ranges, kann das naturhafte Fühlen ein wichtiger Inhalt sein: nicht einziger oder selbst nur hauptsächlicher Inhalt zwar, dazu ist es zu beschränkt, — dagegen ergänzender oder

Voraussetzung für das Eigentlich-Wichtige, z. B. das Werk-schaffen des Dichters, bildender.

29.10 Neben und über den naturhaften Gefühlen stehen die kulturhaften: die Gefühle, welche erst im Zusammenhang mit dem kulturhaften Streben und Verwirklichen des Menschen entstanden sind. Eine scharfe Trennung zwischen beiden Gruppen ist allerdings nicht möglich, weil manches naturhafte Gefühl durch die Kultur erheblich beeinflußt und verändert ist.

29.11 Das kulturhafte Fühlen kann inhaltlich in Zusammenhang stehen:
— erstens mit der bewußtheitschaffenden oder Bewußtes gegenwärtighaltenden Verwirklichung: mit dem religiösen, wissenschaftlichen, unmittelbar anschauenden, alltagspraktischen Erfassen und Gegenwärtighaben, mit dem Kunsterleben, usw.,
— zweitens mit der handelnden Verwirklichung in Technik, Wirtschaft (auch Haushalt), Staat, Wissenschaft, Kunst, Religion, Erziehung, usw.,
— drittens mit geistiger Verwirklichung in Gemeinschaften: in Ehe, Familie, Freundschaft und Bekanntschaft — und in bezug auf Großgruppen, auf das Volk, auf übernationale Gesamtheiten (z. B. die »Westliche Welt«), auf die Menschheit.

29.12 Auch das kulturhafte Fühlen ist teilweise mit Empfinden oder Wahrnehmen verbunden; auch hier kann man darum von Empfinden-Fühlen (Wahrnehmen-Fühlen) oder Fühlen-Empfinden (Fühlen-Wahrnehmen) sprechen.

So geht das religiöse Fühlen häufig von Empfinden und Wahrnehmen aus: man fühlt die Größe Gottes und die eigene Kleinheit, wenn man zum Sternenhimmel aufschaut, die Gebirgswelt oder auch nur eine Blume sieht, den Donner oder das Meeresrauschen hört; man wird durch religiöse Malerei oder Musik andächtig gestimmt.

Allgemein ist die Beziehung zwischen Empfinden und Wahrnehmen einerseits, Fühlen anderseits im Kunsterleben sehr eng. Kunstwerken oder -darbietungen empfindend und wahrnehmend begegnen bedeutet für den Kunstfreund auch: durch sie beeindruckt, bewegt, d. h. im Fühlen beeinflußt und angeregt, zu gesteigertem Fühlen gebracht werden.

29.13   Naturhaftes und kulturhaftes Fühlen sind häufig so miteinander verbunden, daß dieses als ein Höherausgebildetes, Wichtigeres, Edleres zu jenem tritt: das geschieht dadurch, daß Dinge des Vitalbereiches ins Schöne oder Feierliche (das ein besonderes Schönes ist) gehoben werden. Beispiele: feierliches Mahl, schöne Ausstattung von Wohnungen und Gemeinschaftsgebäuden, Hochzeitszeremonien, Feste im politischen Leben.

Die Neigung, die für die Vitalzweckverwirklichungen benötigten Dinge zu schmücken und auf Vitalzwecke gerichtetes Geschehen feierlich zu gestalten, hat ihren geistigen Sinn darin, daß das Erleben mit edlerer Freude verbunden und so auf eine höhere, würdigere Stufe gehoben werden soll.

29.14   Wenden wir uns nun den Hauptinhalten des kulturhaften Fühlens zu, so finden wir als erste Gruppe die religiösen: Furcht und Ehrfurcht vor Göttern oder unpersönlichen Schicksalsmächten, Verehrung der Götter, Liebe zu ihnen, Glück sich ihnen zu nähern und vielleicht gar an ihrem Sein teilzuhaben, anderseits Abneigung, Abscheu, Haß in bezug auf böse Geister und Mächte, Verehrung und Liebe gegenüber der Kirche, Heiligen, einzelnen Priestern oder der Priesterschaft überhaupt, Werken und Schriften religiösen Inhaltes, dazu Abneigung und Haß gegen Andersgläubige, usw. Religiös bedingt sind, in einem weiteren Sinne, auch die negativen Gefühle, mit welchen Religionsfeinde dem Religiösen begegnen.

Die religiösen Gefühle erhoben sich schon bei den vorgeschichtlichen Primitiven, gelangten bei den Menschen der Hochkulturen der ersten Stufe zu hoher Ausbildung und sind auch in der modernen wissenschaftlich-technischen Kultur für viele Einzelne von großer Bedeutung.

Das religiöse Fühlen ist zwar mit Vorstellen, Denken und Verstehen eng verbunden und diesen gegenüber teilweise dienend, — aber zumindest die lustpositiven religiösen Gefühle sind häufig für sich wertvoll: im Glück, von den Göttern oder

Gott zu wissen, in der Verehrung der Himmlischen und in der Liebe zu ihnen liegt für den Frommen Eigenwertes und Selbstzweckhaftes, damit auch, bei der Bewußtheit des Vorranges dieses Geistigen oder des Geistigen im allgemeinen, geistesmenschliche Erfüllung.

29.15   Das zweite Hauptgebiet des kulturhaften Fühlens ist das mit der Kunst verbundene: Fühlen und Gefühlsinhalte dieser Gruppe ergeben sich aus der Kunstausübung oder aus dem teilhabenden Betrachten und Erleben von Kunstwerken und -darbietungen.

In diesem Fühlen gibt es einen engeren, ästhetischen Bereich: Formen, Farben, Bewegungen, Töne, Melodien, Sprachgestalten werden in ästhetischem Fühlen als schön, fein, erhaben oder unschön, häßlich, grob bewußt.

Ergänzt wird dieser innere Bereich durch einen äußeren: durch Gefühle, die sich aus der Teilhabe an dem im Kunstwerk oder der Darbietung gestalteten Gegenstand ergeben. Beispiel: mitfühlende Teilhabe am Sein der in einem Gemälde dargestellten Menschen.

In großer inhaltlicher Vielfalt kann das mit Künstlerischem verbundene lustpositive Fühlen eigenwert und selbstzweckhaft sein. Und es kann ihm der Vorrang eines wertvollsten, Daseinssinn bedeutenden Bewußtwerdens und -seins gegeben sein: dann ist es geistesmenschliche Verwirklichung.

29.16   Das dritte Hauptgebiet des kulturhaften Fühlens ist das mit dem verstandesmäßigen Denken und Wissen verbundene: Befriedigung, Freude, Stolz, Triumph, Gefühl des Weitseins, die mit dem Erkennen, Wissen und Verstehen, — Gefühl der Unfähigkeit, des Nichtgelingens, der Enge, die mit dem Nichterkennenkönnen, dem Nichtwissen, dem Nichtverstehen verbunden sind.

Auch lustpositives Fühlen dieser Art ist häufig eigenwert und selbstzweckhaft; allerdings wird es zumeist eine nichtgefühlshafte Bewußtheitsverwirklichung begleiten. Ist es von der Bewußtheit des Vorranges des Geistigen getragen, so wird es geistesmenschliche Erfüllung.

29.17 Das vierte Hauptgebiet des kulturhaften Fühlens ist das mit der Leistung verbundene: insofern die Leistung ein Kulturhaftes ist.

Wiederum stehen lustpositive und lustnegative Gefühle nebeneinander: Befriedigung, Freude, Stolz, Triumph, Überlegenheitsgefühl, Machtgefühl, die mit dem Leistend-Verwirklichen, dem Anszielgelangen und dem Anszielgelangtsein, — Unbehagen, Bedrücktheit, Gefühl der Niederlage, der Schwäche und der Unfähigkeit, Beschämung, die mit dem Nichtgelingen einer erstrebten Leistung oder mit trägem Nichtleisten verbunden sind.

Lustpositives Fühlen dieser Art, obwohl es zumeist die Leistung begleitet, ist für viele Einzelne als solches wertvoll, damit selbstzweckhaft und, bei entsprechender Vorrangsbewußtheit, geistesmenschlich.

29.18 Das fünfte Hauptgebiet des kulturhaften Fühlens ist das mit dem Kulturhaften des Gemeinschaftslebens verbundene, — wobei dieses Kulturhafte häufig Naturhaftes zur Grundlage hat.

Befriedigung, Stolz, Freude finden wir auch hier, und zu ihnen treten als lustpositive Gefühle besonderer Art: Zuneigung, Freundschaft, Liebe. Auf der lustnegativen Seite sind Unbehagen, Bedrücktheit, Gefühl des Nichtgenügens, Sorge, Angst durch Abneigung, Feindschaft, Haß, Eifersucht, usw. ergänzt.

Lustpositives Fühlen, das sich auf das Gemeinschaftsleben bezieht, ist für viele Einzelne als solches wertvoll, damit selbstzweckhaft und bei entsprechender Vorrangsbewußtheit geistesmenschlich.

29.19 Kulturhaftes Fühlen ergibt sich weiter aus kulturhaftem Wollen und Verwirklichen, das sich nicht in eine der genannten fünf Hauptgruppen einbeziehen läßt. Etwa: Fühlen in Verbindung mit der unmittelbaren Naturbetrachtung, mit zwischenmenschlichen Begegnungen ohne Gemeinschaftscharakter, mit Sport und Spiel.

Auch hier finden sich Lustpositives einerseits, Lustnegatives anderseits. Und wiederum ist die Erhöhung ins Geistesmenschliche möglich.

29.20   In bezug auf alle diese Bereiche des kulturhaften Fühlens gilt, daß zunächst und vor allem das lustpositive Fühlen eigenwert und gegebenenfalls Inhalt von geistesmenschlicher Verwirklichung ist.

Eigenwert kann weiter das Aufhören von lustnegativen Gefühlen sein.

Und eigenwert ist mitunter, wenn auch selten, das lustnegative Fühlen: indem in ihm ein wichtiges Menschliches erlebt wird.

29.21   In den Einzelnen können verschiedene inhaltliche Arten des Fühlens nebeneinanderbestehen oder miteinander verbunden sein: es ergeben sich daraus sehr viele mögliche Kombinationen und auch sehr zahlreiche inhaltlich verschiedene Fühlensverwirklichungen.

29.22   Kann auf dem Felde des geistesmenschlichen Fühlens Geistesmenschentum, als die höchste Art des geistesmenschlichen Seins, werden?

Diese Frage ist zu bejahen: denn das Fühlen ist seinen Möglichkeiten nach so weit, tiefdringend und inhaltlich vielfältig, daß sich zahlreiche Fühlensverwirklichungen ausdenken lassen, in denen die begrifflichen Erfordernisse des Geistesmenschentums erfüllt sind.

Zumeist wird allerdings das Fühlen im Geistesmenschentum nicht das wichtigste Geistige sein: insbesondere, wenn die Leistung — so beim Kunstschaffen — den Vorrang hat.

29.23   In vielen Fällen wird die eigenwerte kulturhafte Gefühlsverwirklichung durch eigenwerte Empfindens- und Wahrnehmensverwirklichung ergänzt und durch sie gestützt und gefördert; auch gibt es eigenwerte Verwirklichung, in welcher Empfinden und kulturhaftes Fühlen oder Wahrnehmen und kulturhaftes Fühlen miteinander zu Empfinden-Fühlen oder Wahrnehmen-Fühlen verwoben sind. Vor allem trifft dies in der Kunst- und in der Naturbetrachtung zu.

29.24　Für viele Menschen sind die Fühlensverwirklichungen — und auch diejenigen des Empfinden-Fühlens oder Wahrnehmen-Fühlens — nicht hauptsächlich. Aber die Hinwendung zum möglichen Selbstzweckhaften dieser Bereiche brächte manchem, der seine eigenwerte Erfüllung nur im Denken oder in der Leistung sucht, inneren Gewinn.

Geistesmenschliches Vorstellen

30.1　Das Vorstellen, als die Vergegenwärtigung oder Gegenwärtigkeit von Dingen, die uns nicht tatsächlich gegeben, aber so bewußt sind, als wären sie tatsächlich gegeben, hat drei wichtigste Sachgebiete:
— erstens Inhalte, die, wären sie tatsächlich gegeben, zum Empfindbaren und Wahrnehmbaren gehören würden,
— zweitens Inhalte, die, wären sie tatsächlich gegeben, zur seelischen Wirklichkeit von lebenden oder übernatürlich-geistigen Wesen gehören würden,
— drittens Inhalte, die, wären sie tatsächlich gegeben, zum Bereiche des Begrifflich-Zuerfassenden gehören würden.

30.2　Nach der Entstehensweise sind das selbständige und das unselbständige Vorstellen zu unterscheiden:
— selbständig ist es, wenn der Vorstellende die Vorstellungsinhalte selbst schafft oder wenn diese sich in ihm spontan erheben,
— unselbständig ist es, wenn der Vorstellende die Vorstellungsinhalte von außen übernimmt (etwa auf Grund von Berichten, Bildern, Romanen, Filmen).

30.3　Auch das Vorstellen besteht einerseits in Bewußtwerden oder Sichbewußtmachen, anderseits in Bewußthaben oder Bewußthalten: Entstehen der Vorstellung dort, Bestehen der Vorstellung hier.

30.4   Beim selbständigen Vorstellen sind drei Arten zu unterscheiden: erinnerndes Vorstellen, Vorstellen auf Grund des Wissens oder Glaubens (auch der Glaubensinhalt ist ein gewußter Inhalt), frei-schaffendes, phantasierendes Vorstellen.

Das erinnernde Vorstellen läßt Früher-Erlebtes wieder aufleben: Begegnung mit Menschen, religiöse Erfahrung, Sehen einer Landschaft, Hören eines Musikstückes, usw.

Das Vorstellen auf Grund des Wissens oder Glaubens verdeutlicht dessen Inhalt, indem es ihn mit Erinnertem oder Gegenwärtig-Wahrnehmbarem verbindet: z. B. Vorstellungen vom Alltagsleben der Römer auf Grund einer sozialwissenschaftlichen Untersuchung, vom Wollen Gottes oder des Weltgeistes auf Grund religiösen oder philosophischen Glaubens.

Das frei-schaffende, phantasierende Vorstellen bringt seine Inhalte einigermaßen frei hervor, — wobei es jedoch zumeist Elemente verwenden wird, die sich aus dem gegenwärtigen Wahrnehmen, dem Erinnern oder dem Vorstellen auf Grund von Wissen oder Glauben aufdrängen: so die Vorstellung eines Dichters, welcher ein religiöses Gedicht oder ein weltliches Drama gestaltet, des Malers, welcher einem Geistwesen sichtbare Form gibt.

30.5   Das unselbständige Vorstellen übernimmt den Vorstellungsinhalt von andern und macht ihn für den Vorstellenden lebendig. Dabei sind wiederum zwei Arten zu unterscheiden: Vorstellen auf Grund von Wirklichkeitsbeschreibungen (deren Inhalte im Wissen oder Glauben gegeben sind) einerseits, Vorstellungen auf Grund von frei-geschaffenen Inhalten anderseits.

Das Vorstellen auf Grund der Beschreibungen von tatsächlich gewußtem (d. h. beweisbar erkanntem) oder im Glauben angenommenem Wirklichem kann dem Vorstellenden eine Wirklichkeitserfassung von großer Lebendigkeit geben: z. B. Übernahme von Vorstellungsinhalten aus Werken der Geschichtsschreibung, aus religiösen Darstellungen.

Das Vorstellen auf Grund von Darstellungen, deren Inhalt aus dem frei-schaffenden Vorstellen anderer stammt, bringt den Betrachter in lebendige Beziehung zu einer neben der — gewußten oder im Glauben angenommenen — Wirklichkeit bestehenden Gestaltenwelt: z. B. von den Dichtern geschaffene Gestalten, von politischen Denkern gesetzte Idealvorstellungen.

30.6   Das Vorstellen ist zum Teil mittelhaft, und zwar sowohl auf Vitalzwecke wie auf kulturhafte Zwecke. Dies entspricht seinem ursprünglichen Wesen: denn es wurde ausgebaut, weil es sich seit der frühen Primitivzeit als ein Mittel im Dienste von Zwecken bewährte.

Anderes Vorstellen ist eigenwert, selbstzweckhaft: indem der Vorstellende in ihm Daseinserfüllung findet. Das eigenwerte religiöse und das eigenwerte auf Kunstwerke und -darbietungen gegründete Vorstellen sind hier die Hauptbeispiele.

30.7   In den Hochkulturen der ersten Stufe war — und ist — die Bedeutung des Vorstellens wegen der noch geringen Ausbildung der wissenschaftlichen, also überwiegend begrifflichen Wirklichkeitserfassung verhältnismäßig bedeutend: für das Welt- und Selbstverstehen ist der religiöse Glaube ausschlaggebend, — und dieser ist in seinem Wesen teilweise Vorstellen, gerichtet auf das Übermenschliche, welches das Menschengeschick bestimmt.

Der Übergang zur Hochkultur der zweiten Stufe, also zur modern-abendländischen Kultur, bringt einerseits neue Vorstellungsweisen und -inhalte (so auf die neuen Kenntnisse gegründete), andererseits zeigt sich ein erheblicher Abbau insofern, als die religiösen Vorstellungen zurückgedrängt werden. Daß auch jetzt noch für zahlreiche Einzelne das religiöse Vorstellen bestimmend ist, muß immerhin beigefügt werden.

30.8   Folgende dürften die Hauptgruppen der Inhalte von eigenwerten Vorstellungen moderner Menschen sein:
— Vorstellungen, welche vitalzweckbestimmte Verwirklichungen zum Inhalt haben,
— auf nichtwissenschaftliche Berichte über Länder, Völker, einzelne Menschen, Naturdinge und -geschehnisse gegründete Vorstellungen,
— auf Kunstwerke und -darbietungen gegründete Vorstellungen,

— religiöse Vorstellungen,
— auf wissenschaftliche Lehren und Darlegungen gegründete Vorstellungen,
— auf philosophische und politisch-ideologische Lehren und Zielsetzungen gegründete Vorstellungen.

30.9 Das Vorstellen, auch das eigenwerte, ist allerdings kaum je rein, d. h. für sich allein bestehend; vielmehr ist es zumeist mit Fühlen oder Denken oder mit Fühlen und Denken zugleich verbunden. Und häufig geht es vom Wahrnehmen aus.

Seinerseits unterstützt das Vorstellen mancherlei Fühlen und Denken, auch eigenwertes Fühlen und Denken.

So ist das religiöse Vorstellen von Gefühlen der Ehrfurcht vor Gott und der Liebe zu Gott, vielleicht auch der eigenen Kleinheit und Schwäche begleitet, empfängt aus ihnen Förderung und verstärkt sie anderseits. Ähnlich können sich religiöses Vorstellen und religiöses Denken gegenseitig bedingen und beeinflussen.

30.10 Hinzuweisen ist im besondern darauf, daß bei der Bildung wissenschaftlicher Hypothesen zumeist auch das Vorstellen, mitunter wohl als eigenwerte Geistestätigkeit, beteiligt ist. Beispiele: Atommodelle, Hypothesen über die Sternentstehung.

30.11 Geistesmenschlich ist das Vorstellen, wenn zu dessen Eigenwertsein die Bewußtheit vom Vorrang dieses besonderen Geistigen oder des Geistigen überhaupt tritt.

Am stärksten ausgebildet dürfte das geistesmenschliche Vorstellen auf den Sondergebieten der religiösen und der durch künstlerische Gestaltungen vermittelten diesseitig-menschlichen Inhalte sein.

Nur auf niedriger Stufe geistesmenschlich kann das Vorstellen sein, dessen Inhalt unmittelbar von Vitaltrieben bestimmt ist.

30.12 Auch Geistesmenschentum — also auf höchste Stufe gelangtes geistesmenschliches Sein —, in welchem das Vorstellen erhebliche Wichtigkeit hat, ist denkbar.

30.13 Daß in eigenwerter Vorstellung die ganze geistesmenschliche Erfüllung gefunden wird, ist denkbar, aber wahrscheinlich selten: denn zumeist ist das geistesmenschliche Vorstellen nur eine von mehreren entweder miteinander verbundenen oder aufeinander folgenden geistesmenschlichen Verwirklichungen.

30.14 Empfinden, Wahrnehmen, Fühlen und Vorstellen lassen
sich als zu einer Gruppe des Bewußtwerdens und -seins, damit
auch der vergegenwärtigenden und gegenwärtighabenden eigenwerten Erfüllung gehörend auffassen, deren Entfaltung früher
begann als diejenige des Denkens und darum schon in den
Hochkulturen der ersten Stufe zu großem Reichtum und hoher
Vollendung führen konnte.

Diese vier älteren Weisen des Bewußtwerdens und -seins
haben auch jetzt noch den Vorzug, daß sie geringere geistige Anstrengung erfordern und zudem lebensnäher sind als das wissenschaftliche oder von wissenschaftlichen Ergebnissen ausgehende
Denken. Viele Menschen vollziehen darum ihre eigenwerten
geistigen Verwirklichungen hauptsächlich als Empfindende,
Wahrnehmende, Fühlende und Vorstellende, nur nebensächlich
als Denkende, zumal Wissenschaftlich-Denkende, — auch so ist
reiches geistesmenschliches Sein möglich.

Geistesmenschliches Denken

31.1 Zwischen dem Vorstellen und dem Denken, d. h. dem
Bewußtmachen und Bewußthaben mit Hilfe von Begriffen, besteht keine scharfe Grenze. Denn auch das begriffliche Vergegenwärtigen und Gegenwärtighaben ist zum Teil vorstellend,
so häufig in bezug auf Lebenspraktisches, Religiöses, Künstlerisches, aber auch Wissenschaftliches, — wobei sich das in den
Denkbereich hineinreichende Vorstellen vom andern in der
Regel durch größere begriffliche Klarheit und Genauigkeit
unterscheidet.

31.2 Auch Denken und Fühlen haben gemeinsame Bereiche. So dort, wo das Denken an das Fühlen anknüpft: wo das Fühlen als solches oder bestimmte Gefühlsinhalte Gegenstand des Denkens werden. Weiter dort, wo beide Geistestätigkeiten verbunden sind: beim wertenden und auch bei anderem stellungnehmendem Denken. Schließlich dort, wo Fühlen an Denken oder Denkinhalte anknüpft: wo der Denkende, weil er ein Denkender ist, ein Fühlender wird.

31.3 Gemeinsame Bereiche haben sodann das Denken und das Wahrnehmen. Erstens wenn das Wahrnehmen Voraussetzung des Denkens ist: indem Denken sich mit Wahrgenommenem oder mit dem Wahrnehmen als solchem befaßt. Zweitens wenn das Denken Wahrnehmen veranlaßt, also sich aus dem Denken Wahrnehmungsaufgaben ergeben. Drittens wenn Denkergebnisse zur Verbesserung von Wahrnehmungsverfahren und -mitteln führen.

31.4 Das Gesamtgebiet des Denkens sei hier wie folgt unterteilt:
— erkennendes und Glaubensinhalte schaffendes Denken: begriffliches oder tatsächlich-beschreibendes Erfassen von Wirklichem und von Logischem und Mathematischem, teilweise mit Hilfe von Hypothesen und Theorien, dazu das Denken, welches die im religiösen Glauben für wirklichkeitsgemäß gehaltenen Annahmen schafft,
— systembildendes Denken: Schaffung von geordneten Wissens- und Glaubensgesamtheiten durch Zusammenfassung und Gliederung von zahlreichen Einzelinhalten,
— Ziele, Werte und Normen setzendes Denken: wobei Geltung entweder nur für den Denkenden selbst oder aber auch für andere, ja für die Allgemeinheit beansprucht wird,
— kritisches Denken: Auseinandersetzung mit Denkweisen, -verfahren, -ergebnissen unter Anwendung von richtungweisenden Erfahrungen oder Annahmen, Beurteilung von Menschen, Zuständen, Lehren, Werken, Darbietungen, Handlungen, Einstellungen auf Grund des von Urteilenden für richtig, gut oder schön Gehaltenen,

- lernendes Denken: Übernahme von Denkinhalten, die von andern erarbeitet oder verkündet oder gesetzt wurden oder im Tatsächlichen, dem der Denkende begegnet, enthalten sind,
- Wissen oder Glauben vergegenwärtigendes, bewußthaltendes Denken,
- praktisches Denken: Denken in Hinsicht auf die Verwirklichung von Zwecken, die vom Denkenden selber gesetzt oder ihm von außen auferlegt wurden.

31.5 In Hinsicht auf das selbstzweckhafte Bewußtwerden und -sein ist das Denken ein Hauptgebiet. Selbstzweckhaft und eigenwert sind insbesondere:
- im erkennenden oder Glaubensinhalte schaffenden Denken: das Vordringen zu Neuem, Bisher-Unbekanntem, (religiös:) das Von-Neuem-Erfaßtwerden, die Gegenwärtigkeit der neuen Einsicht oder des neuen Glaubensinhaltes,
- im systembildenden Denken: die Denktätigkeit, durch welche der Wissens- oder Glaubensbestand geordnet wird, die darin gewonnene Übersicht,
- im ziel-, wert- oder normsetzenden Denken: das Schöpferische dieses Denkens und die Gegenwärtigkeit des gesetzten Richtigen,
- im kritischen Denken: die Auseinandersetzung als solche und das Klarheitbesitzen,
- im lernenden Denken: das Geistig-Erwerben und das Geistig-Besitzen,
- im wissenvergegenwärtigenden Denken: das Bewußthaben des Wissens,
- im praktischen Denken: das Nach-außen-wirkend-Denken und das Denkend-Mächtigsein.

Wo solches eigenwertes Denken mit der Bewußtheit vom Vorrang dieses besonderen Geistigen oder des Geistigen überhaupt verbunden ist, ist es geistesmenschliche Verwirklichung.

31.6 Das Erkennen ist ein Geistig-Tätigsein, ein Erkenntnisschaffen, nicht bloß passives Abbilden des zu erkennenden Gegenstandes: denn Erkenntnis bedeutet immer, daß Neues mit

Bekanntem in Beziehung gesetzt wird, daß der Erkennende an dieses Neue die zu dessen Erfassung nötigen Begriffe und Sachkenntnisse heranträgt und es, häufig zunächst unter Bildung von Hypothesen, ins vorhandene Wissen einbezieht.

Erkennen ist Auseinandersetzung mit dem Gegenstand und im Ergebnis, der Erkenntnis, ist die Eigenart der vom Erkennenden angewandten Auseinandersetzungsweise enthalten. Am deutlichsten zeigt sich dies dort, wo die Erkenntnis die Aufstellung von Hypothesen oder Theorien, die Setzung neuer Begriffe, die Schaffung neuer Denk- oder Rechnungsmethoden erfordert: hier legt der Erkennende von ihm selbst geschaffene Denkgebilde an den zu erkennenden Gegenstand — genauer: an die über den zu erkennenden Gegenstand Aufschluß gebenden Beobachtungen — an und sucht beides zu möglichst genauer Deckung zu bringen. Sowohl in jenem Denkgebildeschaffen wie in diesem Zurdeckungbringen liegt ein Schöpferisches.

31.7 Das Erkennen hat zwei Hauptarten: erstens dasjenige, das sich aus dem Alltagsleben ergibt: es bezieht sich auf die Menschen und Dinge, denen der Erkennende als Tätiger oder Beobachtender begegnet, ohne daß er allgemeingültiges Wissen zu gewinnen trachtet, — zweitens das wissenschaftliche: hier geht die Absicht auf die Erarbeitung von allgemeingültiger Einsicht.

31.8 Das wissenschaftliche Erkennen hat zwei Hauptgebiete: erstens das Wirkliche, — zweitens das Logische und Mathematische.

Das Wirkliche ist das, was ein entsprechend befähigter und ausgestatteter Beobachter wahrnehmend feststellen oder zumindest als wahrscheinlich vorhanden erschließen kann.

Das Logische ist das Feld der Begriffe und Sätze, das Mathematische das Feld der Mengen, Größen, Lage- und Zeitbeziehungen: hier wie dort wird, neben der reinen Erkenntnis, die Aufstellung eines zur immer weiter vordringenden Wirklichkeitserfassung geeigneten Begriffsapparates erstrebt.

31.9 Wirkliches erkennen heißt: ergründen, was im untersuchten Gegebenen ist oder wie dieses Gegebene mit Bereitserkanntem in Beziehung steht. Hiebei gehören zum möglichen Gegebenen auch seelische Tatsachen, insbesondere Seelisches des Denkenden selber.

Logisches und Mathematisches erkennen heißt: von Voraussetzungen ausgehend Sätze ableiten, die unter diesen Voraussetzungen denknotwendig zutreffen müssen.

31.10 Erkennen jeder Art kann eigenwert und selbstzweckhaft sein: sowohl die sich aus dem Alltagsleben ergebende wie die wissenschaftliche — und bei der letzteren sowohl die sich auf Wirkliches wie die sich auf Logisches oder Mathematisches beziehende.

Erkenntnis im Alltagsleben hat ihren Eigenwert darin, daß der Erkennende seine menschliche und dingliche Umwelt in geistigem Aktivsein an wichtigen Stellen erhellt und sie sich so zu einigermaßen klarer Gegenwärtigkeit bringt.

Wissenschaftliche Wirklichkeitserkenntnis hat ihren Eigenwert darin, daß der Erkennende durch geistiges Aktivsein Bisher-Dunkles so erhellt, daß daraus eine allgemeingültige, auch andern Menschen dienende Einsicht wird.

Logisches und mathematisches Erkennen hat seinen Eigenwert darin, daß der Erkennende ebenfalls durch geistiges Aktivsein neue Beziehungen innerhalb eines anerkannten Voraussetzungsrahmens entdeckt oder von neuen Voraussetzungen ausgehend bisher-unbekannte Ableitungen erarbeitet, wobei auch hier die gewonnene Einsicht für andere Menschen wertvoll sein soll.

Die Wirklichkeitserkenntnis erreicht ihr eigenwertes Ziel durch geistige Auseinandersetzung mit Dingen, die nicht durch das Denken gesetzt sind, — mit Ausnahme des Denkens, das sich auf sich selbst und seine Leistungen als auf ein gegebenes Wirkliches richtet.

Das Erkennen des Logischen und Mathematischen dagegen ist eigenwert durch die Auseinandersetzung entweder mit Annahmen, die von denkenden Menschen, wenn auch zumeist nicht vom Erkennenden selber, geschaffen wurden oder mit Einsichten, für welche solche Annahmen Voraussetzung sind.

31.11 Das Denken, das die im Glauben für wirklichkeitsgemäß gehaltenen Annahmen schafft, ist entweder unmittelbar schöpferisch oder bestehende Glaubensinhalte bearbeitend.

Schöpferisches Glaubensinhalteschaffen hat die Gewißheit des Offenbarungsempfanges oder der tiefstdringenden metaphysischen Einsicht zur Grundlage.

Denken, das bestehende Glaubensinhalte bearbeitet, ist häufig rational und in diesem Sinne »wissenschaftlich«.

Beide Arten des religiösen oder philosophischen Denkens bieten reiches, intensives Selbstzweckhaftsein.

31.12 Das systembildende Denken führt die Arbeit des erkennenden oder Glaubensinhalte schaffenden Denkens weiter: die Einzelerkenntnisse oder -inhalte müssen in Gesamtheiten vereinigt und innerhalb dieser miteinander in Beziehung gebracht werden: erstrebt wird letztlich Gesamtwissen (auch im Sinne von Gesamt-Glaubenswissen), das ein mehr oder weniger großes Inhaltsgebiet erfaßt.

Dabei hat auch das systembildende Denken seine Erkenntnisseite: insofern die Gleichheiten, Ähnlichkeiten, Verschiedenheiten, Abhängigkeiten innerhalb des bearbeiteten Gesamtgebietes erkannt werden.

31.13 Bei der systembildenden Bearbeitung sowohl von Erkenntnissen wie auch von Glaubensinhalten kommt dem subjektiven Erfassen und Auffassen, Fürwichtighalten und Beurteilen des Systembildners große Bedeutung zu: jedes System ist aus dem Persönlichen seines Schöpfers gestaltet.

31.14 Worin liegen die Eigenwerte des systembildenden Denkens? Erstens darin, daß ein umfangreicher Wissens- oder Glaubensstoff erfaßt wird. Zweitens darin, daß die Zusammenhänge zwischen den bearbeiteten Inhalten erkannt werden. Drittens darin, daß das System geschaffen wird und in diesem Sinne das Denken schöpferisch ist. Viertens darin, daß dem Systembildner nach Abschluß seiner Arbeit das bearbeitete Gebiet als ein geordnetes Ganzes gegenwärtig ist. Fünftens darin, daß das geschaffene System für andere Menschen wertvoll ist.

31.15 Im Unterschied zum Erkennen — aber nicht zum Glaubensinhalteschaffen, da dieses selten ist — ist das Systembilden nur von wenigen vollziehbar, nämlich nur von sehr kenntnisreichen und besonders begabten Wissenschaftlern (zu denen hier auch Theologen zu rechnen sind).

Das Systembilden als eigenwerte geistige Verwirklichung ist dementsprechend auf wenige beschränkt.

31.16 Das Besondere des Ziele, Werte und Normen setzenden Denkens besteht darin, daß in Hinsicht auf Sicheinstellen, Wollen, Handeln, Werkschaffen und Beurteilen bestimmt wird, was richtig und was unrichtig ist.

Das Richtige soll darnach bejaht, befürwortet, erstrebt, verwirklicht, verteidigt, durchgesetzt werden.

Das Unrichtige soll verneint, abgelehnt, nicht erstrebt, nicht verwirklicht, bekämpft werden.

31.17 Ziele, Werte oder Normen setzendes Denken wird in allen Bereichen, in denen der Mensch sein Verhalten und Tun, also auch sein Wollen oder Nichtwollen, sein Befürworten oder Ablehnen frei bestimmen kann.

Die praktisch wichtigsten dieser Bereiche sind: Selbstgestaltung der Einzelnen, zwischenmenschliche Beziehungen, Staat und Recht im besondern, Wirtschaft, Kunst.

31.18 Die Ziele, Werte und Normen, die der Einzelne setzt, können entweder nur für ihn selbst und allenfalls seinen engsten Kreis gelten — oder aber für einen weiteren Kreis, ja vielleicht dem Anspruch nach für alle Menschen.

Im zweiten Falle haben sie ein ausgeprägt schöpferisches Moment: indem der Setzende der Idee nach ein Menschen- und Gesellschaftsgestalter ist, — sein höchstes Werk sind die durch Lehre und Vorbild in seinem Sinne beeinflußten Menschen.

31.19 Da alles Werten — und damit auch das Setzen von Zielen und Normen, welchem immer ein Werten zugrunde liegt — mit Wertgefühl verbunden ist, hat das solcherweise schöpferische Denken immer seine Fühlensseite.

Auch ist dieses Denken zumeist von Vorstellen begleitet: es erfordert die einbildende Vergegenwärtigung des zu erreichenden Erfolges, häufig eines Idealzustandes.

31.20 Eigenwert und selbstzweckhaft ist das Ziele, Werte und Normen setzende Denken, weil und insofern sich der Denkende als wissend, entscheidungsmächtig, schöpferisch und den Menschen dienend erlebt:
— als wissend: indem er das Richtige und das Unrichtige, Richtigkeit und Unrichtigkeit wissend gegenwärtig hat (vielleicht nachdem er selber sie zu erkennen vermochte),
— als entscheidungsmächtig: indem es für ihn eine tatsächlich gegebene Möglichkeit ist, gutzuheißen oder abzulehnen,
— als schöpferisch: indem durch die Setzung in der menschlichen Wirklichkeit ein Neues geschaffen wird,
— als den Menschen dienend: indem das durch Setzung zur Geltung Gebrachte für andere Menschen, vielleicht für viele Menschen richtungweisend und, insbesondere, deren Wertvolles fördernd wird.
Aber auch dieses besondere Denken ist auf verhältnismäßig wenige Besonders-Befähigte beschränkt.

31.21 Das kritische Denken besteht in der denkenden Auseinandersetzung mit Denkmethoden, Denkergebnissen, Glaubensannahmen, wissenschaftlichen und religiösen Lehren, mit Ideen, Zielen, Werten, Normen, mit Werken und Darbietungen, mit Einstellungen, Verhaltensweisen, Handlungsweisen, Zuständen, usw., — wobei das Kritisierte auf Mängel hin untersucht oder an Vorbildlichem, Maßgebendem gemessen wird.
Kritik ist auch bei den bereits betrachteten Denkarten zu üben; aber dann tritt sie zumeist gegenüber einem Wichtigeren zurück.

31.22 Kritisches Denken ist in bezug auf mehrere Sachgebiete selbständige und durch seine Selbständigkeit gesellschaftlich wichtige Denktätigkeit: Moralkritik, wissenschaftliche Kritik, religiöse Kritik, politische Kritik, ästhetische Kritik, Gesellschafts- und Kulturkritik.

31.23　Viele Kritisch-Denkende betreiben ihr kritisches Denken nur für sich allein und allenfalls für ihre nächsten Angehörigen: so der Leser, der sich nur für sich selbst kritisch mit einem Buch auseinandersetzt.

Das kritische Denken kann aber auch vom Willen getragen sein, Ergebnisse, die für einen weiteren Kreis interessant sind, zu gewinnen und sie öffentlich bekanntzugeben. Denken dieser Art ist nach außen wirkende geistige Leistung in dem Sinne, daß ein weiterer Kreis von Menschen beeinflußt wird oder zumindest der Idee nach beeinflußt werden soll.

31.24　Eigenwert und selbstzweckhaft ist das kritische Denken, weil und insofern der Kritisch-Denkende sich als wissend, entscheidungsmächtig, geistig-wirkend und den Menschen dienend erlebt:
— als wissend: indem er das Zubeurteilende und die Beurteilungsmaßstäbe wissend gegenwärtig hat und imstande ist, das Richtige und das Unrichtige zu erkennen,
— als entscheidungsmächtig: indem er die Kraft hat, das seinen Auffassungen Entsprechende zu bejahen und zu befürworten, das Widersprechende zu verneinen und abzulehnen,
— als geistig-wirkend: indem das kritische Denken ein mehr oder weniger intensives Geistig-Aktivsein ist,
— als den Menschen dienend: indem und soweit andere Menschen dazu gebracht werden, das Positiv-Zuwertende anzuerkennen und vielleicht tätig zu erstreben, das Negativ-Zuwertende abzulehnen, zu vermeiden oder zu bekämpfen.

In weitem und hohem Entfaltungsgrad ist dieses selbstzweckhafte Geistige nur verhältnismäßig wenigen Denkenden von besonderer Fähigkeit und Ausbildung zugänglich.

31.25　Das lernende Denken besteht in der Übernahme von Denkinhalten, die von andern erkannt, gestaltet oder gesetzt wurden. Es betätigt sich auf allen Inhaltsgebieten des Denkens, denn immer muß der Denkende an Von-andern-Gedachtes anknüpfen, das er lernend zu erwerben hat, — es gibt kein voraussetzungsloses, d. h. sich nicht auf Von-andern-Gedachtes stützendes Denken.

Das Lernen vollzieht sich zunächst in der Schule, in den Schulen aller Stufen, aber auch außerhalb der Schule und nach den Schuljahren, — geistig-lebendige Menschen bleiben Lernende bis ins hohe Alter.

31.26 Lernen wird zumeist als mittelhaft aufgefaßt: man lernt, weil man das Gelernte später verwenden will, wobei das Verwirklichen, dem es dienen wird, selbstzweckhaft oder mittelhaft sein kann.

Aber das Lernen kann auch Eigenwert haben: indem es eine freudvolle geistige Tätigkeit ist und indem es das freudvolle Erleben des Geistig-heller-und-weiter-Werdens vermittelt. Und jeder kann an diesem Geistig-Selbstzweckhaften teilhaben.

31.27 Das Wissen oder Glauben vergegenwärtigende Denken ist dadurch gekennzeichnet, daß in ihm Denkinhalte, die früher erworben wurden oder eben erst im Augenblick des Vergegenwärtigens erworben werden, um ihres Gegenwärtigseins willen bewußtgehalten werden.

Dieses Gegenwärtighalten kann Zwischenstufe auf dem Wege zu einem übergeordneten Zweck sein: dann ist es mittelhaft.

Es kann aber auch — für jeden erreichbarer — Selbstzweck sein, indem es als eine eigenwerte Erfüllung des geistigen Seins verstanden wird.

31.28 Darin, daß Wissensfreunde um der eigenwerten Bewußtheit willen Wissen gegenwärtighaben und -halten, liegt der gesellschaftliche Sinn der wissenschaftlichen Leistung, soweit sie nicht auf Mittelhaftes, Nützliches gerichtet ist, und auch viel Wissen, das in Hinsicht auf die praktische Anwendung erarbeitet wurde, kann Inhalt von selbstzweckhaftem Gegenwärtighaben werden.

31.29 Endlich das praktische Denken: seine Besonderheit liegt darin, daß Wissen in Hinsicht auf die praktische Anwendung geprüft, geordnet und eingesetzt wird.

Wiederum lassen sich mehrere Hauptanwendungsgebiete unterscheiden: Wissenschaft, Technik, Wirtschaft, Staat und Verwaltung, Moral, Religion, Kunst, Zusammenleben mit den Nächsten, usw.

31.30   Dem Inhalt nach steht das praktische Denken unter den erstrebten Zielen und ist somit mittelhaft.

Jedoch bekommt es Eigenwert und kann es — für jeden Denkend-Tätigen — selbstzweckhaft werden, indem es freudvoll-aktive Geistestätigkeit ist.

Auch hier besteht, ähnlich wie beim zielsetzenden Denken — das eine besondere Weise des praktischen Denkens sein kann —, die Verbindung mit dem Handeln, der Leistung oder aber dem Gesellschaftlichen.

31.31   Die verschiedenen Weisen des Denkens, auch des selbstzweckhaften, treten bald für sich allein, bald nebeneinander und bald miteinander verbunden auf. Beispiele für solches Nebeneinander und Miteinander sind etwa: Gleichzeitigkeit von erkennendem und kritischem Denken, von erkennendem und praktischem Denken, von lernendem und praktischem Denken.

31.32   Jedes eigenwerte, selbstzweckhafte Denken kann geistesmenschlich sein: indem es von der Bewußtheit des Vorranges dieses besonderen Geistigen oder des Geistigen überhaupt begleitet und mit ihr verbunden ist.

Der Reichtum der dem Denker zugänglichen Inhalte ermöglicht eine Riesenzahl verschiedener geistesmenschlicher Einzelverwirklichungen.

31.33   Geistesmenschentum als das sehr weite, sehr tiefe oder sehr weite-und-tiefe, dazu besonders intensive und unter besonders hohem Anspruch stehende geistesmenschliche Sein ist auf dem Felde des Denkens in großer Fülle möglich.

Denkerische Verwirklichung ist eine Hauptweise des tatsächlich gegebenen wie des als Idealerfüllung vorgestellten Geistesmenschentums.

32.1   Das Verstehen ist die besondere Weise des Bewußtwerdens und -seins, durch welche einerseits seelisches Wesen, anderseits Sinnzusammenhänge erfaßt werden oder gegenwärtig sind.

Verstehen als Erfassung und Gegenwärtighaben von seelischem Wesen richtet sich auf Lebendes, das seelisches Wesen hat: ein mehr oder weniger großer Teil dieses Wesens wird im Verstehen vergegenwärtigt oder ist in ihm gegenwärtig.

Verstehen als Erfassung und Gegenwärtighaben von Sinnzusammenhängen richtet sich auf Gegenstände, in deren Wesen es Sinnzusammenhang gibt oder welche in solchen Zusammenhang einbezogen sind. Sinnzusammenhang bedeutet: Zusammenhang zwischen Absicht und Absichtbestimmtem, Zweck und Zweckbestimmtem, ausgedrückter Bedeutung und ausdrückender Erscheinung.

32.2   Weil in ihm Wahrnehmen, Fühlen und Vorstellen stark beteiligt sind und weil sein Gegenstand häufig dem eigenen Seelischen des Verstehenden verwandt ist, ist das Verstehen von seelischem Wesen in der Regel lebendiger als das — begrifflichere, abstraktere — Denken.

Verstehen dieser Art richtet sich vor allem auf Menschen, aber auch auf Tiere. Und vom Verstehen anderer Menschen und von Tieren kann der Verstehende schließlich zum Verstehen seiner selbst, seiner eigenen seelischen Wirklichkeit gelangen.

32.3   Und verstehend begegnet der Gläubige Gott oder den Göttern, den Heiligen, den bösen Geistern: das Fürwirklichhalten des Glaubens wird im Verstehen weiter, tieferdringend, heller, lebensvoller.

Von den Nichtgläubigen muß hier bedacht werden, daß in solchem Verstehen zumindest wertvolle Bewußtheit von Menschenseelischem erlangt wird.

32.4   Verstehen von seelischem Wesen ist häufig auch Verstehen von Sinnzusammenhang: indem zum verstandenen Seelischen das Absichten-und-Zwecke-Haben gehört, — von Absicht und Zweck aus wird das Beabsichtigte und Bezweckte verstanden.

Von den weitesttragenden Absichten und Zwecken wissen die Religiös-Gläubigen und die Anhänger von spiritualistischer Metaphysik (wobei allerdings die wissenschaftliche Kritik nach Erkenntnismöglichkeit und Wahrheitsbeweis fragt).

32.5   In vielen Fällen ist das Verstehen, in dem das innere Wesen anderer Menschen oder von Tieren erfaßt wird, mittelhaft: es ist zur Verwirklichung von Zwecken nützlich.

Sehr häufig aber ist es eigenwert, selbstzweckhaft: indem in ihm die an sich wertvolle Teilnahme am Verstandenen wird.

32.6   Stärkstens gefördert wird dieses selbstzweckhafte Verstehen und Verstehend-Teilhaben durch die Dichtung: dichterische Werke vermitteln das Verstehen der seelischen Wirklichkeit des Menschen im allgemeinen und von besonders-strukturierten Einzelnen, sie geben Zugang in die Seelenwelt sowohl unseres Hier und Jetzt als auch fremder Lebenskreise und vergangener Zeiten, — vielleicht sind sogar Ausblicke in Zukunftsbedingungen und -zustände der Seelenwelt möglich.

32.7   Auch das Verstehen der Geistmächte, deren Wirklichsein im Glauben angenommen ist, ist häufig mittelhaft: der Gläubige will, indem er sich den Mächten, deren Wesen und Wollen er zu verstehen gewiß ist, anpaßt oder sie gar zu seinen Gunsten beeinflußt, seine eigenen Zwecke, vor allem seine Vitalzwecke, fördern.

Daneben aber ist dieses Verstehen selbstzweckhaft: indem der verstehende Gläubige dank seinem Verstehen an einer höchsten Wirklichkeit teilzuhaben überzeugt ist.

32.8   Verstehen von Sinnzusammenhang bezieht sich häufig auf Eingerichtetes, Organisiertes, auch auf Normhaftes, z. B. Rechtliches. Bestimmend sind in diesem Bereich Absichten, Zwecksetzungen, die verstehend erfaßt werden können.

Solches Verstehen ist zumeist mittelhaft: indem der Verstehende sich in Verfolgung seiner Zwecke auf das Verstandene einstellen muß. Eigenwert und selbstzweckhaft kann es aber dann werden, wenn die Teilhabe am Verstandenen als an sich sinn- und wertvoll erscheint, — Beispiel: Verstehend-Erfassen von Staat und Recht durch den sich für diesen Wirklichkeitsbereich rein um des Verstehend-Teilhabens willen Interessierenden.

32.9   Eingerichtetes, Organisiertes wird in der Regel betrieben: von Menschen, die Absichten haben und Zwecke verfolgen. Für den Verstehenden verbinden sich so zwei Arten des Verstehens: Verstehen der Organisation als solcher und Verstehen der in ihr und durch sie handelnden Menschen. Hiefür ist das Verstehen des Staatlichen das Hauptbeispiel.

Das eigenwerte Verstehen wird hiedurch intensiviert, bereichert.

32.10   Verstehen von Sinnzusammenhang bezieht sich schließlich auf Bedeutung von Bedeutungausdrückendem.

Bedeutungausdrückend ist die Sprache: Wörter, Sätze, Gesamtheiten von Sätzen. Dabei ist das Zuverstehende entweder in der eigenen Sprache des Verstehenden ausgedrückt oder in einer ihm zunächst fremden Sprache; es besteht das Sonderproblem des Verstehens von Fremdsprachen.

Bedeutungausdrückend sind die Zahlen: Einzelzahlen, Zahlenfolgen (»Ausdrücke«) mit konkreten Zahlen, die sich auf einen Einzeltatbestand beziehen, oder mit allgemeinen Zahlen, welche für viele gleichartige Tatbestände die Formel bilden.

Bedeutungausdrückend sind Zeichnungen, Pläne, Landkarten, Abbildungen, usw.

Bedeutungausdrückend sind Berichte, Darlegungen, wissenschaftliche Theorien und Gesetze: häufig werden hier Sprache und Zahlen oder Sprache, Zahlen und Abbildungen kombiniert, um den wiederzugebenden Inhalt möglichst genau und deutlich darzustellen.

Bedeutungausdrückend sind die dichterischen Werke (abgesehen von den rein formalen, aussagelosen Wortgebilden).

Bedeutungausdrückend sind die Werke der bildenden Kunst (abgesehen von den rein ornamentalen).

Bedeutungausdrückend sind die Werke der Musik, wenn sie ein Menschliches, Naturhaftes oder Ideenhaftes darstellen, — wobei der Werkschaffende nicht unbedingt eine klare Darstellungsabsicht zu haben braucht: oft ist der Inhalt ein Kaumbewußtes oder Unbewußtes.

Bedeutungausdrückend sind Theateraufführungen, Tanz und Ballett, Film.

Auf allen diesen Sachgebieten wird in großer inhaltlicher Vielfalt Verstehen von Bedeutung.

32.11 Verstehen der Bedeutung von Bedeutungausdrückendem ist seinem ursprünglichen Sinn nach und in seiner überwiegenden praktischen Verwirklichung mittelhaft: der Verstehende versteht, weil das Verstandene für seine Zielverfolgung wichtig ist.

Auf höherer Stufe kann es eigenwert und selbstzweckhaft sein: wenn es für den Verstehenden Geistestätigkeit ist, in welcher sich Daseinssinn erfüllt. Dabei ist dieses besondere Verstehen häufig mit andersartigem verbunden, vor allem mit dem Verstehen seelischen Wesens, — Beispiel: der Romanleser gelangt, indem er das Gelesene versteht (vielleicht in einer Fremdsprache, deren Verstehen ihm an sich Freude bereitet), zum Verstehen der dargestellten Menschen.

32.12 Verstehen ist eine Weise des Bewußtwerdens und -seins, die in der Wissenschaft von großer Wichtigkeit ist: dort, wo das wissenschaftliche Erhellenwollen sich mit Dingen befaßt, die dem Verstehen zugänglich sind, ja erst durch Verstehen voll erfaßt werden können.

Mit Verstehen arbeitende Wissenschaften sind die Psychologie, die Philosophie (in Hinsicht auf ihr Hauptthema, den Menschen, und in Hinsicht auf die Lehren der Philosophen), die Sozialwissenschaften, die Anthropologie und Ethnologie, die Literatur- und Kunstwissenschaft, die Religionswissenschaft, die Sprachwissenschaft, usw., — »Erkenntnis« ist hier zum Teil, genau definiert, »Verständnis«.

Wissenschaftliches Verständnis kann in gleicher Weise selbstzweckhaft sein wie wissenschaftliche Erkenntnis.

32.13 Eigenwertes Verstehen wird zur geistesmenschlichen Verwirklichung, wenn es vom Bewußtsein des Vorranges dieses besondern Geistigen oder des Geistigen im allgemeinen begleitet und getragen ist.

32.14 Geistesmenschentum als das sehr weite, sehr tiefe oder sehr weite-und-tiefe, dazu besonders intensive und unter besonders hohem Anspruch stehende geistesmenschliche Sein ist auf dem Felde des Verstehens in großer Fülle möglich.
Verstehensverwirklichung ist eine Hauptweise des tatsächlich gegebenen wie des als Idealerfüllung vorgestellten Geistesmenschentums.

32.15 In bezug auf alles Verstehbare führt allein das Verstehen zu vollkommener geistesmenschlicher Vergegenwärtigung und Gegenwärtigkeit.

Geistesmenschliches Erleben

33.1 Erleben — Hellbewußtwerden von Zuständen und Geschehnissen, verbunden mit dem Gefühl ihres Wichtigseins — kann an die bisher betrachteten Weisen des Bewußtwerdens und -seins anknüpfen: vor allem indem der Gegenstand des letzteren durch intensive Vergegenwärtigung zu heller Gegenwärtigkeit gebracht und als wichtig erfaßt wird. Der Empfindende kann das Empfundene, der Wahrnehmende das Wahrgenommene, der Fühlende das Gefühlte, der Vorstellende das Vorgestellte, der Denkende das Gedachte, der Verstehende das Verstandene erleben.
Es kann auch das Bewußtwerden und -sein als solches erlebt werden: der Empfindende kann das Empfinden, der Wahrnehmende das Wahrnehmen, der Fühlende das Fühlen, der Vorstellende das Vorstellen, der Denkende das Denken, der Ver-

stehende das Verstehen, ja sogar der Erlebende das Erleben als solches erleben.

33.2   Erleben wird aber auch im Zusammenhang mit dem Wollen, dem Handeln, den Beziehungen zu andern.

Wollend erleben heißt: sich des Gewollten als eines bedeutenden Zuerreichenden oder des Wollens als einer bedeutenden Seelentätigkeit hell bewußt werden oder sein.

Handeln erleben heißt: sich des Handlungsgegenstandes als eines bedeutenden Leistungsinhaltes oder des Tuns als einer bedeutenden Verwirklichung hell bewußt werden oder sein.

Die Beziehung zu andern erleben heißt: sich dieser Beziehung oder des Die-Beziehung-Habens als eines Bedeutenden hell bewußt werden oder sein.

33.3   Das Erleben ergibt sich immer aus einer konkreten Situation, in welcher Geistiges anderer Art vollzogen wird: dieses andersartige Geistige wird durch das Erleben zu höherer Würde gebracht. Beispiel: damit der Wahrnehmende das Wahrgenommene oder das Wahrnehmen als solches erleben kann, muß er zuerst wahrnehmen.

Der Erleben-Suchende sucht darum zunächst die konkreten Situationen, in welchen sich als wichtig gewertetes Geistiges verwirklichen läßt, — Beispiele: Teilnahme an Veranstaltungen, Reisen.

33.4   Da die Bereiche, in denen Erleben werden kann, zahlreich und verschiedenartig sind, gibt es vielerlei Erlebensarten und -inhalte. Beispiele: zahlreiche verschiedene Erlebensweisen und -inhalte auf der Vitalebene, im beruflichen Handeln, auf den Feldern der Kunst, der Religion, der Wissenschaft.

33.5   Häufig ist mit dem Gegenstand des Erlebens oder dem Erleben als solchen lustpositives Fühlen verbunden: dann ist das Erleben lustpositiv. Beispiel: lustpositives Erleben des Zusammenseins mit Freunden.

Es kann mit dem Gegenstand des Erlebens oder dem Erlebten als solchen aber auch lustnegatives Erleben verbunden sein:

dann ist das Erleben lustnegativ. Beispiel: lustnegatives Erleben des Zusammenseins mit Feinden.

Richtet sich das Bewußtwerden und -sein auf das Erleben selbst, so kann dieses positiv gewertet werden, auch wenn das Erlebte als lustnegativ erfahren wird: indem der Erlebende das Erleben an sich und damit Erleben jeder Art als wertvoll auffaßt.

33.6 Das Erleben ist zunächst, wie die andern Weisen des Bewußtwerdens und -seins, mittelhaft: als erweiterte und verstärkte Bewußtheit hilft es dem Erlebenden, sich in seiner Zweckverfolgung richtig einzustellen. Etwa: »Was mir da passiert ist, soll mir nicht wieder passieren.«

In großem Umfange ist das Erleben aber eigenwert: so vor allem das lustpositive Erleben, mitunter auch das lustnegative, dieses insofern Erleben als an sich wertvoll aufgefaßt ist. Geistesmenschlich wird die Erlebensbewußtheit, wenn ihr der Vorrang der lebenssinnverwirklichenden Erfüllung zukommt.

33.7 Geistesmenschentum, als geistesmenschliches Sein höchster Stufe, ist auf dem Felde des Erlebens in zahlreichen Varianten möglich.

Bewußtseiend-Teilhaben

34.1 Im eigenwerten, insbesondere im geistesmenschlichen Bewußtwerden und -sein wird dessen Gegenstand für wichtig gehalten, — weil der Gegenstand für den Betrachter wichtig ist, befaßt sich dieser mit ihm. Anderseits rechtfertigt die Beschäftigung das Wichtighalten: der Gegenstand erscheint bei genauer Betrachtung als interessant und vielleicht als bedeutend.

Es kann dazu die hohe Wertung der Bewußtheit als einer wichtigsten Sinnverwirklichung kommen: die eigenwerte, insbesondere geistesmenschliche Bewußtheit ist dann wichtige Bewußtheit von Wichtigem.

34.2 Bewußtheit von Wichtigem ist Teilhabe an diesem Wichtigen. Und wichtige Bewußtheit von Wichtigem ist wichtige Teilhabe am letzteren.

Diese Teilhabe kann von einer einzelnen Bewußtheitsweise ausgehen: vom Empfinden und Wahrnehmen, vom Fühlen, vom Vorstellen, vom Denken, vom Verstehen, vom Erleben.

Oder sie ist das Ergebnis mehrerer, in Einzelfällen sogar aller Bewußtheitsweisen.

34.3 Die eigenwerte und insbesondere die geistesmenschliche Teilhabe an Wichtigem kann sich auf Gegenstände dreier verschiedener Sachgebiete beziehen:
— erstens auf Wirkliches oder Fürwirklichgehaltenes,
— zweitens auf Vorgestelltes, das nicht für wirklich gehalten wird,
— drittens auf Ideenhaftes, Begriffliches, Wissenschaftstheoretisches, Logisches, Mathematisches.

34.4 Am Wirklichen-Teilhaben ist zunächst — und nach dem Reichtum der zugänglichen Inhalte hauptsächlich — Teilhabe am wißbaren und im tatsächlich vorhandenen Wissen erfaßbaren Wirklichen: am Wirklichen also, das Gegenstand der wissenschaftlichen Erkenntnis und Bearbeitung oder der unzweifelhaft realen Erfahrung ist.

Auch die Religiös-Gläubigen, die den Vorrang des Glaubens behaupten, können die Möglichkeit einer höchst ausgedehnten Teilhabe am wißbaren Wirklichen nicht bestreiten. Jedoch steht bei ihnen in solcher Teilhabe hinter dem »diesseitig« Erfaßbaren immer das »Transzendente«: aus dem Glauben ergibt sich eine Dimension, die im Wissen-ohne-Glauben fehlt.

34.5 Am Wirklichen-Teilhaben kann am Kosmos-Teilhaben sein.

Das bei diesem Teilhaben am stärksten wirkende Bewußtheitsvermögen ist das Denken, — Denken als Forschen, Erkennen, Systembilden, Kritik, Lernen, Wissenvergegenwärtigen. Voraussetzung für dieses Denken ist das Wahrnehmen, und zwar hauptsächlich in der Form des Beobachtens, d. h. des planmäßigen Feststellens von Erscheinungstatsachen. Und fördernd ist für dieses Denken das Vorstellen: indem Auffassungsmodelle geschaffen werden müssen.

Inhaltlich bedeutet das Am-Kosmos-Teilhaben zweierlei:
— erstens Am-Weltganzen-Teilhaben: das Ganze der Welt erfassen, gegenwärtighaben, an ihm teilhaben,
— zweitens An-einzelnem-Teilhaben: hier richten sich Erfassen, Gegenwärtighaben, Teilhaben auf einzelne kosmische Tatbestände, deren bewußt zu werden und zu sein eigenwert ist.

34.6   Am-Wirklichen-Teilhaben kann Teilhabe an der Wirklichkeit unseres Planeten sein.

Auch hier ist das Denken die wichtigste Weise des Bewußtwerdens und -seins; es hat mehrere Wissenschaften aufgebaut, die sich um die Erfassung der Erde-Wirklichkeit bemühen: Geographie, Geologie, Geophysik, Mineralogie, Meteorologie. In diesen Wissenschaften wird viel eigenwertes Erkennen verwirklicht, an dessen Ergebnisse sich mancherlei eigenwertes Wissen anschließt.

Neben diesem Denken sind als wichtige die Erde-Wirklichkeit erfassende Bewußtheitsvermögen das unmittelbare Wahrnehmen und das Kunsterleben; das letztere wirkt einerseits im Künstler, der schaffend Erde-Wirkliches darstellt, anderseits im Kunstbetrachter, der sich mit solchen Werken befaßt.

34.7   Am-Wirklichen-Teilhaben kann Teilhabe an der Wirklichkeit von Materie und Energie sein: hier wird die eigenwerte Bewußtheit in oder ausgehend von der physikalischen und chemischen Forschung.

Wenn auch die Erkenntnisse von Physik und Chemie großenteils praktisch angewandt, ja in Hinsicht auf die praktische Anwendung erarbeitet werden, so ist doch bei vielen in diesen Wissenschaften Tätigen das Interesse vor allem auf eigenwerte geistige Verwirklichung gerichtet und eigenwerte Bewußtheit können in großem Umfange diejenigen erlangen, welche sich betrachtend mit den von den Forschern gewonnenen Erkenntnissen befassen.

Solches Wissen ergänzt die Vergegenwärtigung der kosmischen Wirklichkeit: die von Physik und Chemie erkannten Strukturen, Zusammenhänge und Gesetze gehören zum Wesen nicht nur von irdischem, sondern auch von außerirdischem Wirklichem.

Und solches Wissen ist wichtig im Zusammenhang mit der selbstzweckhaften Vergegenwärtigung der Lebenswirklichkeit: Leben ist — höchstkomplexes — materielles Geschehen, das durch die Biochemie und die Biophysik der wissenden Betrachtung zugänglich gemacht wird.

34.8 Am-Wirklichen-Teilhaben kann Teilhabe an der Lebenswelt sein: Gegenstand der Vergegenwärtigung und des Gegenwärtighabens sind hier einerseits die Lebewesen als solche, in ihrem besonderen Sosein, anderseits die Lebenseinrichtungen und -vorgänge im allgemeinen.

Auch hier ist in erster Linie wissenschaftliches oder von wissenschaftlichen Erkenntnissen ausgehendes Denken bewußtheitschaffend: es betätigt sich auf den Fachgebieten der Biologie als der allgemeinen, der Botanik, der Zoologie und der (naturwissenschaftlichen) Anthropologie als den besonderen Lebenswissenschaften, ergänzend auch der Psychologie und der Soziologie, welche die seelische und die gesellschaftliche Seite der naturhaften Lebenswirklichkeit erhellen.

Zweitens ist das anschauende Wahrnehmen und Beobachten für die Vergegenwärtigung der Lebenswirklichkeit wichtig: kaum zu überblicken ist die Formenvielfalt der Pflanzen und Tiere, — sie betrachtend gelangt der sehfreudige Naturfreund zu reicher eigenwerter Bewußtheit.

34.9 Am-Wirklichen-Teilhaben kann Teilhabe an der Menschenwelt sein. Menschenwelt: Welt des Menschen, des Menschlichen und des von Menschen Geschaffenen.

Teilhabe an der Menschenwelt ist erstens Teilhabe am Menschenwesen als Naturwesen; soweit sie aus dem wissenschaftlichen Denken kommt, beruht sie auf allgemeinen biologischen Einsichten.

Teilhabe an der Menschenwelt ist zweitens Teilhabe am Menschenwesen als übernaturhaftem, reiche geistige Verwirklichungsmöglichkeiten enthaltendem Wesen. Helfend ist auch hier die Wissenschaft: Psychologie, Philosophie, Geschichte, Literatur- und Kunstwissenschaft, usw. Teilhabegebend sind aber auch die Berichterstattung über das menschliche Geschehen, die Lebensbeschreibung, die Darstellung von Menschlichem durch Dichtung, bildende Kunst, Musik und Tanz.

Teilhabe an der Menschenwelt ist drittens Teilhabe am Gesellschaftlichen des Menschen, das zwar im Vormenschlichen und Frühmenschlichen seinen Urgrund hat, aber während der Jahrtausende der Hochkulturentwicklung zu einer hochentfalteten Kulturwirklichkeit ausgebildet wurde. Teilhabegebend sind hier die Gesellschaftswissenschaften, die Geschichte, die Berichterstattung über das Zeitgeschehen, die künstlerische Darstellung von Gesellschaftlichem.

Teilhabe an der Menschenwelt ist viertens Teilhabe an den Kulturwerken: den Werken des religiösen, philosophischen, wissenschaftlichen, künstlerischen, aber auch des technischen, wirtschaftlichen, juristischen, politischen Leistens. Teilhabegebend sind hier die Begegnung mit den Werken als solchen und beschreibende, deutende Arbeiten über die Werke; vielfache Förderung kommt aus den sich mit den Kulturwerken befassenden Wissenschaften.

Teilhabe an der Menschenwelt ist fünftens Teilhabe am Sein und Wirken einzelner, insbesondere bedeutender Menschen. Biographie und Werkbeschreibung, zum Teil wissenschaftlicher Art, sind hier fördernd.

Teilhabe an der Menschenwelt ist sechstens Teilhabe am Sein und Wirken von Völkern und Kulturgruppen. Teilhabegebend sind hier Geschichte, Ethnologie, einzelne Kulturwissenschaften, dazu Länderbeschreibung, Reisebericht, Bericht über aktuelles Geschehen, usw.

Teilhabe an der Menschenwelt ist siebentens Teilhabe an der Sprache im allgemeinen und an einzelnen Sprachen im besondern. Teilhabegebend sind hier die Sprachwissenschaft einerseits, die konkrete Sprachwirklichkeit anderseits.

34.10 Am-Wirklichen-Teilhaben: für den Gläubigen ist es nach der Teilhabe am »diesseitigen Wirklichen«, und über ihr, die Teilhabe an der »übernatürlichen« »Jenseitswelt«, deren Wirklichsein ihm eben im Glauben gewiß wird.

Die großen Glaubenssysteme der theistischen Religionen — und auch der Philosophien, für welche die »Weltseele« oder der »Weltgeist« das oberste Wirkliche ist — zeigen den Reichtum und Rang der durch die Glaubensdimension eröffneten Teilhabemöglichkeit. Was allerdings die Nichtgläubigen nicht zur Anerkennung dieser Dimension, die sie für irreal halten, bewegen wird.

34.11 Die Teilhabe am Wirklichen wird ergänzt durch die Teilhabe am Vorgestellten, das für nicht-wirklich gehalten wird: hier eröffnet sich das überaus vielfältige Teilhabereich der Kunst, der Dichtung und der bildenden Kunst vor allem.

Kunst: eine Welt der Werke — und unter diesen manches Gestaltete, das in bezug auf die Einsicht, die sich aus seiner Erfassung ergibt, wichtiger ist als das allermeiste Wirkliche.

34.12 Nur als Vorgestelltes, das für nicht-wirklich zu halten ist, betrachten die Nichtgläubigen die Glaubensaussagen. Damit müssen sie diese jedenfalls als Menschlich-Wirkliches und als geistige Erreichnisse für wichtig halten.

34.13 Allgemein kann die Teilhabe an Vorgestelltem, das nicht Wirklichkeitsbeschreibung und -darstellung ist, unter drei Gesichtspunkten geistig-eigenwert sein:
— erstens weil die Vorstellungen von Menschen geschaffen sind und von Menschen hochgeschätzt und geglaubt werden: sich mit ihnen befassen heißt am Wesen dieser Menschen teilhaben,
— zweitens weil manche Vorstellungsinhalte zwar nicht konkret einer Wirklichkeit entsprechen, aber zumindest für Wirkliches bildhaft, symbolisch sind (etwa das Wesen Apollons für das Wesen des geistigen Menschen): sich mit ihnen befassen bedeutet Teilhabe am Wirklichen, für das sie Bilder sind,
— drittens weil und soweit die Vorstellungsgebilde anregendes, erfreuendes Geistesspiel sind.

34.14   Dritte Gruppe der Gegenstände des Bewußtseiend-Teil-habens: das Ideenhafte, Begriffliche, Wissenschaftstheoretische, Logische, Mathematische, — Denkinhalte und -akte, denen man in der Befassung mit Gewußtem, Geglaubtem und Vorgestelltem immer wieder begegnet, die jedoch auch für sich selbst, abstrakt und formal, Gegenstand des Denkens im besondern und der Bewußtheit im allgemeinen werden können.

Hier ist ein erstes Hauptfeld die Philosophie als Lehre von den Ideen und Begriffen und, wissenschaftstheoretisch, von den Ideen- und Begriffsanwendungen (durch welche die Verbindung zwischen dem Abstrakten und dem Realen hergestellt wird). Ideen, z. B. Gott, Welturache, Weltgeist, Wahrheit, Schönheit, Glück, und Begriffe, z. B. Ursache, Wirkung, Kausalität, Bedingung, Bedingtheit, Organismus, Leben, zu erfassen, sich mit ihnen zu befassen, sie zu erhellen und durch sie, noch mehr, erhellt zu werden, ist für den Freund des abstrakten Denkens nicht nur mittelhaft, d. h. für seine weitere Denkarbeit zweckmäßig oder notwendig, sondern vor allem selbstzweckhaft, eigenwerte Erfüllung bedeutend und gebend.

34.15   Ein ausgedehntes Gebiet der Teilhabe an Abstraktem ist zweitens vom Logischen und Mathematischen gebildet. In großem inhaltlichem Reichtum selbstzweckhaft wird hier die Befassung mit Begriffen, Strukturen, Funktionen, Ableitungen, Gesetzen, Darstellungsweisen, Denk- und Rechnungsmethoden, usw.

34.16   Das selbstzweckhafte Bewußtseiend-Teilhaben ist, was immer sein Inhalt sei, nicht ein passives Dem-Gegenstand-Gegenüberstehen und Den-Gegenstand-Abbilden: vielmehr ist es geistiges Aktivsein, nämlich aktives Erfassen, Vergegenwärtigen, Durchdringen, Sichauseinandersetzen, sogar im bloßen Gegenwärtighalten ist geistige Aktivität.

34.17   Bewußtseiend-Teilhaben ist für den Einzelnen in weitem Umfange möglich: in Hinsicht auf alles, was er unter seinen inneren und äußeren Voraussetzungen zu erfassen vermag, — begrenzend sind also nur Begabung, Ausbildung, Geld und Zeit.

Begabung: Bewußtseiend-Teilhaben erfordert auf manchem Sachgebiet entsprechende Begabung und wird durch deren Fehlen ausgeschlossen, — so wird nur der Musikalische die Feinheiten einer Komposition erfassen und sich ihrer freuen können.

Ausbildung: Bewußtseiend-Teilhaben erfordert auf manchem Sachgebiet entsprechende Ausbildung, — so wird die Erkenntnisse der modernen Physik mit einiger Genauigkeit nur erfassen können, wer mathematische Schulung besitzt.

Geld: Bewußtseiend-Teilhaben setzt voraus, daß man sich mit seinem Gegenstand in Beziehung setzt, und das erfordert den Besitz entsprechender Güter oder die Inanspruchnahme entsprechender Dienstleistungen, — man muß Bücher, Theater- und Konzertkarten, Rundfunk- und Fernsehgeräte kaufen, man muß reisen.

Zeit: Bewußtseiend-Teilhaben setzt voraus, daß man die für sie nötige Zeit aufbringt und also über sie verfügen kann, — insbesondere muß man für die außerhalb des Berufes vollzogene Bewußtheitsverwirklichung von der Berufsarbeit ausreichend frei sein.

34.18 Soweit Begabung und Ausbildung gegeben und Geld und Zeit verfügbar sind, steht der das Bewußtseiend-Teilhaben Erstrebende einer riesigen Fülle von Gegenständen solcher Verwirklichung gegenüber, und es ist nicht, wie auf dem Felde der Leistung, eine die Verwirklichung ermöglichende Stellung in der Gesellschaft nötig. Jeder, für den die Voraussetzungen zutreffen, kann sich nach seinem freien Willen mit Höchstem und Schwierigstem befassen, — es sind ihm die Ergebnisse des Forschens und Werkschaffens vieler Großer zugänglich.

34.19 Gerade die Fülle der Gegenstände bedeutet aber eine Schwierigkeit des Bewußtseiend-Teilhabens: der Einzelne muß sich notwendig auf einen geringen Teil des an sich für ihn Zugänglichen beschränken: Auswahl von einigem und Verzicht auf vieles ist unerläßlich.

Im Bewußtseiend-Teilhaben muß also, damit es einen hohen Rang erreiche, etwas von Lebenskunst sein.

34.20   Ins Unermeßliche geht die Zahl der Gegenstände möglichen Bewußtseiend-Teilhabens; noch sehr viel größer ist die Zahl der möglichen Kombinationen ausgewählter Gegenstände. Es folgt daraus, daß auf diesem Felde die Zahl der möglichen Verschiedenheiten des individuellen Sichinteressierens praktisch unendlich ist: daß unter allen Bewußtseiend-Teilhabenden nicht zwei die gleichen Kombinationen von Bewußtheitsinhalten zu verwirklichen brauchen.

Das Bewußtseiend-Teilhaben ist ein Bereich jedenfalls der Möglichkeit, weitgehend auch der Wirklichkeit höchstgesteigerter individueller Verschiedenheit, ausgeprägtester Individualität der teilhabenden Einzelnen.

34.21   Die jetzt bestehende Vielfalt der Möglichkeiten des Bewußtseiend-Teilhabens ist ein Ergebnis der jüngsten Kulturentwicklung: dem modernen Menschen sind in Hinsicht auf das selbstzweckhafte Bewußtwerden und -sein nicht nur Ergebnisse der neuzeitlich-abendländischen Kultur in einer Riesenfülle zugänglich, sondern auch die Leistungen anderer, insbesondere vergangener Kulturen.

Dazu hat die Neuzeit eine Wandlung in der Einstellung zu den Gegenständen möglicher Teilhabe gebracht: Hinwendung zum Diesseits, damit Ernstnehmen und Wichtignehmen des Diesseits, — wogegen frühere religiöse Gläubigkeit wesentlich dem Jenseits zugewandt war, wenn auch im besondern die jüdisch-christliche Auffassung von Anfang an in der Welt die Schöpfung Gottes und also ein Wertvolles zu sehen vermochte. Für den modernen, diesseitszugewandten Menschen bedeutet es sehr viel mehr, an Diesseitsdingen bewußtseiend teilzuhaben, als für den Gläubigen der vormodernen Kultur.

34.22   Das Bewußtseiend-Teilhaben als selbstzweckhafte Erfüllung bleibt vorwiegend im Bereiche des Einzelnen, — allerdings nicht ausschließlich: denn es wirkt zumindest als beachtete und vielleicht vorbildliche Haltung auf die Nächsten, überdies kann es die Leistungsverwirklichung des Teilhabenden beeinflussen.

Trotzdem es so »egoistisch« ist, ist es von höchster Würde:

selbstzweckhafte Bewußtheit ist in der Weltwirklichkeit höchst-
entfaltetes, höchstrangiges Sein.

34.23   Im Bewußtseiend-Teilhaben wird aufgenommen, was
Glaubenskünder und Philosophen ausgedacht, Forscher und
andere Gelehrte erarbeitet, Künstler geschaffen haben: solches
Aufgenommenwerden ist eines der Ziele der schöpferischen oder
die Welt durchleuchtenden Geistigkeit.

Viel geistiges Tun findet seine letzte und eigentliche Erfüllung darin, daß seine Ergebnisse von Betrachtenden in selbstzweckhaftem Bewußtseiend-Teilhaben vergegenwärtigt, gegenwärtig gehalten, erlebt werden.

GEISTESMENSCHLICHE LEISTUNG

Leisten und Geleistetes

35.1   Leisten heißt: zielgerichtet handeln.
Das Geleistete ist das gewollte Ergebnis des zielgerichteten Handelns.

35.2   Das meiste Leisten ist mittelhaft in dem Sinne, daß es auf ein Ergebnis gerichtet ist, welches es herbeiführen soll.
Einige Leistung ist aber, obwohl zielgerichtet, ohne Ergebnis, dem sie untergeordnet wäre: sportliche Leistung, Spiel.

35.3   Jedes Leisten, auch das in Hinsicht auf ein Ergebnis mittelhafte, kann als Handeln, als Tun eigenwert sein: indem es mit Leistungsfreude verbunden ist. Dadurch wird die Leistung eine selbstzweckhafte Erfüllung, — und zwar ist dieses Selbstzweckhaftsein geistiger Art (also Verwirklichung außerhalb und oberhalb des Vitalzweckbereiches).

35.4   Weiter kann der Leistende das Ergebnis des Leistens, das Geleistete, als ein an sich wertvolles geistiges Erreichnis, als ein Geistig-Eigenwertes und Geistig-Selbstzweckhaftes auffassen, — dies auch dann, wenn das Geleistete seinem Wesen nach in Hinsicht auf eine Verwendung dienend ist. Beispiel: für den Wissenschaftler kann ein technisch verwertbares Forschungsergebnis als Erkenntnis eigenwert und selbstzweckhaft sein.

35.5   Der Eigenwert des Leistens ergibt sich daraus, daß der Leistende sich als tätig, handelnd, schaffend, gestaltend erfährt und dieses besondere Sosein als selbstzweckhafte Erfüllung erlebt. Dabei liegt das Selbstzweckhafte nicht im Erleben als solchem, sondern im erlebten Wirken.
Das eigenwerte Leisten ist ein In-der-Welt-Wirken, ein Die-

Welt-gestaltend-Beeinflussen, — auch wenn es sich zumeist auf nicht sehr wichtige Umweltdinge beschränkt. Daß er ein In-der-Welt-Wirkender ist, wertet mancher höher, als daß er ein Der-Welt-Bewußter ist.

Der Eigenwert des Geleisteten ergibt sich daraus, daß der Leistende in diesem ein Neues schafft, das in der Welt des Vorhandenen ein bei aller Beschränktheit Bedeutendes, vielleicht ein Seltenes, ja sogar ein Hohes ist.

35.6 Der Eigenwert des Geleisteten ist zunächst Eigenwert für den Leistenden, vom Standpunkt des Leistenden, nach dem Bewertungsmaßstab des Leistenden.

Aber auch andere können das Geleistete als an sich wertvoll, als eigenwert werten: wenn sie in ihm eine hohe Qualität sehen, durch welche die Gesamtheit des Vorhandenen erkennbar reicher ist, — also auch: ohne welche die Gesamtheit des Vorhandenen erkennbar ärmer wäre. Hierin beruht die Wertschätzung der bedeutenden Werke der Religion, der Philosophie, der Wissenschaft, der Kunst, der Technik, usw.: die Kulturwelt ist dank ihrem Sosein erkennbar reicher und wäre ohne sie erkennbar ärmer. Das Wertvollsein des Geleisteten wird so zu Objektiv-Wertvollsein.

35.7 Die Wertung, daß die Welt des Vorhandenen dank einem Geleisteten erkennbar reicher ist, ohne es erkennbar ärmer wäre, hat ihre Grundlage im Betrachten-, Erleben- oder Leisten-wollen des Wertenden.

Das Geleistete wird als ein Objektiv-Wertvolles aufgefaßt, weil es Gegenstand oder Ausgangspunkt einer selbstzweckhaften Verwirklichung ist: so kann man etwa in einem alten Fernrohr ein An-sich-Wertvolles sehen, weil es einen Anfang meisterlicher Weltallerfassung zeigt, in deren Betrachtung man an einem bedeutenden Kulturellen teilhat.

Daß ein Geleistetes als objektiv-wertvoll aufgefaßt wird oder werden kann, wirkt auf die Wertung durch den Leistenden zurück: dieser erfährt seine Leistung und ihr Ergebnis als Über-sich-selbst-Hinausgehen, als weitgreifendes In-der-Gemein-schaft-Erfüllung-Finden.

35.8   Unabhängig von seinem Objektiv-Wertvollsein erhält
das andern Menschen dienende Geleistete Wert daraus, daß es
für andere wertvoll ist: es ist durch Für-andere-Wertvollsein
charakterisiert. Auch indem der Leistende ein Für-andere-Wert-
volles verwirklicht, überschreitet er die Grenzen seines Einzelnerseins, — dies kann für ihn eigenwerte und vielleicht hohe
Erfüllung bedeuten. Selbst Leistungen bescheidenen Inhaltes erhalten so einen hohen Sinn.

35.9   Das Tun, welches zu einem für andere Menschen wertvollen Ergebnis führt, kann für den Leistenden die besondere
Art von Eigenwert haben, daß er sich in einen viele Menschen
umfassenden Leistungszusammenhang einbezogen weiß und erlebt, — als ein Tätiger unter Tätigen und letztlich unter großen
gemeinsamen Aufgaben wirkend.

35.10   Tatsächlich sind sich allerdings die meisten Berufstätigen
der Bedeutung ihrer Leistung für andere und fürs Ganze nicht
oder jedenfalls nicht klar bewußt; zumal unter den Bedingungen
der modernen, weitestgehend arbeitsteiligen und mechanisier-
ten Wirtschaft sehen viele in der Berufsarbeit kaum andern Sinn
als denjenigen des Gelderwerbes. Doch ist denkbar, daß durch
eine die Einsicht in die sozialen Zusammenhänge fördernde Erziehung hier ein Einstellungswandel bewirkt werden kann.

35.11   Schließlich ist die Leistung für den Leistenden dadurch
wertvoll — und vielleicht eigenwert —, daß sich aus ihr mannigfach Einsichten ergeben: der Landwirt erfährt von Naturdingen
und -zusammenhängen, der Techniker gewinnt vielfältiges
naturwissenschaftliches und technologisches Wissen, der Politiker begegnet sozialen Tatsachen, Strukturen und Vorgängen.

35.12   Alles bisher betrachtete Eigenwerte, das im Leisten als
solchen oder im Leistungsergebnis verwirklicht wird, ist geistiger Art, — Geistig-Eigenwertes, Geistig-Selbstzweckhaftes. Nun
ist möglich, daß mit der Leistung und dem Geleisteten einigermaßen eng, vielleicht unlösbar verbunden, auch Eigenwertes,
Selbstzweckhaftes des Vitalbereiches wird: Macht und Macht-

genuß, Besitz und Besitzfreude, vitaltriebbefriedigende Geltung, naturhafte Einordnung und Unterordnung, usw. Dieses vitalzweckhafte Eigenwerte wird im folgenden, da Ziel dieser Darlegungen die Herausarbeitung von Wesen, Inhalt und Möglichkeiten des Geistig-Eigenwerten, Geistig-Selbstzweckhaften des Leistungsbereiches ist, nicht weiter behandelt; seine Existenz neben dem eigenwerten und selbstzweckhaften Geistigen wird vorausgesetzt. Dementsprechend beziehen sich die Ausdrücke »eigenwert«, »das Eigenwerte«, »selbstzweckhaft«, »das Selbstzweckhafte« immer auf Geistig-Eigenwertes.

35.13   Jedes (Geistig-)Eigenwerte des Leistungsbereiches kann, indem es mit der Bewußtheit des Vorranges dieser besonderen geistigen Erfüllung oder der geistigen Erfüllung im allgemeinen verbunden wird, Inhalt von geistesmenschlichem Sein werden.

35.14   Überaus zahlreich sind die konkreten Möglichkeiten, daß geistesmenschliche Verwirklichungen des Leistungsbereiches — dadurch, daß sie von besonderer Weite, Tiefe oder Weite-und-Tiefe sind, daß sie mit besonderer Intensität erstrebt und vollzogen werden und daß sie besonders hohe Ansprüche erfüllen — auf die Stufe des Geistesmenschentums gehoben werden.

35.15   Die tatsächlich vollzogenen Leistungen — Leistung als Leisten, d. h. Handeln, wie als Geleistetes, d. h. Handlungsergebnis, verstanden — bilden ein großes Reich, das, um genauer erfaßt werden zu können, in Bezirke einzuteilen ist.
    Es sind mehrere Einteilungsweisen denkbar:
— erstens nach Sachgebieten: technische, wirtschaftliche, wissenschaftliche, künstlerische, politische, administrative, militärische, sportliche (usw.) Leistung,
— zweitens der Tätigkeitsweise:
    a) überwiegend körperliche Leistung und andere,
    b) selbständige und unselbständige Leistung,
    c) leitende und ausführende Leistung,
    d) schwierige und nichtschwierige Leistung,
    e) von Einzelnen und von Gruppen vollzogene Leistung,

f) Neuartiges oder Besonders-Gewichtiges schaffende, schöpferische Leistung und übrige, also nichtschöpferische.

Für die Untersuchung der Leistung in Hinsicht auf das geistesmenschliche Sein sind die anzuwendenden Einteilungsprinzipien:

— diejenigen, welche in Hinsicht auf die Leistungsfreude des Leistenden von Bedeutung sind: Selbständigkeitsgrad, Stellung im Beruf, Schwierigkeit, Grad der Bekanntheit,

— die Einteilung nach Sach- und Fachgebieten, dies vor allem im Zusammenhang mit der dem Geleisteten zuzuschreibenden Bedeutung.

Stufen der Eigenwertbewußtheit

36.1   Die Leistung — sei es als leistendes Tun, sei es als Geleistetes — ist nicht für alle Leistenden mit gleich starker Eigenwertbewußtheit verbunden. Somit hat sie nicht für alle Leistenden gleichen Eigenwert: denn die Eigenwertbewußtheit ist das Erleben des Leistungseigenwertes.

Dies ist zunächst die Folge der Verschiedenheiten in der Einstellung der Einzelnen: nach der Einstellung des einen kann Leistung höchste Lebenserfüllung werden, nach der des zweiten ist sie zwar wichtig, aber nicht höchstrangig, nach der des dritten ist sie unwichtig, nach der des vierten eine ungeliebte Belastung.

Sodann ergeben sich aus den verschiedenen Arten der Leistung verschiedene Intensitätsstufen der Eigenwertbewußtheit, und also auch des Leistungseigenwertes. Die tatsächlich erreichte Eigenwertbewußtheit wird in der Regel dort am größten sein, wo ein Mensch von ausgeprägtem Leistungseifer Leistungen vollbringen kann, die nach ihrer Qualität besonders befriedigend sind.

36.2   Befriedigend ist vor allem die selbständige Leistung: selbständige Leistung in dem Sinne, daß der Leistende entweder ganz aus freiem Ermessen oder wenigstens im Rahmen eines weiten Auftrages sein Leistungsziel selbst bestimmen und das ausführende Tun nach eigenem Ermessen planen und vollziehen kann.

Selbständige Leistung gibt es in Fülle im Berufsleben, und zwar nicht nur bei den Selbständig-Erwerbenden und den angestellten Chefs, sondern auch bei an sich Untergeordneten, die aber mit einem einigermaßen weiten, ihnen Leistungsfreiheit lassenden Auftrag betraut sind und für dessen Ausführung erhebliche Verantwortung tragen.

Selbständige Leistung gibt es außerhalb der Berufsarbeit: in der Freizeitbeschäftigung, insbesondere im Sport; in Vereinen, in der Politik, usw. Viele finden in selbständigem Tun außerhalb des Berufes den Ausgleich für den Mangel an Selbständigkeit im Beruf.

Selbständig ist schließlich die Haushaltungsarbeit der Frau: auch hier kann die Freude des Selbständig-Leistens werden.

36.3   Allerdings ist das Selbständig-Leisten aus dem Können des Leistenden und aus den Bedingungen und Mitteln seiner Leistung beschränkt: er kann nicht mehr vollbringen, als in seiner inneren Leistungskraft steht; zudem wirkt häufig Äußeres beschränkend, so die Kleinheit der Arbeitsgruppe, der Mangel an Hochleistungsgerät, der Mangel an Kapital.

Die selbständige Leistung ist dort am freiesten und damit besonders intensive Eigenwertbewußtheit ermöglichend, wo hohes Können besteht und ein großer äußerer Apparat entweder nicht nötig (wie beim Dichter, Maler, Philosophen) oder aber vorhanden ist (wie beim kapitalstarken Unternehmer, beim Forscher, der eine umfangreiche Forschungsanlage und -organisation benützen kann).

36.4   In der Wirklichkeit der Arbeitswelt sind zwischen der vollen Selbständigkeit und der vollen Unselbständigkeit sehr viele Zwischenstufen.

Volle Selbständigkeit besteht wohl nur beim Künstler, beim Forscher, der ohne umfangreiche und teure Forschungsmittel auskommt, und beim Philosophen, soweit sie ihre Arbeitsziele selbst bestimmen und sich nicht um den finanziellen Erfolg kümmern. Dagegen ist etwa der freie Unternehmer in seiner

Leistung dadurch eingeengt, daß er einerseits auf Nachfrage und Aufträge, anderseits auf die Arbeitsmöglichkeiten seines Unternehmens abstellen muß.

Volle Unselbständigkeit ist nur dort, wo eine untergeordnete Arbeit ausschließlich in festgelegter Weise ausgeführt werden muß.

Sehr viele, die in ihrer Stellung untergeordnet sind, sind wenigstens teilweise — und häufig in erheblichem Ausmaße — selbständig: vom Abteilungsleiter über den planenden Ingenieur und den Werkstattchef zum Facharbeiter, vom Chefbeamten über den Experten zum Sachbearbeiter und zur Sekretärin.

36.5   Hohe Eigenwertbewußtheit gibt im besondern die selbständige Leistung, in welcher der Leistende ein Führender ist: er erlebt sich nicht nur als selbständig tätig, sondern auch als Chef einer organisierten Gruppe, die er bestimmt und deren Leistungserfolg er mehr oder weniger weitgehend als seinen eigenen verstehen kann.

Allerdings ist manchem Führersein Machtstreben, also ein Wollen primitiver Art wirksam, — aber neben diesem wirkt auch Höheres, Geistig-Selbstzweckhaftes.

36.6   Ausgeprägt eigenwert kann die Leistung sein, in welcher Schönes gestaltet wird: hier kann die Eigenwertbewußtheit zu intensiver Gestaltungsfreude werden.

In den weitaus meisten Fällen ist das Schöne kein Kunstwerk, sondern einfach ein Nützliches von schöner Form, — ein Haus, ein Zimmer, ein Schrank, ein Garten, ein Bucheinband, ein Gerät, ein Kleid, oder auch nur ein Sonntagskuchen. Aber immer ist die Herstellung des Schönen ein Gestalten, das als solches eigenwert sein kann.

Gnade des Schicksals ist das hohe Schaffensfreude gebende Gestalten der Künstler, — der Maler und Bildhauer, der Architekten, soweit sie Künstler sind, der Dichter, der Komponisten, der Schauspieler und ausübenden Musiker, der Tänzer.

36.7   Am stärksten sind die Bewußtheit des Neues-Schaffens und die mit ihr verbundene selbstzweckhafte Leistungsfreude im schöpferischen Tun, d. h. im Tun, das ein Geleistetes von neuem Inhalt oder von erheblicher gesellschaftlicher Bedeutung zum Ergebnis hat. Beispiele fürs erste: ein Roman, eine technische Erfindung. Beispiele fürs zweite: eine technische Großanlage wie Autobahn oder Kraftwerk, eine Unternehmung von erheblicher Wirtschaftskraft.

Hauptfelder des schöpferischen Handelns: Wissenschaft (insofern Forschen, Erkennen, Systembilden, Darlegen, Lehren, usw. schöpferisch sind), Philosophie und Religion, Kunst, Technik, Wirtschaft, Politik, öffentliche Verwaltung.

36.8   Jedoch ist das schöpferische Tun nur verhältnismäßig wenigen möglich: Leistenden, die auf ihrem Sondergebiet entweder Neuartiges oder Gesellschaftlich-Bedeutendes zu schaffen vermögen. Erschwerend wirkt dabei, daß jetzt auf manchen Gebieten das schöpferische Tun den Einsatz von Arbeitsorganisationen erfordert, die über große technische und finanzielle Mittel verfügen: hier ist das Schöpferische auf Fachleute in entsprechender Berufsstellung beschränkt.

36.9   Viele Leistungen, die weder führend noch Schönes schaffend noch schöpferisch sind, haben für den Leistenden wenigstens den Vorzug, schwierig zu sein: sie sind befriedigend und damit eigenwert, eben weil sie an das Können erhebliche Anforderungen stellen. Der Sieg über die gestellten Schwierigkeiten ist mehr oder weniger ausgeprägt eigenwert.

Dies gilt für eine riesige Zahl von Leistungen in Technik, Wirtschaft, öffentlicher Verwaltung, Wissenschaft, usw.; es gilt aber auch für mancherlei außerberufliche Betätigungen, so in Sport und Hobby.

36.10   Sehr viele kommen allerdings in ihrer Berufsarbeit kaum zu Eigenwerterleben: so vor allem manche, die befohlene, einfache, uninteressante, monotone, stark belastende Arbeiten auszuführen haben.

Mitunter lassen sich aber auch bei solcher Arbeit das

Leistungsinteresse und mit ihm das Eigenwerterleben wecken: durch Gewährung von Einblick in betriebliche, privat- und volkswirtschaftliche Zusammenhänge, durch Beteiligung am Ergebnis der Arbeitsrationalisierung, usw. Vom Standpunkt der Bejahung des Geistig-Selbstzweckhaften und insbesondere des Geistesmenschlichen erscheinen solche Bemühungen als sehr wertvoll.

36.11   Fraglich ist, wie sich der Fortgang der technischen Entwicklung auf die Berufsleistung und das Eigenwerterleben der Arbeitenden auswirken wird.

Sicher ist einerseits, daß die Ansprüche an die in den oberen Leistungsrängen Tätigen zunehmen, je komplizierter die technische Arbeitsorganisation wird: steigende Technisierung erfordert mehr hochqualifizierte Leistung. Anderseits werden durch die weiterschreitende Rationalisierung und Mechanisierung zunehmend menschliche Leistungen auf Maschinen und Apparate übertragen, die lediglich Bedienung und Überwachung erfordern. Die Möglichkeiten, in der Berufsarbeit zu Eigenwerterleben zu kommen, werden dort — bei der hochqualifizierten Leistung — erweitert, hier — bei vielen untergeordneten Leistungen — vermindert.

Überdies ist denkbar, daß wegen der Automation schließlich nicht mehr alle Arbeitsfähigen beschäftigt werden können oder daß die Arbeitszeit vieler Berufstätiger sehr stark verkürzt wird. Dies würde bedeuten, daß Eigenwerterleben aus beruflicher Leistung für manche nicht mehr und für viele nur noch in geringem Ausmaße erreichbar ist.

36.12   Vergleicht man die Möglichkeiten der eigenwerten Verwirklichung, die dem Einzelnen einerseits auf dem Felde der Bewußtheit, anderseits auf dem Felde der Leistung offenstehen, so ergibt sich für die meisten eine größere Vielfalt an möglichen Bewußtheitsverwirklichungen.

Die Leistung, die einer vollbringen kann, hängt in der Regel viel stärker von besonderer Ausbildung und von äußeren Voraussetzungen — Berufsstellung, Kapital — ab als die Bewußtheit, die für ihn erreichbar ist. Jeder Begabte, der über einige Ausbildung verfügt, kann sich mit den höchsten Werken der Kunst, der Philosophie, der Religion, zum Teil auch der Wissenschaft befassen und also an höchster Bewußtheit teilhaben; aber nur für wenige ist hohe Leistung tatsächliche Lebenserfüllung.

Das heißt auch, daß für sehr viele die Möglichkeit besteht, den Mangel an gewichtiger Leistungserfüllung durch gewichtige Bewußtheitserfüllung auszugleichen.

36.13 Ergänzend ist auf das Verhältnis zwischen dem mit der Leistung verbundenen Eigenwerterleben und der Leistungsfreude, zwischen dem Eigenwerterleben im allgemeinen und der Verwirklichungsfreude im allgemeinen hinzuweisen.

Verwirklichungsfreude — hier im besonderen Leistungsfreude — ist die häufigste und praktisch wichtigste Art des Eigenwerterlebens, aber nicht die einzige: es gibt solches Erleben, das nicht oder kaum freudebetont ist: »kalte« Wertbewußtheit.

Das Geistesmenschliche in der technischen Leistung

37.1 Die technische Leistung ist von allen Arten der menschlichen Leistung diejenige mit der längsten Geschichte, dem frühesten Ursprung. Denn schon die Urmenschen, die einfachste Geräte herstellten und verwendeten, betätigten sich auf dem Felde der Technik: schon die Faustkeilanfertigung und -verwendung war technisches Tun. Und in den Jahrhunderttausenden der Vorgeschichte wurde allmählich ein technisches Können aufgebaut, welches das Entstehen der frühesten Hochkulturen ermöglichte.

In den Hochkulturen der ersten Stufe, d. h. in allen nicht durch Wissenschaft, Technik, Wirtschaft und Staat des neuzeitlichen Abendlandes geprägten Hochkulturen, wird die Technik stark erweitert, differenziert, verfeinert, zu sehr viel höherer Leistungskraft gebracht, — aber noch sind ihr die sich aus dem Fehlen der modernen Wissenschaft ergebenden Grenzen gezogen.

Die neuzeitlich-abendländische Kultur bringt dann, dank der Entwicklung der modernen Wissenschaften (die ihrerseits von der Technik her mannigfach unterstützt werden), einen explosiven Aufschwung der Technik, durch den die menschlichen Leistungsmöglichkeiten gegenüber allen andern Hochkulturen gewaltig erweitert werden.

Gleichlaufend ist die Entwicklung der Möglichkeiten der eigenwerten Verwirklichung technischen Inhaltes: es gab solche Möglichkeiten in der Vorzeit kaum und in den Hochkulturen der ersten Stufe nur in beschränkter Weite und Vielfalt, — es gibt sie dagegen in weitester, vielfältigster Ausbildung in der neuzeitlich-abendländischen Kultur. Erst für den modernen Menschen ist die Technik ein Gebiet reichster, höchstentfalteter Möglichkeiten der selbstzweckhaften Leistungserfüllung geworden.

37.2   Das technische Handeln besteht in der Anwendung von bewußt ausgewählten Mitteln und Verfahren, durch welche in ein Naturgeschehen so eingegriffen wird, daß durch dessen weiteren Verlauf ein erstrebter Erfolg bewirkt wird.

Dieses Tun ist fast immer auf einen außer ihm liegenden Zweck gerichtet und auf diesen hin mittelhaft, dienend.

Jedoch wird in ihm Eigenwertes, und zwar zweifach:

— erstens insofern das technische Tun freudegebend oder in anderer Weise persönlich-befriedigend ist und darum als an sich wertvoll erlebt wird,

— zweitens insofern das im technischen Tun Geleistete als ein Objektiv-Wertvolles oder als Beitrag zu wertvollem Menschlichem verstanden wird.

Und wenn auch in der Regel beim technischen Handeln der Zweck, auf den hin das Geleistete dienend sein soll, maßgebend ist, so ist doch weitverbreitet das Geistig-Eigenwerte der Leistung (neben Vitalzweckhaft-Eigenwertem, das hier nur der Vollständigkeit halber zu erwähnen ist) mitbestimmend; mitunter wird der Nützlichkeitswert nur erreicht, weil sich aus dem Leistungseigenwert ein ausreichend starker Antrieb ergibt.

37.3   In bezug auf die Anforderungen, welche durch die technischen Leistungen an die Leistenden gestellt werden, gibt es zahlreiche Abstufungen. Beispiele: Leistungsanforderungen in der Arbeit des leitenden Flugzeugkonstrukteurs, des eine Teilaufgabe lösenden Konstruktionsingenieurs, des Metallurgen, des Direktors der Konstruktionswerkstätten, des Abteilungsleiters, des Vorarbeiters, des spezialisierten Mechanikers, des angelernten Arbeiters, des Hilfsarbeiters.

Jeder von ihnen kann aus seiner Leistung zu Eigenwerterleben und insbesondere zu Leistungsfreude kommen, — aber in der Regel wird dieses Erleben beim Hochgestellten, der eine weitere, bedeutendere, wichtigere, größere Schwierigkeiten bewältigende Leistung verwirklicht, reicher und differenzierter sein als diejenige des auf eine geringere Leistung Beschränkten.

37.4   Das stärkste Eigenwerterleben auf dem Gebiete der technischen Leistung wird wohl in der schöpferischen Leistung technischen Inhaltes.

In der Technik schöpferisch sein kann zweierlei bedeuten: erstens Neuartiges schaffen, zweitens technische Werke von zwar bekannter Art, aber von erheblicher Größe und damit von besonderer praktischer Wichtigkeit schaffen. Technisch schöpferisch im ersten Sinne sind die Erfinder, die forschenden Physiker und Chemiker, die Entwicklungsingenieure, die Formentwerfer. Technisch schöpferisch im zweiten Sinne sind die Unternehmer, Verwaltungschefs, ausführenden Ingenieure und Techniker, die Großanlagen verwirklichen, in weiterer Auffassung auch die Politiker und Bankiers, welche die Errichtung solcher Anlagen fördern.

Und hier wird auch am ausgeprägtesten die Überzeugung, daß das Geleistete ein Objektiv-Wertvolles — weil eine bedeutende Errungenschaft des menschlichen Tuns — und außerdem ein vielen Menschen, ja vielleicht sogar der Menschheit als Ganzen Helfendes ist (und darum auch dann für den Leistenden hohe Erfüllung wäre, wenn jegliche Freude des Leistens fehlen würde).

Daß solches höchstrangiges technisches Tun auf verhältnismäßig wenige Einzelne beschränkt ist, ergibt sich aus der Seltenheit der technisch-schöpferischen Begabung einerseits, der hohen Führungsstellungen anderseits.

37.5   Technisches Handeln von selbstzweckhafter Art gibt es in mancherlei Formen in Hobby und Basteln. Wiederum kann die Befriedigung interessanten Tuns gefunden werden: ja für viele noch mehr als in der Berufsarbeit, wenn diese wegen weitgetriebener Arbeitsteilung und Mechanisierung monoton ist. Dagegen fehlt hier zumeist das An-sich-Wertvollsein des Geleisteten.

37.6   Technisches Tun von selbstzweckhafter Art ist aber nicht auf das Herstellen von technischen Dingen beschränkt: es kann auch in der bloß gebrauchenden Anwendung von technischen Erzeugnissen bestehen. Hier ist die Motorisierung des modernen Lebens wichtig: das Auto, das Motorrad gibt seinem Besitzer mancherlei Gelegenheit zu eigenwertem Tun, das bei vielen eine ausgeprägte technische Seite hat. Beispiele: Motorsport, Autotouren als technische Leistung.

37.7   Der Wert der Leistung als des Geleisteten ist genauer zu betrachten.

Fast immer ist das technische Erzeugnis in Hinsicht auf einen Zweck nützlich, und um dieser Nützlichkeit willen wird es hergestellt. Als ein Nützliches ist das Geleistete ein Mittelhaftes, — aber indem die Verwirklichung des Zweckes, dem es dient, von ihm abhängt, strahlt der Wert der Zweckverwirklichung oder des mit dieser erreichten Zustandes auf es zurück: so ist eine Eisenbahn eine Anlage zur Befriedigung von Transportbedürfnissen und damit gänzlich mittelhaft; aber indem sie diese Bedürfnisbefriedigung ermöglicht, schafft sie für viele Menschen reichere Lebens- und Erfüllungsgelegenheiten und das An-sich-Wertvollsein der letzteren gibt allem, das sie wesentlich fördert, also auch der Eisenbahn und den mit ihr verbundenen Einzelleistungen, besondere Würde.

Soweit das technische Geleistete in Hinsicht auf wertvolle menschliche Erfüllung nützlich ist, hat es am Wert dieser Erfüllung teil. Damit erhält auch das Leisten erhöhte Würde: es ist, wenn sein Ergebnis in solcher Weise wertvoll ist, Arbeit auf ein wertvolles Ziel hin.

37.8   Es kann insbesondere die Nützlichkeit des Geleisteten in Hinsicht auf das geistesmenschliche Sein der Verbraucher oder Gebraucher überlegt werden. Besteht solche Nützlichkeit, so wird die technische Leistung zur Leistung, welche Menschen in ihrem geistigen Sein fördert oder ihnen zumindest solches Sein ermöglichen hilft. Dabei kann die Verbindung zwischen dem Geleisteten und dem geförderten oder ermöglichten Geistigen eng oder weit sein: eng ist sie, wenn das Geleistete unmittelbar zu geistiger Verwirklichung beiträgt (z. B. Bücher, auch Buchdruckereimaschinen), weit ist sie, wenn das Geleistete nur allgemein die Wohlfahrt schaffen hilft, in welcher das Geistige werden kann (z. B. Wohnhäuser, Baumaschinen). Es läßt sich wohl letztlich jedes Technische als mit möglicher geistiger Verwirklichung von Menschen verbunden auffassen.

37.9   Immerhin ist auch eine gegensätzliche Betrachtungsweise möglich: indem überlegt wird, ob ein Technisches nicht Menschen von Wertvollem, insbesondere von geistesmenschlichem Sein abhalte. Es liegt darin kein Widerspruch zur vorher angewandten Beurteilung: es läßt sich wohl jedes Technische als Geistigem dienend auffassen, — aber dieses Geistige braucht nicht das höchste erreichbare zu sein und es ist denkbar, daß das Fehlen eines besonderen, konkreten Technischen eine höhere geistige Verwirklichung nahelegen würde.

Angesichts der hochentfalteten Technik der modernen Konsumgesellschaft haben solche Überlegungen einige praktische Wichtigkeit. Etwa: illustrierte Zeitungen, Film und Fernsehen fördern Geistiges besonderer Art, — lenken sie aber nicht Zeit und Kraft vieler, die sich mit ihnen befassen, von Wertvollerem ab, das mit einfacheren Mitteln (z. B. nichtillustrierten Büchern wertvollsten Inhaltes) verwirklicht werden kann?

37.10   Das technische Erzeugnis ist insofern dem Kunstwerk verwandt, als es ein Gestaltetes ist: die Gestaltung besteht hier aber nicht (abgesehen von künstlerisch geformtem Technischem) in der Schaffung von reiner oder ausdruckshafter Form, sondern in der Herstellung neuer — damit übernaturhafter, kulturhafter — physikalischer oder chemischer Wirklichkeit.

Man kann darin — ohne deswegen die Kunst geringzuschätzen — sogar einen höheren Rang der technischen Leistung sehen: weil diese die Welt verändert, neues In-der-Welt-Wirkendes schafft, wogegen die Hauptfrage der Kunst die Formgestaltung ist.

37.11 Im Wesen der Technik gleich ist die Medizin. Auch sie ist Anwendung von bewußt ausgewählten Mitteln und Verfahren, durch welche in Naturgeschehen (hier das im Körper ablaufende) so eingegriffen wird, daß durch seinen weiteren Verlauf ein verfolgter Zweck (hier die Erhaltung oder Wiederherstellung der Gesundheit) verwirklicht wird.

Die medizinische Leistung ist für viele im Gesundheitswesen Tätige als Tun, als Leisten eigenwert; sie kann als solches selbstzweckhafte Erfüllung sein.

Dazu hat sie als Geleistetes Eigenwert: indem sie zum Ergebnis hat, daß Menschen in Gesundheit leben können. Dies ist auch für die geistige Verwirklichung der Menschen von höchster Wichtigkeit: man vergegenwärtige sich, wieviel an geistiger Erfüllung in früheren Jahrhunderten unterbleiben mußte, weil die Menschen zu früh starben.

37.12 Es ist leicht vorstellbar, daß ein Leistender in seinem technischen — oder medizinischen — Tun genug Befriedigung eigenwerter, selbstzweckhafter Art findet, um den Gelderfolg und auch das gewonnene Ansehen als durchaus zweitrangig aufzufassen.

Tatsächlich ist diese Einstellung weitverbreitet vorhanden und für das Alltagstun mitbestimmend: sie ist eine Wurzel des hochgesteigerten Leistungsbedürfnisses, das viele Menschen unserer Zeit zu ständiger Akitvität treibt. Manche halten diese Menschen für »leistungswütig«, — sie übersehen, daß hier geistig-selbstzweckhafte Erfüllung vorliegt.

37.13   Diese Feststellungen zeigen, wie wichtig die Wandlungen im technischen Leistungsbereich für die Lebenserfüllung vieler Einzelner sind.

Werden durch technische Neuerungen oder Neuanlagen neue Arbeitsgelegenheiten geschaffen oder bestehende so umgestaltet, daß auf ihnen interessantere Arbeit geleistet werden kann, so tragen sie dazu bei, daß die Leistungserfüllung reicher wird.

Beschränken die Neuerungen dagegen Leistungssinn und Leistungsfreude, so vermindern sie den Gesamtbestand an eigenwerter Leistungserfüllung.

37.14   Geistesmenschliches Sein wird in der Technik, wenn und soweit der Leistende das in seinem Handeln und dessen Ergebnis verwirklichte Geistig-Eigenwerte als an sich bedeutende Erfüllung seines Seins oder als wichtigen Teil einer weiteren, allgemeineren geistigen Erfüllung auffaßt.

Daß der Einzelne dieses Eigenwerte auf die Höhe des Geistesmenschlichen bringt, ist großenteils eine Sache der inneren Einstellung, der Selbstauffassung, der lebensphilosophischen Einsicht, — und diese wiederum sind großenteils das Ergebnis der lebensphilosophisch bestimmten Erziehung.

37.15   Geistesmenschentum — als geistesmenschliche Erfüllung von besonderer Weite, Tiefe oder Weite-und-Tiefe, dazu von besonderer Intensität und besonders hohem Anspruch — ist auf dem Gebiete der technischen Leistung in sehr großer inhaltlicher Vielfalt möglich. Vielleicht ist die bedeutende technische Leistung unter allen Leistungen diejenige, welche dem den Göttern zugeschriebenen Schöpfertum am nächsten kommt.

Das Geistesmenschliche in der wirtschaftlichen Leistung

38.1   Die wirtschaftliche Leistung besteht in der planmäßigen Schaffung von wirtschaftlich — d. h. in Hinsicht auf die Bedürfnisbefriedigung — Wertvollem, in der modernen Wirtschaft von Geldwertem.

Sie ist zugleich technische Leistung, wenn jene Schaffung technisches Eingreifen und Lenken von Naturgeschehen erfordert. Anderseits ist technische Leistung zugleich wirtschaftliche Leistung, wenn ihr Ergebnis wirtschaftlichen Wert hat.

38.2   Auch die Wirtschaft reicht weit in die Vorgeschichte zurück: der Mensch mußte von Anfang an auf die Bedürfnisbefriedigung hinarbeiten und er kam schon in den Primitivkulturen dazu, dies einigermaßen planmäßig zu tun.

Und auch die Wirtschaft gelangte in den Hochkulturen der ersten Stufe auf ansehnlichen Entwicklungsstand: die Schaffung von Wirtschaftlich-Wertvollem war umfangreich und gesichert genug, um Großbevölkerungen zu erhalten.

Aber auch die Wirtschaft hat erst in der modernen Kultur die volle Ausbildung erfahren, und dies großenteils dank der Entwicklung der Technik, welche ertragsstärkste Produktions- und Dienstleistungsweisen möglich machte und welcher von der Wirtschaft her immer wieder neue Aufgaben gestellt wurden.

38.3   Das wirtschaftliche Handeln ist in unserer Zeit überwiegend Handeln auf geldwerte Dinge und auf Geldertrag hin; insbesondere ist die Absicht leitend, ein möglichst günstiges Verhältnis zwischen Geldaufwand und Gelderlös zu erreichen.

Wirtschaftliches Schaffen ist jetzt weitgehend Schaffen von Geldertragsorganisation, — jede Unternehmung ist eine solche.

38.4   Man mag das auf Geldertrag ausgerichtete Wirtschaftliche für rangmäßig unter dem Technischen stehend halten. Jedoch ist das Wirtschaften gerade für den richtigen Einsatz des Technischen unentbehrlich: denn erstens sind die Sachmittel und Energien, über welche der Mensch verfügt, knapp und müssen also haushälterisch verwendet werden, zweitens erfordert die Schaffung der Verbrauchs- und Gebrauchsgüter den Einsatz von Produktionsmitteln und Arbeit, womit die Aufstellung von Prioritäten notwendig wird. In jeder denkbaren Gesellschaft von einigermaßen großer Menschenzahl bedarf es der Produktions- und Verteilungslenkung und auch der rationellen Betriebs- und Unternehmungsführung.

38.5   Auch die wirtschaftliche Leistung wird weitverbreitet als eigenwert und selbstzweckhaft erlebt (im Sinne des Geistig-Eigenwert-und-Selbstzweckhaftseins, — auf die Möglichkeit von Vitalzweckbedingtem, das hier nicht zu behandeln ist, sei der Vollständigkeit halber hingewiesen): das wirtschaftliche Tun kann, wiewohl es immer auf einen Nützlichkeitserfolg gerichtet ist, als solches selbstzweckhafte Erfüllung sein.

Dabei kann das Selbstzweckhafte des wirtschaftlichen Tuns mit demjenigen eines technischen Handelns verbunden sein und von diesem übertroffen werden: so z. B. beim Handwerker, beim Bauunternehmer, beim Maschinenfabrikanten, beim Betriebschemiker. In vielen Berufen dagegen ist das Handeln ausschließlich wirtschaftlicher Art und das Selbstzweckhafte des Leistens wird ganz im Wirtschaftlichen: so z. B. beim Kaufmann, beim Bankier, beim Versicherungsdirektor.

38.6   Zahlreiche Verschiedenheiten und Rangstufen nach Inhalt und Schwierigkeit der einzelnen Leistungen gibt es auch im wirtschaftlichen Handeln.

Für die Rangstufen bestimmend sind vor allem die Weite der gestellten Aufgabe, die Größe der Verantwortung, Inhalt und Umfang der Führungs- und Entscheidungsbefugnis.

Entsprechend dem Rang einer wirtschaftlichen Funktion wird häufig das Eigenwerterleben, das sich aus der Ausübung ergibt, intensiver oder weniger intensiv sein. Es ist anzunehmen, daß ein Führungsbegabter als Direktor stärkere Berufsfreude erlebt denn als kleiner Angestellter.

38.7   Zumeist ist allerdings die mit dem wirtschaftlichen Handeln verbundene Befriedigung stark vom wirtschaftlichen Erfolg, also vom Gelderfolg her beeinflußt: eine Arbeit bringt mehr Befriedigung, wenn sie finanziell lohnend, als wenn sie finanziell nicht lohnend ist.

Dies steht teilweise mit Vitaltriebhaftem in Zusammenhang: Besitzen und Dinge-an-sich-Bringen sind Vitalzwecke. Aber auch so ist die Befriedigung, wenn sie bewußt erlebt wird, ein Geistiges.

Weiter ist hier zu beachten, daß Geld den Zugang zu mancherlei Geistigem verschaffen kann: in der Regel besitzt der Reichere die Möglichkeit zu weiterer, vollständigerer und intensiverer geistiger Erfüllung als der Ärmere. Größerer Wohlstand bedeutet allgemein eine günstigere Voraussetzung zu geistesmenschlicher Verwirklichung, zu geistesmenschlichem Sein; Wohlstandsförderung ist darum vom Standpunkt des geistesmenschlichen Seins aus zu bejahen.

38.8   Alles Eigenwerte, das sich aus dem wirtschaftlichen Tun ergeben kann, läßt sich in der modernen Wirtschaft in sehr viel weiterem Umfange verwirklichen als in der vormodernen: dies dank des sehr viel höheren wirtschaftlichen Entwicklungsstandes der neuzeitlich-abendländischen Kultur.

38.9   Ähnlich wie das technische Handeln kann auch das wirtschaftliche zu einem Geleisteten führen, das als an sich wertvoll aufgefaßt wird.
    Das An-sich-Wertvollsein des wirtschaftlichen Ergebnisses liegt für den Leistenden zunächst darin, daß er für sich selbst und für seine Familie eine Lebensgrundlage und zugleich die Grundlage für alle erstrebten wertvollen Verwirklichungen schafft.

38.10   Zweitens kann das Geleistete wegen seiner Besonderheit, vielleicht seiner Einzigartigkeit, als ein Kulturwirkliches hochausgebildeten Wesens objektiv-wertvoll sein: jede große — und damit in ihrem Ausbau komplexe Unternehmung, jede wirtschaftliche Organisationsform und damit alle entsprechenden Neuerungen haben solches Objektiv-Wertvollsein.

38.11   An-sich-Wertvollsein des wirtschaftlichen Geleisteten kann drittens darin liegen, daß das Leistungsergebnis für andere Menschen nützlich ist: daß also der Leistende durch das Geleistete ein Gesellschaftlich-Wertvolles schafft und damit über sein Einzelnersein hinauswirkt.
    Das Für-andere-Wertvollsein des Geleisteten kann insbesondere darin bestehen, daß andern Menschen der Zugang zu geistigen Verwirklichungen erleichtert wird: dies trifft schon

dadurch zu, daß Menschen die Gelegenheit zu gesichertem Erwerb und damit zu wirtschaftlicher Wohlfahrt gegeben wird, — alles Arbeitsplätzeschaffen ist von besonderer Würde.

38.12   Von hier aus ergibt sich die Würdigung der modernen Wirtschaft — und mit ihr der modernen Technik — als Ganzen: sie ist die Grundlage für die geistigen Verwirklichungen der Menschen und also ein Wichtigstes.

38.13   Geistesmenschliches Sein wird durch wirtschaftliche Leistung, wenn und soweit der Leistende das in seinem Handeln und dessen Ergebnis verwirklichte Geistig-Eigenwerte als an sich bedeutende Erfüllung seines Seins oder als wichtigen Teil einer weiteren, allgemeineren geistigen Erfüllung auffaßt.
Ob diese innere Einstellung wird, hängt auch hier großenteils von der Erziehung ab.

38.14   Geistesmenschentum — als das geistesmenschliche Sein höchster Stufe — ist jetzt auf dem Gebiete der wirtschaftlichen Leistung sehr vielen möglich: vor allem im Leistungsbezirk der Wirtschaftsführer und Großunternehmer, aber auch auf weniger hohen Rangstufen.

Leistung im Staate und geistesmenschliches Sein

39.1   In zweifacher Hinsicht ist der Staat für die Verwirklichungen des Einzelnen wichtig:
— erstens darin, daß der Staat die sich im privaten Bereich des Einzelnen vollziehenden Verwirklichungen bedingt,
— zweitens darin, daß Staatliches Gegenstand der Leistung des Einzelnen ist.

39.2   Auf mehrere Weisen wirkt der Staat in Hinsicht auf die sich im privaten Bereich der Einzelnen vollziehenden Verwirklichungen bedingend, d. h. einerseits grundlagenschaffend und fördernd, andererseits schrankensetzend und hindernd:

— durch die tatsächlich bestehende, im öffentlichen Recht geregelte staatliche Ordnung,
— durch das Zivilrecht,
— durch die Wirtschaftspolitik,
— durch die Kulturpolitik,
— durch die Außenpolitik.

Durch eine auf hohen Stand gebrachte, sichere staatliche Ordnung, durch dem Einzelnen Freiheiten gebendes wie ihn vor allzu scharfen Übergriffen seitens anderer schützendes Recht, durch Wohlstands- und Kulturpflege, durch Verteidigung der Gesamtinteressen in den äußeren Beziehungen ermöglicht und fördert der Staat die als im Rahmen des Ganzen berechtigt anerkannten Verwirklichungen des Einzelnen, darunter auch die geistig-selbstzweckhaften und insbesondere die geistesmenschlichen.

Anderseits beschränkt oder verhindert der Staat Verwirklichungen des Einzelnen, unter Umständen auch geistige, erstens durch geplante Maßnahmen zum Schutze bedrohter Gruppen, zweitens durch Mängel in Recht, Verwaltung und Politik.

39.3 Es ergibt sich aus diesen allgemeinen Feststellungen, daß eine gegebene Staatsordnung als Ganzes und die staatlichen Einzeldinge vom Standpunkt der Geistesmenschlichkeit aus der Kritik unterliegen: indem zu prüfen ist,
— erstens ob die Förderung des Geistesmenschlichen ausreicht,
— zweitens ob die bestehenden Hindernisse gegen Geistesmenschliches unvermeidlich sind.

39.4 In zweifacher Hinsicht ist das Staatliche für den Einzelnen Leistungsfeld:
— erstens übt er seine Bürgerrechte und -pflichten aus: Teilnahme an Wahlen und Abstimmungen, Militärdienst, Steuerzahlung,
— zweitens betätigt er sich, wenn er dazu den Willen, die Begabung und die Ausbildung hat und sich eine geeignete Stellung schaffen kann, in einer Behörde, in der Verwaltung, in einer Partei, als politischer Publizist, usw.

Das erste ist, abgesehen vom Militärdienst, der aber für die meisten nicht freiwillig erbracht ist, wenig leistungsintensiv. Die Teilnahme an Wahlen und Abstimmungen ist etwas Nebensächliches und das Steuerzahlen ein notwendiges Übel.

Dagegen ist das zweite ein ausgedehntes Feld der intensiven Betätigung: so für die Mitglieder der Staats-, Gliedstaats- und Kommunalparlamente und -exekutiven, die in den Verwaltungsbehörden aller Arten und Stufen Tätigen, die Richter, die Berufsmilitärs, die Parteiführer und -funktionäre, die Journalisten und Rundfunkberichterstatter, usw.

Und je nachdem, ob der Einzelne nur auf dem ersten Feld bleibt oder sich auch auf dem zweiten betätigt, bestimmt sich die Bedeutung, die das Staatliche für seine Leistung hat.

39.5   Wenn auch die Teilnahme an Wahlen und Abstimmungen für den Einzelnen kaum eine wichtige Erfüllung bildet, weil sie keinen erheblichen Leistungsaufwand erfordert und weil die einzelne Stimme im Ganzen der Zehntausende, Hunderttausende oder gar Millionen praktisch ohne Gewicht ist, so kann sich aus ihr wenigstens die aufmerksame Befassung mit den staatlichen Problemen ergeben, — die Bewußtheitsverwirklichung kann dadurch erweitert und intensiviert werden.

Auch vom Soldatsein wird die Bewußtheitsverwirklichung häufig stark beeinflußt, sogar im Krieg, der von manchen als positiv erlebt wird, — was allerdings zumeist Erleben hauptsächlich primitiven und barbarischen Inhaltes sein wird.

39.6   Für die im Staate beruflich oder in anderer großen Aufwand von Kraft und Zeit erfordernder Weise Tätigen kann ihr Leisten gleicherweise geistig-selbstzweckhaft sein wie die Berufsarbeit der technisch oder wirtschaftlich Tätigen: Eigenwerterleben, insbesondere Leistungsbefriedigung, Leistungsfreude, stellen sich auch auf diesem Gebiete mannigfach ein.

Daneben ist allerdings sehr oft, und mitunter stark ausgeprägt, eigenwerte Vitalzweckbefriedigung beteiligt: Durchsetzung des Macht-, Geltungs-, Besitzstrebens vor allem.

39.7   Und es ist das Geleistete als solches eigenwert.

Wiederum erstens in seinem Objektiv-Wertvollsein: indem

und soweit das Geleistete in der Kulturwirklichkeit besonderen und vielleicht einzigartigen, bedeutendsten Wesens ist.

39.8 Dazu das Für-andere-Wertvollsein des im Staate oder auf den Staat hin Geleisteten: sofern dieses auf Menschen bezogen ist, deren Wohlfahrt es schützt oder fördert: für die im Staate Tätigen dürfte es im ganzen leichter sein als für die in Technik und Wirtschaft Stehenden, das Bewußtsein zu haben, daß sie für die gesellschaftliche Gesamtheit arbeiten und Wertvolles leisten, — der Eigenwert des im Staate Geleisteten ist so leichter erlebbar.

Der Wert für die Gesamtheit kann sich insbesondere daraus ergeben, daß das Geleistete sich unmittelbar oder doch nah auf geistige Verwirklichungen bezieht: so bei vielen kulturpolitischen Maßnahmen wie Erziehung, Kunstförderung, Förderung der wissenschaftlichen Forschung. Jedoch besteht eine — indirekte — Beziehung zu Geistigem auch bei den meisten wirtschafts-, verkehrs-, gesundheits-, militärpolitischen Maßnahmen (usw.), indem sie Grundlagen und Voraussetzungen für Geistiges, das in der Gesellschaft verwirklicht wird, schaffen oder erhalten helfen.

39.9 Auch der moderne Staat ist — ähnlich wie die moderne Technik und die moderne Wirtschaft — ein Leistungsgebiet, dessen Weite und inhaltlicher Reichtum erst in der neuzeitlich-abendländischen Kultur ausgebildet wurden: der Staat bietet darum dem modernen Menschen eine sehr viel größere Zahl von Möglichkeiten der Leistungsverwirklichung als dem vormodernen.

39.10 Und zwischen der Entfaltung des modernen Staates einerseits, der modernen Technik und der modernen Wirtschaft anderseits bestehen mannigfache Zusammenhänge: indem
— erstens der Staat aus Technik und Wirtschaft die Mittel zur Verwirklichung seiner Zielsetzungen erhält,
— zweitens Entwicklungen in der Wirtschaft vor allem, aber auch, und zunehmend, in der Technik das Eingreifen des Staates nahelegen.

In zahlreichen eigenwerten Leistungen sind demzufolge Inhalte dieser Hauptleistungsgebiete kombiniert.

39.11 Geistesmenschliches Sein wird durch die Leistung im Staate, wenn und soweit der Leistende das in seinem Handeln und dessen Ergebnis verwirklichte Geistig-Eigenwerte als an sich bedeutende Erfüllung seines Seins oder als wichtigen Teil einer weiteren, allgemeineren geistigen Erfüllung auffaßt.

Auch hier ist es großenteils von der Erziehung abhängig, ob solche innere Einstellung wird.

39.12 Geistesmenschentum — als das geistesmenschliche Sein höchster Stufe — ist durch Leistung im Staate vielfach möglich: vor allem auf den Leistungsplätzen der einflußreichen Politiker und der mit weitreichenden Befugnissen betrauten Beamten, Richter und Militärs.

Das Geistesmenschliche in der wissenschaftlichen, philosophischen und religiösen Leistung

40.1 Daß das wissenschaftliche, das philosophische und das religiöse Denken zu eigenwerter Bewußtheit führen, wurde bereits festgestellt. Die Inhalte dieses Denkens aber sind Ergebnis von Forschung oder Setzung, von Systembildung und Kritik, von Darlegung und Lehre: also von denkerischer Leistung, — und diese erfordert auf ihre Weise Arbeit, Gestaltenkönnen und, bei hohem Anspruch, schöpferische Kraft.

40.2 Auch das denkerische Leisten ist ein Tätigsein, das als solches selbstzweckhaft sein kann, — so insbesondere:
— für den Wissenschaftler und den Philosophen die Forschung, die Aufstellung von Hypothesen, Theorien und Prinzipien,
— für den religiösen Denker die Schaffung neuen Glaubensinhaltes,
— für alle drei das Systembilden und die Kritik, das Darlegen und Lehren.

40.3 Stärker als die meisten Leistungen in Technik, Wirtschaft und Staat sind diejenigen in Wissenschaft, Philosophie und Religion Leistungen von Einzelnen.

Auch jetzt noch ist es möglich, daß ein Wissenschaftler oder Philosoph oder religiöser Denker ganz auf sich selbst gestellt zu neuen Einsichten vordringt. Allerdings gibt es Fachgebiete, wo die Forschung große, teure Einrichtungen und umfangreiche Arbeitsgruppen erfordert, wie etwa die Astronomie und die Atomphysik, aber auf manchem andern Gebiet braucht der schöpferische Kopf nicht mehr als Bücher oder Beobachtungsmaterial: so in Literaturwissenschaft, Kunstwissenschaft, Religionswissenschaft, Nationalökonomie, Soziologie, Rechtswissenschaft, Psychologie und Philosophie. Denkbar ist etwa, daß ein Nationalökonom gestützt auf gedruckte Statistiken neue Einsichten gewinnt und in einer wissenschaftlich wertvollen Arbeit darlegt.

40.4 Auf manchen Fachgebieten der Wissenschaft sind die Tatsachen so gründlich durchforscht, daß nur noch fernab liegende Dinge oder in der Tiefe schwer zugänglichen Wesens verborgene Zusammenhänge nicht erkannt sind. So sind praktisch alle Tiere Europas festgestellt, beschrieben und systematisiert; wer heute unbekannte Tiere finden will, hat in unserm Erdteil kaum mehr Leistungsmöglichkeiten. (Dafür kann er sich auf einem der neuen Felder der Zoologie betätigen, etwa auf demjenigen der Verhaltensforschung.)

Auf andern Gebieten bieten sich der wissenschaftlichen Forschung ständig neue Stoffe, überall dort, wo die gesellschaftliche oder kulturelle Entwicklung weitergeht. Hier entstehen immer wieder neue Aufgaben der Wirklichkeitserfassung und -deutung, wobei sich das Verstehen des Neuen auch auf die Auffassung des Früheren auswirkt. So gibt es keine letzte, endgültige Lehre von der Gesellschaft, vom Staat, von der Wirtschaft, von der Kunst, vom Wesen der Wissenschaften und der Technik, von der Philosophie und der Religion. So gibt es auch keine endgültige Auffassung vom Geschichtlich-Vergangenen, denn immer wieder wird das Vergangene im Lichte von Neuestem anders verstanden werden als bisher.

Die Wissenschaften bieten trotz des Umfanges des erreichten Wissens weiterhin reichste Gelegenheit zu eigenwerter Leistung.

40.5   Neue Aufgaben stellen sich immer wieder dem nicht-wissenschaftlichen, ziele- und wertesetzenden Denken der Philosophen: weil die gesellschaftlichen und kulturellen Wandlungen immer wieder zur Notwendigkeit der Neubesinnung führen.

Nicht abgeschlossen ist, solange Religion besteht, das religiöse Denken, da es ins geglaubte Übermenschliche Menschliches hineinträgt und dieses sich wandelt. Die Götter ändern sich mit den Menschen, die an sie glauben.

Auch Philosophie und Religion bleiben Felder möglicher neuer Inhalte der eigenwerten Leistung.

40.6   Jedes inhaltlich besondere, erst recht jedes bedeutende Ergebnis wissenschaftlicher Leistung ist in der Kulturwirklichkeit und also in der Wirklichkeit überhaupt ein Einzigartiges und damit aus seinem Wesen ein Objektiv-Wertvolles — und für den Leistenden eine an sich wertvolle, selbstzweckhafte Objektivierung seines Seins.

40.7   Der Hauptsinn der wissenschaftlichen Leistung liegt in der Verwendbarkeit der erarbeiteten Erkenntnisse und Lehren, — »Verwendbarkeit« im weitesten Sinne aufgefaßt, nicht nur von technischer, wirtschaftlicher oder im Staate vollzogener Anwendung, sondern auch der im Bewußtseiend-Teilhaben erfolgenden.

Für den Leistenden ist die wissenschaftliche Leistung in diesem Sinne Dienst an Menschen oder Dienst am Menschen im allgemeinen: sie gibt ihm selbstzweckhafte Erfüllung durch ihr Für-andere-Wertvollsein, in welchem insbesondere ein über den engen persönlichen Bereich des Leistenden hinausgreifendes Wertvollsein liegt.

40.8   Wissenschaftliche Leistung bringt die andern, denen sie dient, häufig unmittelbar zu selbstzweckhafter geistiger Verwirklichung, — so z. B. die gemeinverständliche Darstellung astronomischen oder biologischen Wissens. Hier kann sich der

Tätige als unmittelbar auf ein wertvolles geistiges Sein anderer Menschen hinwirkend verstehen.

Bei andern — den meisten — wissenschaftlichen Leistungen ist die Verbindung zu geistigem Sein der Menschen, denen sie dienen, lockerer, nur mittelbar, — so z. B. bei den Forschungsergebnissen der Nahrungsmittelchemie und der Metallurgie. Aber auch solche Leistungen können in ihrer Anwendung letztlich selbstzweckhaftes geistiges Sein von Menschen fördern.

Jeder Wissenschaftlich-Tätige kann darum die Gewißheit haben, mit seinen Leistungen andern Menschen nicht nur in allgemeinem und unbestimmtem Sinne zu dienen, sondern auch in Hinsicht auf bestimmtes, nämlich geistig-selbstzweckhaftes Sein.

40.9 Der in der Anwendbarkeit liegende Wert der Ergebnisse des philosophischen Denkens und Darlegens besteht zunächst darin, daß der Aufnehmende zu Einsicht und Einsichtsuchen, oder vielleicht auch nur zu Kenntnisnahme und Auseinandersetzung gebracht wird, zweitens darin, daß Ziele und Werte gegeben werden, die im individuellen und sozialen Leben Geltung beanspruchen.

Beides kann wiederum unmittelbar oder mittelbar das geistige Sein anderer Menschen fördern und also vom Leistenden als ein Beitrag zum allgemeinmenschlichen Geistigen verstanden werden. (Immerhin gibt es auch Philosophen, welche die von ihnen Beeinflußten vom Geistigen abzubringen trachten: jene, die behaupten, der Mensch habe sich als ein vitalzweckbestimmtes Wesen aufzufassen und die Geistesziele seien Abweichung von seiner eigentlichen Lebenspflicht.)

40.10 Ebenfalls zweifach anwendbar sind die Ergebnisse des religiösen Denkens, Darlegens und Lehrens. Erstens in der Betrachtung: dank der Auffassungen, zu denen die religiösen Denker in ihrer Denkarbeit gelangt sind und die in den religiösen Darlegungen bekanntgemacht werden, ist den ihnen nachfolgenden Gläubigen die Vergegenwärtigung des Geglaubten möglich. Zweitens in Hinsicht auf das praktische Verhalten der Einzelnen und auf das Gesellschaftliche: für beides werden aus dem Glaubensinhalt Ziele, Werte und Richtlinien abgeleitet.

Auch die Anwendung des religiösen Gedankengutes steht zu den geistig-selbstzweckhaften Verwirklichungen der Anwendenden teils in unmittelbarer, teils in mittelbarer Beziehung: jeder Religiös-Leistende kann die Gewißheit haben, daß er letztlich ein geistig wertvolles Sein von Menschen fördert.

40.11 Geistesmenschliches Sein wird durch die wissenschaftliche, philosophische oder religiöse Leistung, wenn und soweit der Leistende das in seinem Tun und dessen Ergebnis verwirklichte Geistig-Eigenwerte als an sich bedeutende Erfüllung seines Seins oder als wichtigen Teil einer weiteren, allgemeineren geistigen Erfüllung auffaßt.

Wiederum ist die Erziehung der Leistenden für das Werden und Bestehen dieser Einstellung wichtig.

40.12 Geistesmenschentum — als das geistesmenschliche Sein höchster Stufe — ist durch wissenschaftliche, philosophische oder religiöse Leistung vielfach möglich: insbesondere bietet die moderne Wissenschaft eine Fülle von Gelegenheiten, sehr weites oder tiefes oder weites-und-tiefes, dabei sehr intensives und unter höchstem Anspruch stehendes geistig-selbstzweckhaftes Sein zu verwirklichen.

40.13 Daß die Leistung in Wissenschaft, Philosophie und Religion häufig aus Lehren besteht, wurde erwähnt. Es sei darum hier auf das Lehren überhaupt eingegangen: weil seine Hauptaufgabe ist, den Heranwachsenden — und zunehmend auch Menschen höheren Alters — Inhalte aus ausgewählten Sachgebieten zu vermitteln.

Jedes Lehren kann als Leistung eigenwert sein: der Lehrer findet in seinem Tun als solchem Befriedigung. Und in jedem Lehren kann das Ergebnis als geistig-wertvoll verstanden werden: weil es darin besteht, daß Menschen zu höherer geistiger Fähigkeit gebracht werden. Die geistige Weite und Kraft jedes Menschen hängt mit von seinen Lehrern ab.

Geistesmenschliches Sein — auch auf der Stufe des Geistesmenschentums — wird im lehrenden Leisten wohl besonders häufig.

262

41.1   Die Leistung des werkschaffenden Künstlers ist von allen Leistungen die am unmittelbarsten und freiesten gestaltende.

Gestaltung gibt es auch in der Technik, in der Wirtschaft, im Staat: aber hier ist sie durch äußere Gegebenheiten und Bedingungen beschränkt. Gestaltend sind zum Teil Wissenschaft, Philosophie und Religion: aber hier setzen Tatsachen, Denknotwendigkeiten und Leitideen Grenzen. Im Kunstwerkschaffen dagegen besteht die Bindung durch Objektiv-Gegebenes — abgesehen vom Technischen jeder Kunst — nur, wenn und soweit der Künstler sie anerkennt oder will; er braucht sich aber nicht binden zu lassen, er kann Inhalte und Art seines Gestaltens an sich frei wählen.

Allerdings fehlt dem Kunstwerk gerade wegen dieser freien Gestaltungsmöglichkeit die Nützlichkeit der Leistung, welche die Beherrschung des Objektiven verschafft, an das sie ihrem Inhalt nach gebunden ist.

41.2   Nicht so weitgehend ist die Gestaltungsfreiheit in der wiedergebenden, ausführenden Leistung: hier ist der Künstler an das vom Werkschaffenden Vorgestaltete gebunden, — selbst dann, wenn er das Recht zu eigenwilliger Interpretation beansprucht.

Aber indem der wirklich einsichtige ausübende Künstler sein eigenes Tun als die Fortsetzung und Vollendung der Leistung des Werkschaffenden versteht, wird jedenfalls die Werkdarbietung als Ganzes ein Verwirklichtes, das der Bindung an außer ihm liegende Gegebenheiten entbehren kann.

41.3   Befriedigend, freudegebend oder sonstwie von Eigenwerterleben begleitet kann das künstlerische Leisten schon dadurch sein, daß es intensives Aktivsein ist. Verstärkt wird dieser Eigenwert durch die im künstlerischen Gestalten gegebene volle Entfaltung der individuellen Schaffenskraft. (Von hier aus versteht man insbesondere die Freude moderner Künstler an der Gestaltung von Gegenstandslosem oder Absurdem, in welcher das Schaffen die größte Freiheit hat.)

41.4 Hauptzweck des künstlerischen Schaffens oder Aufführens aber ist — soweit nicht Erwerbsabsicht das Antreibende ist — das Werk als solches oder die Darbietung als solche: das Künstlerisch-Gestaltete, das innerhalb des Kulturwirklichen und der Wirklichkeit überhaupt von besonderem Wesen, ja einzigartig und das darum objektiv-wertvoll ist.

In seinen objektiv-wertvollen Erreichnissen findet der Künstler die an sich wertvolle Objektivierung seines Seins.

41.5 Und Werk und Darbietung sind auf andere Menschen bezogen, andern Menschen dienend, für andere Menschen wertvoll: auch ihr Für-andere-Wertvollsein bildet für den Künstler selbstzweckhafte Erfüllung.

41.6 Von alters her ist die Kunst mit der Religion verbunden. Hier wird für den Künstler innere Befriedigung besonderer — und besonders würdiger — Art: er kann sich als im Dienste am Göttlichen oder Heiligen stehend auffassen und überzeugt sein, daß er durch sein Schaffen oder Ausführend-Darbieten die Betrachter zu jenem Hohen hinleitet.

41.7 Kunstwerke religiösen Inhaltes werden auch heute noch geschaffen; aber da das religiöse Erleben an Wichtigkeit abgenommen hat, sind sie jetzt viel weniger zahlreich als die nichtreligiösen.

Die Hauptinhalte der nichtreligiösen Kunst, soweit sie nicht gegenstandslos ist, ergeben sich aus der hier und jetzt erfaßbaren und erlebbaren Wirklichkeit: es werden Naturdinge, der Mensch und Vom-Menschen-Geschaffenes dargestellt.

Auch solche Darstellung kann der Künstler als bedeutende Leistung verstehen: indem er durch sie den Betrachter dem dargestellten Wirklichen begegnen und ihn an dessen Wesen teilhaben läßt. Dank der Natur-, Menschen- und Kulturdarstellung in Dichtung und bildender Kunst hat der Kunstfreund unmittelbaren Zugang zu vielen Bezirken der Wirklichkeit: das Dargestellte ist ihm näher und er erlebt sich ihm näher, als wenn er der Hilfe der Kunstwerke entbehrte.

41.8   Neue Inhalte für sein Schaffen kann der Künstler in den wissenschaftlichen Erkenntnissen finden, denn die Wissenschaften haben den Bereich des Künstlerisch-Darstellbaren bedeutend erweitert. Und es kann sein, daß der Betrachter Wissenschaftlich-Erkanntes lebendiger erfaßt, wenn es im Kunstwerk gestaltet ist.

In solcher künstlerischer Leistung liegt das Eigenwerte, daß sie Wirkliches schwer erfaßbarer Art ins unmittelbare Erleben bringt.

41.9   Auch aus der Philosophie können sich Themen für künstlerische Darstellungen ergeben: indem philosophisches — oder ideologisches als angewandt-philosophisches — Gedankengut künstlerisch gestaltet wird und also die Kunstleistung auf dieses hin »engagiert« ist.

Das Eigenwerte solchen künstlerischen Sich-für-Ideen-Einsetzens liegt darin, daß das für wertvoll gehaltene Ideenhafte gefördert wird.

41.10   Durch die modernen Entwicklungen in Technik und Wirtschaft sind die Möglichkeiten künstlerischen Leistens und damit des In-künstlerischer-Leistung-Erfüllungfindens in dreifacher Hinsicht erweitert worden:
— erstens wird Technisches und Wirtschaftliches Gegenstand der Kunst: weil es ein Teil der modernen Lebenswirklichkeit ist und diese eben dank der künstlerischen Darstellung vom Betrachter lebendiger erfaßt werden kann,
— zweitens sind dank neuen technischen und wirtschaftlichen Möglichkeiten neue Kunstzweige entstanden (wobei das Wirtschaftliche in Hinsicht auf den Aufbau von Großunternehmungen einerseits der Geräte- und Mittelherstellung, anderseits der Kunstproduktion wichtig ist): Photographie, Film, Rundfunk, Fernsehen, Schallplatten,
— drittens findet die Kunst dank der modernen Verbreitungstechnik und der Wohlstandszunahme eine sehr viel weitere Verbreitung als früher: damit hat die Kunst als Ganzes und haben viele Künstler als Einzelne eine sehr große Wirkungsweite erlangt.

41.11 Die Kunst ist nicht scharf von der Nichtkunst getrennt, vielmehr gibt es eine breite Übergangszone des Teilweise-Künstlerischen: Leistungen, welche Nützlichem eine wohlgestaltete, angenehm-wirkende Form geben, — so solche der Architektur, der Raumgestaltung, des Kunsthandwerks, der Gestaltung von Fabrikerzeugnissen, der Photographie. In weiterem Sinne teilweise-künstlerisch kann sodann die geschriebene Darstellung sein: Reisebericht, Biographie, Geschichtsschreibung, wissenschaftliche Darlegung, journalistischer Bericht.

Leistungsfreude und Wertvollsein des Geleisteten gleich oder ähnlich dem Selbstzweckhaften der künstlerischen Leistung können damit auch außerhalb des eigentlich-künstlerischen Leistungsbereiches werden.

41.12 Geistesmenschliches Sein wird durch die künstlerische oder der künstlerischen in ihrem Wesen verwandte Leistung, wenn und soweit der Leistende das in seinem Tun und dessen Ergebnis verwirklichte Geistig-Eigenwerte als an sich bedeutende Erfüllung seines Seins oder als wichtigen Teil einer weiteren, allgemeineren geistigen Erfüllung auffaßt.

Auch hier ist für das Werden und Bestehen dieser Einstellung die Erziehung wichtig.

41.13 Geistesmenschentum — als das geistesmenschliche Sein höchster Stufe — ist durch künstlerische Leistung vielfach möglich: dies sowohl im Werkschaffen wie im Aufführen und Darbieten.

Das Geistesmenschliche in Sport, Spiel und Hobby

42.1 Sport, den der Einzelne für sich selbst betreibt, kann selbstzweckhafte Leistung im reinsten Sinne sein: dann nämlich, wenn das sportliche Tun ganz aus der Freude am sportlichen Tätigsein oder auf ein als objektiv-wertvoll verstandenes Leistungsergebnis hin erfolgt.

Da solche Leistung im selbstzweckhaften Wirken geistiger

Fähigkeiten besteht, wird sie geistesmenschlich, wenn sie als an sich geistige Erfüllung bildend oder als Teil einer weiteren selbstzweckhaften geistigen Erfüllung aufgefaßt ist. Bei sehr hohem Anspruch — etwa beim höchsten Willenseinsatz erfordernden Extremalpinismus — kann sie den Rang von Geistesmenschentum erreichen.

42.2 Das gleiche gilt für das Spiel. Auch hier ist Leistung auf der Stufe des Geistesmenschentums denkbar: z. B. diejenige im anspruchsvollsten Schachspiel.

42.3 Selbstzweckhaft ist sodann die Hobby-Tätigkeit; auch sie kann geistesmenschlich werden und mitunter — in allerdings sehr seltenen Fällen — die Stufe des Geistesmenschentums erreichen.

42.4 Leistungen in Sport und Spiel können Allgemeingültigkeit bekommen, wenn sie Rekorde oder große Höchstleistungen sind.
Rekord: »Das hat der auf dem betreffenden Gebiet Bisher-Beste geleistet, — diese Leistung hat ein Mensch, hat die Menschheit erreicht.«
Höchstleistung: »Das ist ein Vorzüglichstes, die Meisterung extremer Schwierigkeiten, — das hat als ein Höchstes auf dem betreffenden Gebiet ein Mensch, die Menschheit erreicht.«
Besonders ausgeprägt wird hier der Leistung als Geleistetem Eigenwert zuerkannt, — für den Leistenden ergibt sich entsprechende Eigenwert-Auffassung, und Betrachtende können daran miterlebend teilhaben (z. B. an Himalayabesteigungen).

Geistesmenschliche Leistung — geistesmenschliche Bewußtheit

43.1 Selbstzweckhafte und insbesondere geistesmenschliche Leistung steht mit selbstzweckhafter und insbesondere geistesmenschlicher Bewußtheit in mehrfacher Verbindung. Solche Verbindung besteht

— erstens im Einzelnen: indem sich selbstzweckhafte Leistung und selbstzweckhafte Bewußtheit ergänzen oder beeinflussen,
— zweitens in der Gesellschaft: indem die selbstzweckhafte Leistung des einen die selbstzweckhafte Bewußtheit des andern beeinflußt, und umgekehrt.

43.2   Im Einzelnen haben die beiden Verwirklichungsbereiche schon dadurch ein gemeinsames Feld, daß die Leistungsfreude ein eigenwertes Erleben ist: seinem Inhalt, dem Tätigsein, nach gehört es dem Leistungsbereich an, als selbstzweckhafte Bewußtheit aber auch dem Bewußtheitsbereich.

43.3   Eigenwerte Bewußtheit, die außerhalb des Leistungsfeldes entstanden ist, ist für viele Leistende Voraussetzung ihrer Leistung und also auch des Selbstzweckhaften ihrer Leistung. So gelangt der gläubige Künstler von seinem Glauben aus zu Leistung und Werk; so ist für den Gelehrten sein Wissen die Grundlage seines Darlegens und Lehrens; so kommt der Politiker aus lebendigem Interesse an Politik und Staat zu einer vielleicht weitwirkenden Leistung.
Es ergibt sich daraus, daß Bewußtheitsförderung auch Leistungsförderung sein kann.

43.4   Anderseits wirkt die Leistung auf die für sie grundlegende Bewußtheit zurück, indem diese im Verlaufe des Handelns klarer und schärfer wird. Beispielsweise erhöht das schriftstellerische Darlegen beim Schreibenden die Genauigkeit der dargelegten Einsichten.

43.5   Weiter stellt das Handeln den Leistenden in einen Zusammenhang von Tatsachen, mit denen er sich auseinandersetzen muß, was wiederum, wenigstens wenn er aufmerksam ist, seine Bewußtheit erhöht. Wirkliches der Natur, der Technik, der Wirtschaft, des Staates, einzelner Menschen, des Menschen überhaupt, der Gesellschaft wird so dem Tätigen deutlicher, heller, schärfer, weiter, tiefdringender bewußt als dem Nichttätigen.
Wenn das Handeln als an sich wertvoll erlebt wird, so ist die

Erfahrung dieses Handelnd-Bewußtwerdens bei manchen mitbestimmend.

43.6 Schließlich kann das Leistungsergebnis die selbstzweckhafte Bewußtheit des Leistenden erweitern. Am deutlichsten zeigt sich dies bei der Forschungsleistung, deren Ergebnis eine auch für den Forschenden selbst wertvolle Erkenntnis ist. Aber auch der Künstler, der Ingenieur, der Politiker, der Unternehmer können durch das Ergebnis ihrer Arbeit zu neuer Einsicht gebracht werden.

43.7 Zwischen Bewußtheit und Leistung entsteht so häufig Wechselwirkung: Bewußtheit ist Voraussetzung von Leistung; die Leistung wirkt auf die Bewußtheit zurück; erweiterte Bewußtheit findet in neuer, weiterer Leistung ihren tätigen Ausdruck; diese führt zu neuer Einsicht.

43.8 In der Gesellschaft ist der erste Hauptzusammenhang zwischen Leistung und Bewußtheit, daß die Bewußtheitsuchenden die Leistungsergebnisse anderer zum Gegenstand der Betrachtung machen und so zu eigenwerter Bewußtheit gelangen: Betrachtung von philosophischen, religiösen, wissenschaftlichen Darlegungen, von Kunstwerken und -darbietungen, von Berichten, aber auch von bedeutenden technischen, wirtschaftlichen und politischen Leistungen.

43.9 Zweiter gesellschaftlicher Hauptzusammenhang zwischen Leistung und Bewußtheit ist, daß die Leistung zwar nicht unmittelbar, wohl aber mittelbar zur Bewußtheitserweiterung beiträgt: so hat die Wohlstandsförderung durch den Ausbau des Erziehungswesens, den sie ermöglicht, die allgemeine Erweiterung der Bewußtheit, und insbesondere der selbstzweckhaften Bewußtheit, zur Folge.

43.10 Dritter gesellschaftlicher Hauptzusammenhang zwischen Leistung und Bewußtheit ist, daß der allgemeine Schulungs- und damit Bewußtheitsstand der Gesellschaft sich auf den Stand der in ihr vollzogenen Leistungen und damit des Eigenwerten des Leistungsbereiches auswirkt: Aufbau dort bedeutet in der Regel Erweiterung und Erhöhung hier.

43.11 Wechselwirkung zwischen Bewußtheit und Leistung besteht auch in der Gesellschaft: Bewußtheit fördert Leistung, die auf den Bewußtheitsstand zurückwirkt, von dem wiederum Leistungsförderung ausgeht.

43.12 Was aber hat im Gesellschaftlichen den Vorrang: Leistung oder Bewußtheit?

Praktisch sind beide gleich wichtig: das Gesellschaftliche ist ein in die Zukunft ablaufendes Geschehen, in welchem gegenwärtige Leistung zukünftige Bewußtheit und gegenwärtige Bewußtheit zukünftige Leistung fördern, — keine von beiden darf vernachlässigt werden.

In der gedanklichen Ordnung dagegen mag man die Bewußtheit als das Höchstrangige auffassen, da viele der größten Werke den gesellschaftlichen Sinn haben, in die eigenwerte Bewußtheit von teilhabenden Menschen einzugehen. Überdies behielte das Menschsein, wenn es keine bedeutende neue Leistung mehr gäbe, die Möglichkeit höchster Bewußtheitsverwirklichung, nämlich das sich ständig auf neue Menschen fortsetzende Neuvergegenwärtigen des von Früheren erarbeiteten Geistig-Bedeutenden.

GEISTESMENSCHLICHE GEMEINSCHAFT

Ich — wir

44.1   Der durch die Ziele der selbstzweckhaften Bewußtheit bestimmte Mensch ist überwiegend ichhaft, ichbestimmt, eine ichbezogene Verwirklichung der ihm gegebenen Möglichkeiten suchend. Als ein Ich verwirklicht er Empfinden, Wahrnehmen, Fühlen, Vorstellen, Denken, Verstehen, Erleben und also jedes Bewußtseiend-Teilhaben.

Jedoch ist diese Ichhaftigkeit nicht in dem Sinne ausschließlich, daß der zu eigenwerter Bewußtheit Gelangte sich nicht als mit andern verbunden verstünde. Denn ein bedeutender Teil seiner Bewußtheit hat Menschliches zum Inhalt: Wesen, Leben und Erleben, Wollen und Tun von Menschen, — von Menschen, die ihm nahestehen oder von solchen, die er zwar nicht kennt, mit denen er sich aber innerlich verwandt fühlt. Und die Inhalte seiner Bewußtheit ergeben sich für ihn größtenteils aus der Begegnung mit Menschen und Menschenwerken. Die Bewußtheit des Einzelnen ist also zwar ichhaft, aber gegen andere Menschen hin offen: in manchem erlebt sich der Einzelne als einem Wir zugehörig und in diesem mit einem Du oder Ihr verbunden.

44.2   Auch der tätige, leistende Mensch ist zunächst ichhaft: es ist ein Ich, das sich die Leistungsziele vornimmt, die Ausführungswege bestimmt, das verwirklichende Handeln unternimmt und zum Erfolg führt, sich der Leistung freut.

Doch noch stärker als gewöhnlich bei der Bewußtheit ist hier die Beziehung zu andern Menschen: die Leistung ist zwar als Leisten weitgehend ichhaft, aber als Geleistetes meistens nicht nur für den Leistenden, sondern auch für andere, jedenfalls für seine Nächsten und vielleicht für Fernerstehende, nützlich oder wichtig, — und der Leistende ist sich dessen bewußt.

44.3   In der Gemeinschaft dagegen ist der Einzelne hauptsächlich, also nicht nur ergänzend, wirhaft: er ist mit einem oder mehreren Menschen verbunden und bildet mit ihm oder ihnen zusammen ein höheres Ganzes.

Für jeden der so Verbundenen ist der andere, mit dem er verbunden ist, das Du oder sind die andern, die mit ihm das Ganze bilden, das Ihr. Und aus dem Ich und Du, dem Ich und Ihr wird das Wir: der in Gemeinschaft Stehende fühlt, denkt, strebt, handelt, erlebt als ein Im-Wir-Stehender.

Dieses Im-Wir-Stehen kann für den Einzelnen Wirklichkeit und Erfüllung geistig-selbstzweckhafter Art sein, neben Bewußtheit und Leistung die dritte Hauptweise der eigenwerten und selbstzweckhaften geistigen Wirklichkeit und Erfüllung.

44.4   Im-Wir-Stehen heißt In-Gemeinschaft-Stehen: Gemeinschaft ist also eigenwerte, selbstzweckhafte geistige Wirklichkeit und Erfüllung.

Warum? Weil der Einzelne als ein in der Gemeinschaft mit einem oder mehreren andern Verbundener nicht auf sein enges eigenes Sein beschränkt ist, sondern an einem Weiteren teilhat. An einem im Wesen Weiteren: der Einzelne findet im oder in den andern menschliches Wesen, das anders ist als sein eigenes; die Welt des Menschlichen ist damit für ihn reicher, als wenn er auf sich selbst gestellt bliebe. An einem in der Zeit Weiteren: Gemeinschaft mit Älteren erweitert die Verbindung mit Zurückliegendem, Gemeinschaft mit Jüngeren diejenige mit Zukünftigem.

44.5   Auch zum eigenwerten In-Gemeinschaft-Stehen gehört Bewußtheit, indem der In-Gemeinschaft-Stehende weiß, daß er in Gemeinschaft steht und dies für ihn wertvoll ist.

Aber hier ist nicht die Bewußtheit, sondern die Gemeinschaft das hauptsächliche Selbstzweckhafte.

44.6   Ebenso kann zum eigenwerten In-Gemeinschaft-Stehen das Tätigsein, die Leistung des In-Gemeinschaft-Stehenden gehören: dieser setzt sich handelnd für den oder die mit ihm Verbundenen ein.

Aber hier ist die Gemeinschaft, nicht die Leistung, das hauptsächliche Selbstzweckhafte: wichtiger als die eigene Erfüllung ist dem Leistenden diejenige des oder der andern.

44.7 In-Gemeinschaft-Stehen ist zugleich gebend und nehmend.

Gebend: indem der In-Gemeinschaft-Stehende sich für Erfüllungen einsetzt, die nicht seine eigenen sind, sondern diejenigen eines andern oder mehrerer anderer.

Nehmend: indem der In-Gemeinschaft-Stehende vom andern oder von den andern Anregung, Förderung, Unterstützung, Hingabe erfährt — und indem er in das Wir aufgenommen wird.

44.8 Die menschliche Gemeinschaft ist ursprünglich nur naturhaften Inhaltes; sie hat ihre Wurzeln im Vormenschlichen, im Zusammenleben von Primaten und war schon bei den vorgeschichtlichen Primitiven intensiv ausgebildet.

Drei hauptsächliche gemeinschaftsbildende Notwendigkeiten wirken in der Vitalsphäre:
— erstens die Gegebenheiten der Fortpflanzung: Zusammenleben von Mann und Frau und Aufziehung der Kinder,
— zweitens die Anforderungen von Arbeit und Kampf,
— drittens die Abgrenzung der Ansprüche der Einzelnen, die Anforderungen des friedlichen Zusammenlebens.

In Hinsicht auf die Gemeinschaftsziele der Vitalsphäre wurden schon in den vorgeschichtlichen Primitivkulturen, darnach in sehr viel größerem Umfange in den Hochkulturen der ersten Stufe und noch mehr in der modernen abendländischen Kultur vielfältige Mittel ausgebildet: der Menschengeist hatte hier ein weites Tätigkeitsfeld.

44.9 Da nach ihrem ursprünglichen Wesen die Gemeinschaft im allgemeinen und manche Gemeinschaftsverwirklichungen im einzelnen vitalzweckhaft waren und soweit sie dies jetzt noch sind, enthält der Gemeinschaftsbereich entsprechende, eben vitalzweckhafte, Eigenwerte und Selbstzwecke: die Scheidung der Selbst- und Endzwecke in solche der Vitalsphäre und in solche des Bereiches der geistigen Erfüllung zeigt sich auch hier. Wiederum sei auf die Vitalzweckseite lediglich hingewiesen und die weitere Erörterung auf das Geistig-Selbstzweckhafte beschränkt.

44.10 Wann entstand über dem ursprünglich-naturhaften Gemeinschaftsleben, damit auch über dem entsprechenden Für-Naturhaftes-Mittelhaften und dem Eigenwerten des Vital-Gemeinschaftslebens Geistig-Selbstzweckhaftes des Gemeinschaftsbereiches? Wahrscheinlich schon in den späteren vorgeschichtlichen Primitivkulturen, sicher aber in den frühesten Hochkulturen: es gibt in Religion und Dichtung alte Zeugnisse von auf die Gemeinschaft bezogener Geistigkeit.

44.11 Die Gesamtheiten, in die der Einzelne gestellt ist, sind im Laufe der Hochkulturentwicklung stark erweitert und differenziert worden. Insbesondere ist hier wichtig, daß neben den ursprünglichen Vitalgruppen, deren Mitglieder sich selbstverständlich als eng miteinander verbunden verstehen und erleben, größere und große Gesellschaften entstanden sind, in denen diese enge Verbundenheit fehlt und dafür mehr oder weniger strenge Ordnungsgebote gelten.

In solchen Gesellschaften befindet sich der Einzelne nicht mehr in einem naturhaft begründeten Wir: er steht einem Sie oder Man gegenüber, das ihm mehr oder weniger fremd und feindlich erscheint. Jedoch hängt die Einstellung des Einzelnen zur Gesellschaft, der er angehört, stark von ihm selbst ab, — und er kann sie der Gemeinschaftsbeziehung angleichen, indem er im Sie und Man das Wir sucht. Auch sehr umfangreiche Gesellschaften können so als Gemeinschaften erlebt werden.

Die in den Gesellschaften Führenden können diese Einstellung fördern, indem sie die Einzelnen an den Gesellschaftsangelegenheiten teilhaben lassen und ihnen Gelegenheit zu persönlicher Verbindung mit andern Gesellschaftsangehörigen geben.

44.12 Die neuere Geschichte zeigt zwei Hauptrichtungen der Wandlung von Gesellschaft in Gemeinschaft.

Die erste ist die Verwandlung der im Staate zusammengeschlossenen Gesellschaft in die Nation als Kulturgemeinschaft. Der für das Nationale aufgeschlossene Bürger erlebt sein Volk nicht bloß als ein Man oder Sie, sondern auch als ein Wir, für dessen Gedeihen er sich einzusetzen bereit ist.

Die zweite ist die Bildung von Gemeinschaften auf Grund gleicher durch die moderne Wirtschaft bedingter Lebensverhältnisse. Besonders wichtig ist da die Entstehung der Arbeiterbewegung: der »klassenbewußte Arbeiter« kann in intensiver Bewußtheit einem mehr oder weniger weiten Wir angehören: seiner Berufsgruppe, der Arbeiterschaft seiner Stadt, seiner Region, seines Landes, der Arbeiterschaft überhaupt. Ähnliches gilt für die Angestellten, für die Selbständig-Erwerbenden der verschiedenen Berufszweige: also für die Bauern, Handwerker, Kaufleute, Fabrikanten, aber auch für die Ärzte, Rechtsanwälte, usw. Die Auffassung, daß in der modernen Gesellschaft die Berufsstände wichtig seien, zielt in diesem Sinne auf ein Geistig-Wertvolles hin.

44.13 Anderseits zeigt die moderne Sozialentwicklung mannigfach die Ersetzung von Gemeinschaft durch Gesellschaft: an die Stelle des Wirs der Großfamilie, der Dorfgemeinschaft, der Werkstattgemeinschaft, der Kirchengemeinschaft tritt das kalte, anonyme Sie oder Man der nicht-mehr-gemeinschaftlichen, nur-noch-gesellschaftlichen Gesamtheiten.

Wird die Gemeinschaft als ein An-sich-Wertvolles bejaht, so stellt sich der Sozialtechnik die Aufgabe, die bestehenden Gemeinschaften nach Möglichkeit zu bewahren und, wo der Abbau unvermeidlich ist, verschwindende alte durch lebenskräftige neue Gemeinschaft zu ersetzen.

44.14 Die modernen Wirtschaftsbeziehungen, Verkehrs- und Nachrichtenverbindungen, die offenkundig gewordene Notwendigkeit internationalen Zusammenwirkens, die großen weltpolitischen Spannungen haben zur Folge, daß sich im Übernationalen Gemeinschaftsbewußtsein auszubilden beginnt: vor allem solches von Menschen der gleichen Kulturbereiche, aber auch weitergreifendes, ja sogar menschheitliches.

45.1 Zu den ältesten Gemeinschaften gehört diejenige von Mann und Frau, die Ehe, die sich natürlicherweise in diejenige von Mann, Frau und Kindern, die Familie, erweitert. Sie ist Gemeinschaft lange vor dem Entstehen von Geistig-Eigenwertem: sie trägt die naturhafte Weiterführung des Lebens.

Aber gerade die enge, naturhafte Verbundenheit in Ehe und Familie ist der Nährboden für Geistiges: der Mann erfährt in der Frau und die Frau im Mann, die Eltern erfahren in den Kindern und die Kinder in den Eltern das Besondere und Wertvolle des andern und damit auch Wert und Würde der Gemeinschaft als solcher.

45.2 Schon das im Grundwesen triebhafte Zusammenfinden von Mann und Frau kann eine stark ausgeprägte geistige Seite haben: das Eingehen auf das geistige Wesen des andern, geistiges Geben und Nehmen. Ausdruck von Intensität und Wichtigkeit dieses Geschehens sind Gesang, Tanz, Bekränzung und Fest, Werke der Dichtung, der bildenden Kunst und der Musik, weiter mancherlei religiöse Vorstellungen und Handlungen. Man wird annehmen dürfen, daß die Entfaltung dieses Geistigen im Gange ist, wenn die Verbindung Mann-Frau Gegenstand von Künstlerischem oder Religiösem ist.

Das geistige Sein der sich verbindenden Einzelnen ist in diesem Zusammenfinden gesteigert und besonders geartet: eigenwert ist dabei allerdings häufig in erster Linie die erlangte neue Bewußtheit, — aber es kann eine Mann-Frau-Gemeinschaft werden, in welche sich beide als in ein An-sich-Wertvolles einfügen.

45.3 Das Zusammenfinden von Mann und Frau ist häufig ein besonders intensives vitales und vielleicht darüber hinaus geistiges Geschehen: es war dies von Anfang an und ist es auch heute noch, — darum das allgemeinverbreitete Interesse an Sichfinden-Geschichten.

Das längerdauernde Zusammensein von Mann und Frau ist als Ganzes eher zustandshaft; darum wird es von den Beteiligten selbst wie von Außenstehenden für einigermaßen selbstverständlich gehalten. Jedoch kann es noch lange nach seiner Anfangszeit ein Feld geistiger Wandlung und Erhöhung sein: indem sich im Wir von Mann und Frau eine geistig-wertvolle Wirklichkeit entfaltet.

45.4 In den Hochkulturen ist die Ehe moralisch und rechtlich geregelt. Das ist vor allem eine sozialtechnische Notwendigkeit: die Ordnung dieses Lebensbereiches ist in Hinsicht auf die Sicherung der Wohlfahrt der Einzelnen und des gesellschaftlichen Ganzen unerläßlich.

Durch Sitte und Recht ist aber auch der feste Rahmen geschaffen, innerhalb dessen die Ehepartner ihr Zusammenleben zu einer geistigen Gemeinschaft entwickeln können; sogar der Zwang des Zusammenbleiben-Müssens kann sich hier letztlich fördernd auswirken.

Über Sitte und Recht hinaus wirken anregend und richtungweisend die Idealvorstellungen, denen der Einzelne in den religiösen und lebensphilosophischen Lehren, aber auch in Werken der Dichtung und der bildenden Kunst begegnet.

(Beizufügen ist immerhin, daß geistig wertvolle Mann-Frau-Beziehung auch in dauernder Verbindung ohne die Rechtsform der Ehe möglich ist.)

45.5 Die geistig lebendige Ehe ist ein ständig fortschreitendes geistiges Werden, in welchem die Eheleute gemeinsam die ihnen gestellten Lebensprobleme lösen und so durch die Zeit ihres gemeinsamen Lebens gehen.

Der Wesensunterschied zwischen eigenwerter Bewußtheit und Leistung einerseits, eigenwerter Ehegemeinschaft anderseits: jene sind ichhafte Verwirklichungen, diese ist ein wirhaftes Sein.

45.6 Ehe ist die Gemeinschaft von Erwachsenen, also von Menschen im wesentlichen gleicher Altersstufe. Familie ist zugleich Ehe und Eltern-Kinder-Gemeinschaft; letztere ist zunächst Gemeinschaft zwischen Erwachsenen und Nichterwachsenen. Im Laufe der Zeit werden die Kinder Erwachsene und die Familie wandelt sich in eine Gemeinschaft von altgewordenen

Eltern und den Kindern als jüngeren Erwachsenen, die vielleicht ihrerseits wieder Kinder haben.

Die heranwachsenden Kinder werden in der Gemeinschaft mit den Eltern in ihrem geistigen Wesen weitgehend geformt: das geistige Wesen der Eltern bestimmt mit die geistige Lebenswelt, in der die Kinder aufwachsen und die sich ihnen einprägt.

Allerdings wirkt Bestimmendes schon vor der Gemeinschaft: das sich auf das geistige Wesen der Kinder auswirkende Erbgut. Jedoch erfolgt bei weitem nicht alle Bestimmung der Kinder durch die Eltern auf dem Wege der Vererbung, sondern vieles ist das Ergebnis der von der elterlichen Einstellung ausgehenden Beeinflussung. (Deutlich zeigt sich dies dort, wo Kinder von Pflegeeltern aufgezogen werden.)

Indem die Eltern-Kinder-Gemeinschaft so das Weiterdauern von Wesen bewirkt, das die Eltern für wertvoll halten, kann sie für diese eine besondere Würde besitzen.

45.7　Jedoch ist die geistige Beziehung zwischen den Eltern und Kindern zweiseitig: nicht nur werden die Kinder durch die Eltern beeinflußt, sondern auch die Eltern durch die Kinder, — letzteres geht vom besonderen individuellen Wesen jedes Kindes und vom Außerfamiliären, an welchem die Kinder teilhaben, aus.

Die Eltern sind in der Beziehung zu den Kindern nicht nur Gebende, sondern auch Nehmende; dies erhöht den inneren Reichtum — und damit das An-sich-Wertvollsein — der Familiengemeinschaft.

45.8　Gemeinschaft im Geistigen, sei es auch nur in gering entfaltetem Geistigem, besteht zwischen den Geschwistern. Heranwachsende Geschwister bilden ein Wir, in welchem jedes auf jedes bezogen ist, jedes auf jedes wirkt, jedes von jedem beeinflußt wird.

45.9　Oft werden die gegenseitigen Bindungen in der Eltern-Kinder-Gemeinschaft und in der Geschwistergemeinschaft loser, wenn die Kinder ins Erwachsenenalter eintreten; mitunter verschwinden sie.

Notwendig ist dies aber nicht. Denn sowohl zwischen Eltern und erwachsenen Kindern wie zwischen erwachsenen Geschwistern kann es lebenslange Gemeinschaft, auch Gemeinschaft eigenwerter, selbstzweckhafter Art geben; fördernd ist dabei die Achtung von Freiheit und Selbständigkeit eines jeden der Nunmehr-Erwachsenen.

In geistig lebendiger Beziehung zwischen erwachsenen Familienangehörigen ist viel von Freundschaft.

45.10   Das Geistig-Eigenwerte, das in Ehe und Familie wird, ist geistesmenschlich, wenn die Beteiligten die entsprechende Vorrangsbewußtheit haben.

45.11   Können Ehe und Familie zu Geistesmenschentum führen?

In der Regel ist dies wenig wahrscheinlich, weil der hohe geistige Anspruch fehlt.

Ausgeschlossen ist es aber nicht: erforderlich wäre bei den Verwirklichenden der sehr klare und sehr feste Wille, das höchste Geistige zu verwirklichen, das auf diesem Felde erreichbar ist.

Zudem kann das Geistesmenschliche dieses Sondergebietes Geistesmenschentum, das auf anderm Felde wird, ergänzen und bereichern.

Das Geistesmenschliche in der Freundschaft

46.1   Auch die Freundschaft gehört zu den sehr alten Gemeinschaften. Sie erwies sich schon im Primitivendasein als notwendig: der Einzelne, nur auf sich selbst und allenfalls das Zusammenwirken mit Familienangehörigen gestellt, konnte sich nicht so gut behaupten, wie wenn er sich mit andern zusammentat und mit ihnen gemeinschaftlich vorging.

In solchem Zusammengehen muß jeder auf die Eigenart des andern Rücksicht nehmen und sich ihr anpassen; und jeder, der sich einordnet, findet sich angenommen und aufgenommen. Es wird so eine die Ichhaftigkeit ergänzende und häufig mehr oder weniger weitgehend ersetzende Wir-Einstellung.

46.2 Geistige Gemeinschaft wird in der Freundschaft schon daraus, daß die Freunde einander über ihre Erlebnisse, Freuden und Sorgen, Gedanken und Absichten, Zuneigungen und Ablehnungen berichten; schon die Freundesgespräche vor den Hütten der Primitiven haben einen geistigen Sinn und sind, auf niedriger Stufe, geistige Verwirklichung, — und je höher der Kulturstand der Freunde, desto reicher der geistige Gehalt und desto höher der geistige Wert solcher Gesprächsgemeinschaft.

46.3 Freundschaft baut häufig auf der Gemeinsamkeit von Leistung auf: zwei oder mehrere Tätige arbeiten zusammen, passen sich einander an und nehmen aufeinander Rücksicht, halten sich gegenseitig für sympathisch, berichten einander auch über nicht die Arbeit betreffende Dinge und werden so, bewußt oder nichtbewußt-tatsächlich, Freunde, die nicht mehr nur ichhaft, sondern als In-einem-Wir-Stehende handeln.

Solche Leistungsfreundschaft wird desto mehr, je mehr Gelegenheit zu gemeinschaftlichem Tun besteht. Es kann sich daraus ein Sozialpraktisches ergeben: will man das Geistig-Wertvolle, das die Leistungsfreundschaft bedeutet, fördern, so wird man sich bemühen, das gemeinschaftliche Tun überhaupt zu erweitern.

46.4 Freundschaft kann sodann eine Gemeinsamkeit von Interessen zur Grundlage haben: so insbesondere dort, wo diese Interessen zur Bildung von Vereinen oder sonstwie festen Gruppen Anlaß geben, — Freundschaft ist dann eine persönliche Bindung innerhalb der Gruppe, deren Mitglieder zunächst nur sachlich am Gemeinsamen beteiligt sind.

46.5 Die geistige Intensität der Freundschaft ist dann besonders groß, wenn die Grundlage der Freundesbindung Zusammenarbeit oder Interessengemeinsamkeit auf einem Gebiet ist, wo Geistig-Selbstzweckhaftes verwirklicht oder jedenfalls erstrebt wird. Diese Voraussetzung ist gegeben beim Zusammenwirken (zu dem schon das Gespräch gehören kann) von Gelehrten oder von Freunden der Wissenschaft, von Künstlern oder Freunden der Kunst, von Religiös-Gläubigen, usw.

Die Wirkung der Freundschaft ist hier, daß der Einzelne nicht mehr nur als ein Ich, sondern als einem Wir angehörend auf das interessierende Geistige bezogen ist und es fördert.

46.6 Die Freundschaft von Philosophisch-Interessierten sei hier als ein Beispiel näher betrachtet.

Jeder der Freunde hat seine Begabung, seine Ausbildung, sein Können, seine Kenntnisse, — aber in all diesem auch seine Grenzen. Hier wirkt die Freundschaft erweiternd und vertiefend: der Einzelne begegnet im freundschaftlichen Gespräch Ansichten und Einsichten, die ihn zu neuem Denken bringen; jeder der Beteiligten hat davon inneren Gewinn und trägt seinerseits dazu bei, daß der andere inneren Gewinn hat.

Erschöpft sich die positive Wirkung solcher Freundesgespräche darin, daß die Beteiligten Anregungen bekommen? Wäre dem so, so bildete die Freundschaft doch nur ein Mittel des Bewußtwerdens der Einzelnen. Jedoch vollzieht sich hier ein Weiteres: das geistige Wirken, das im philosophierenden Gespräch stattfindet und das ein eigenwertes Geistig-Tätigsein sein kann. Dieses Wirken ist der Leistung verwandt, wenn es auch nicht zu einem Werk oder einem andern objektiv-faßbaren Leistungsergebnis führt.

Ist somit solche Freundschaft wesentlich Mittel des Bewußtwerdens und zugleich selbstzweckhaftes Wirken? Ein Drittes — und hier Wichtigstes — kommt dazu: in der philosophierenden Freundesgruppe wird ein besonderes Eigenwertes, ein besonderes Hohen-Sinn-Erfüllendes: die Vereinigung der philosophierenden Einzelnen in eine wirhafte Gruppe, welche als ein Überindividuelles selbstzweckhafte Verwirklichung vollzieht. Und eben wegen dieses Überindividuellseins der Freundesgruppe ist die Freundschaft — gleich wie Ehe und Familie — eine eigene, besondere Weise der geistigen Erfüllung.

46.7 Was für die Freundschaft der Philosophisch-Interessierten, gilt für diejenige, welche das gemeinsame Interesse an Wissenschaftlichem, Künstlerischem oder Religiösem zur Grundlage hat: auch hier wird in der Freundesgruppe erstens Förderung eigenwerter Bewußtheit der Einzelnen, zweitens eigenwertes Geistig-Tätigsein der Einzelnen — und drittens ein für die Beteiligten an sich wertvolles In-einem-Wirhaften-Stehen.

46.8 Es gibt Menschen, für welche die Freundschaft im allgemeinen und das Freundesgespräch im besondern die stärkste eigenwerte Verwirklichung ist: Menschen, die sich in der Freundschaft und im Freundesgespräch »ausgeben«, »verströmen«.

Ihre geistige Verwirklichung ist zwar auf einen kleinen Personenkreis beschränkt und also von außen in der Regel kaum sichtbar; trotzdem kann sie hohen Ranges sein.

46.9 Nur verhältnismäßig wenige Einzelne können zu bedeutender Leistung aufsteigen; den meisten fehlen dazu Begabung und äußere Leistungsmöglichkeit. Viele haben darum nicht die Beziehung zur Menschengesamtheit, die sich aus jener Leistung ergibt.

Aber fast jedem ist es möglich, ihn bedrückende Vereinzelung zu durchbrechen, indem er sich mit Freunden verbindet.

46.10 Geistesmenschlich ist die Freundschaft dann, wenn das Geistig-Selbstzweckhafte, das in ihr wirklich ist oder erstrebt wird, als die vorranghabende Verwirklichung an sich oder als wichtiger Teil einer vorranghabenden geistigen Verwirklichung weiteren Inhaltes verstanden wird.

46.11 Denkbar ist eine so hohe Ausbildung der Wesenselemente der Freundschaft, daß diese auf die Stufe des Geistesmenschentums erhoben ist, — was vor allem dann zutreffen wird, wenn sie andere höchstrangige Verwirklichung ergänzt. Ein sehr altes Beispiel hiefür ist die Freundschaft zwischen Perikles und Anaxagoras.

47.1   Die Freundschaft ist eine enge Beziehung zwischen den Beteiligten: sie erfordert gründliches Einanderkennen, häufiges Zusammensein, gegenseitige Sympathie und den Willen zur Freundschaftsbindung.

Lockerer ist die Bekanntenbeziehung: auch hier können sich die Beteiligten zwar kennen, einander häufig treffen, sogar sich gegenseitig sympathisch sein, — aber wenn nicht bei jedem der Wille zur Freundschaft besteht, wird letztere nicht. Und sehr oft fehlen das Sichkennen, das häufige Zusammensein, die gegenseitige Sympathie.

47.2   Auch die Bekanntschaft hat ihre Wurzeln im Vorgeschichtlichen, ja sogar im Vormenschlichen: sobald einige Bewußtheit besteht, begegnen sich die Einzelnen bewußt und wo sich diese Begegnung mehrfach wiederholt, ergibt sich eine Bekanntenbeziehung (die durch Intensiverwerden auf die Stufe der Freundschaft gelangen kann).

Im Verlaufe der Kulturentwicklung erhöhte sich die Bedeutung des Sichbegegnens und Miteinander-Bekanntwerdens, indem mit der Bevölkerungszunahme, mit der Erweiterung und Verfeinerung der Arbeitsteilung-Arbeitsvereinigung und mit dem Ausbau der Verkehrsverbindungen, sei es zunächst auch nur in der näheren Umgebung, viele Einzelne nicht nur vermehrt Gelegenheit erhielten, sondern auch vermehrt in die Notwendigkeit versetzt wurden, mit andern in Kontakt zu treten.

In der modernen Zivilisation haben viele Menschen Bekanntenbeziehungen nicht nur mit Menschen anderer Regionen des gleichen Landes, sondern auch anderer Länder, ja anderer Erdteile.

47.3   Auch die Bekanntenbeziehung kann geistig-eigenwerte Verwirklichung bedeuten. Diese besteht darin, daß der Einzelne dank ihr

— erstens am Wesen und Sein, vor allem am Denken und den Erfahrungen des Bekannten teilhat (wobei er seinerseits dem oder den andern Beteiligten solches Teilhaben ermöglicht),

— zweitens zu einem Geistig-Tätigsein veranlaßt wird, das als selbstzweckhaft erlebt werden kann,
— drittens von seinem Ichhaften zu einem eigenwerten wirhaften Überindividuellen gelangen kann (das allerdings in den meisten Fällen wenig intensiv ist).

47.4   Das Eigenwerte der Bekanntenbeziehung verwirklicht sich vor allem im Gespräch, das häufig sogar tiefdringender und anregender ist als das Freundesgespräch, — so etwa, wenn sich Fachleute über Fachgegenstände unterhalten.

Verstärkt wird das Eigenwertsein des Gespräches, wenn die Beteiligten eine gemeinsame Aufgabe zu lösen haben: insbesondere wenn sie eine Arbeitsgruppe bilden (die nicht fest organisiert zu sein braucht).

47.5   Das Eigenwerte der Bekanntenbeziehung kann sich dort am ehesten entfalten, wo gegenseitige Sympathie — wenn auch nicht in der für die Freundschaft wesentlichen Intensität — besteht.

Gegenseitige Sympathie bedeutet, daß jeder den andern und dessen hauptsächliches Wesen für wertvoll hält. Sie bewirkt in den Sichkennenden oder Sichbegegnenden das Eingehen auf die Auffassungen und Interessen des oder der andern und damit die (sich vielleicht wiederholende) Bildung eines, wenn auch zumeist nur undeutlich bewußten und nur kurzdauernden, Wir, — dessen Aus- und Nachwirkung unter Umständen von langer Dauer sein kann.

47.6   Wenn aber die gegenseitige Sympathie fehlt? Selbst dann kann die Bekanntenbeziehung ein selbstzweckhaftes Geistiges erbringen: indem die Beteiligten in bezug auf wenige Gegenstände oder auch nur einen Gegenstand ein gemeinsames Interesse haben oder einer der Beteiligten es für selbstzweckhaftinteressant hält, das Wesen oder die Einsicht des andern zu erfassen. In beiden Fällen kommt es zu geistigem Geben- und-Nehmen; zumindest im ersten besteht die Möglichkeit des Entstehens von, inhaltlich und zeitlich beschränkten, Wirbeziehungen.

47.7 Zu Bekanntenbeziehungen, in denen Geistig-Eigenwertes wird, hat der Einzelne in seinem engeren Umkreis ständig Gelegenheit. Er findet hier eine Vielheit von Menschentypen, Einstellungen, Auffassungen, Meinungen, Willensrichtungen. Jeder hat in dem menschlichen Mikrokosmos, der ihn umgibt und in dem er lebt, einen reichen Ausschnitt aus der Gesamtwelt der Menschheit, dem zu begegnen vielfältig eigenwert werden kann.

In solcher Begegnung kann jeder Beteiligte einen Teil seines eigenen Seins einfach durch das Mit-andern-Zusammensein, also ohne Leistung, weitergeben: es liegt darin ein — wenn auch sehr kleiner, mikroskopischer — Beitrag des Einzelnen an den Weitergang des Menschheitlichen.

47.8 Bekanntenbeziehungen, in denen Geistig-Eigenwertes wird, ergeben sich höchst vielfältig in der modernen Arbeitswelt: zwischen den in Betrieben und Unternehmungen Zusammenarbeitenden, zwischen Geschäfts»freunden« (die zumeist nicht Freunde, sondern nur Bekannte sind), zwischen Auftraggebern und -nehmern, zwischen Angehörigen des gleichen Berufes, usw.

Ob das Eigenwerte, das in solchen Beziehungen werden kann, tatsächlich verwirklicht wird, hängt weitgehend von der inneren Lebendigkeit des Einzelnen ab, — allerdings ist diese nicht in allen stark ausgebildet.

47.9 Zu Bekanntenbeziehungen, in denen Geistig-Eigenwertes wird, bekommt der Einzelne mancherlei Gelegenheit, wenn er seinen gewöhnlichen Lebenskreis verläßt und Bisher-Fremden begegnet: der moderne Mensch ist hierin sehr viel freier und beweglicher als die Früheren.

47.10 Ein Besonderes des Bekanntschaftsfeldes: die Versammlungen und Kongresse, welche es Menschen gleichen Interesses ermöglichen, sich in organisierter Form zu treffen, um sich gemeinsam mit festgelegten Themen zu befassen und darüber hinaus Erfahrungen auszutauschen oder sich einfach auszusprechen. Jeder Beteiligte hat hier Gelegenheit, an einem Gemeinsamen mitzuwirken, in welchem eigenwertes Wirhaftes entsteht.

47.11   Wie aber, wenn zwischen Bekannten Antipathie oder sogar Feindschaft herrschen? Mitunter gibt es wohl sogar unter dieser Voraussetzung eine wirhafte Beziehung, welche den Beteiligten die Erweiterung ihres Seins ermöglicht. Zudem kann die kämpferische Auseinandersetzung als eigenwerte Verwirklichung erlebt werden.

47.12   Auch das Geistig-Selbstzweckhafte, das in der Bekanntenbeziehung wirklich ist oder erstrebt wird, kann ein Geistesmenschliches sein: wenn es als hauptsächlicher oder wesentlicher Inhalt der Lebensziel bildenden geistigen Erfüllung verstanden und erlebt wird.

Im Geistesmenschentum, der Höchststufe des geistesmenschlichen Seins, werden Verwirklichungen dieses Sondergebietes zwar kaum hauptsächlicher, in manchen Fällen aber das Hauptsächliche ergänzender Inhalt sein.

Das Geistesmenschliche in der Großgemeinschaft

48.1   In der Urgruppe kennt jeder jeden; die Gruppe ist klein, sie umfaßt vielleicht nicht mehr als einige Dutzend Menschen.

Mit aufsteigender Kulturentwicklung werden die Gruppen, in denen die Einzelnen leben und denen sie sich zugehörig erleben, größer: es bildet sich das Volk, das, selbst wenn es klein ist, doch viel zu groß ist, als daß der Einzelne mehr als einen ganz geringen Teil der Volksangehörigen persönlich kennte.

Trotz dieses Nicht-persönlich-Kennens ist das Volk für den Einzelnen ein Wir und also eine Großgemeinschaft; am deutlichsten wird das in Zeiten gesteigerten nationalen Gefühls, so bei Gefährdung, die den Einsatz der Einzelnen verlangt.

Allerdings gibt es in dieser Wirbeziehung Abstufungen: die Verbundenheit des Einzelnen zu einem Volksteil — Bevölkerung einer Region, einer Stadt, auch Angehörige eines Standes, einer Klasse, einer Religion, einer Kirche — ist wohl immer stärker als diejenige zum Gesamtvolk.

48.2 Das Volk oder der Volksteil, dem der Einzelne in mehr oder weniger starker Bindung als einem Wir angehört, ist in seinem ursprünglichen Wesen eine Großgruppe, welche als praktischen Hauptzweck die Wohlfahrt oder zumindest die Erhaltung des Ganzen hat.

Aber schon in frühen Hochkulturen wird das Volk oder der Volksteil auch als geistig bestimmte und auf Geistiges ausgerichtete Gemeinschaft verstanden: dies vor allem in religiöser und praktisch-kultureller, aber auch in philosophisch-ideologischer Auffassung. Am deutlichsten bewußt und damit am stärksten wird dieses Geistig-Bestimmtsein dort, wo eine Gesamtheit von Menschen unter einer Idee oder einem Ideenganzen organisiert ist: Kirche, Partei, wirtschaftlicher Großverband, aber auch Staatsvolk von nationalistischer Gesinnung.

48.3 Obwohl die Einzelnen eines Volkes einander zumeist persönlich nicht kennen, stehen sie doch in einem Wirkungszusammenhang, in dem sich geistige Gemeinsamkeiten herausbilden. Solche Gemeinsamkeit ist in erster Linie die öffentliche Meinung, d. h. die allgemeine oder zumindest überwiegende Einstellung in Hinsicht auf aktuelle Fragen; sie zeigt sich aber auch in andern Auffassungen, Überzeugungen und Haltungen religiösen, ideologischen oder sonstwie ideenhaften Inhaltes.

Dank dieser Gemeinsamkeit ist der Einzelne in ein Wirhaftes einbezogen, in welchem er einerseits, zumeist nur mit bescheidener Kraft und Wirkungsmöglichkeit, aktiv ist, indem er seine eigene Meinung bildet und sie in seinem Kreise mitteilt, anderseits, passiv, sein Verhalten nach dem Anerkannten richtet.

48.4 Weit und stark kann die Wirkungsmöglichkeit der Führenden sein: häufig werden die in der Großgemeinschaft geltenden Auffassungen und Einstellungen von allgemein beachteten Einzelnen beeinflußt. Manche Führende sind einflußmächtiger als andere; auch ist von Bedeutung, ob Gegenkräfte bestehen und sich auswirken dürfen. Möglich ist dabei, daß die Führenden sich mit ihren Auffassungen im Rahmen des Bisher-Anerkannten halten; möglich ist aber auch, daß sie dieses verwerfen, um Neues an seine Stelle zu setzen.

Für den einflußmächtigen Führenden kann es hohe Erfüllung bedeuten, daß er das Geistige seines Volkes oder einer großen Volksgruppe zu bestimmen vermag.

48.5 Nur wenigen ist oberstes Führertum möglich, vielen dagegen das Mitwirken und Aktiv-Beteiligtsein auf unterer Stufe: auch so erfährt sich der Einzelne als in einem großen Wirhaften stehend, als auf dieses bezogen und es durch seinen, wenn auch bescheidenen, Beitrag fördernd — und damit, insbesondere, als trotz eigenem Zeitlich-Beschränktsein an einem Langedauernden wirkend.

Gerade hier zeigt sich aber auch, daß das Wertvollsein solchen In-Gemeinschaft-Seins bedingt und begrenzt ist: die Ziele, die in der Gemeinschaft maßgebend sind, müssen nach ihrem Inhalt hohen Wertes sein, wenn der Sicheinordnende objektiv-hohe Erfüllung finden soll: es ergibt sich hieraus, bei aller Bejahung der Gemeinschaft, die Notwendigkeit der kritischen Einstellung gegenüber den Gemeinschaftszielen.

48.6 Selbst wo dem Einzelnen jedes geistige Aktivsein fehlt, wo er sich ganz den geltenden Auffassungen anpaßt und unterordnet: selbst da gibt es, mehr oder weniger ausgeprägt, geistigeigenwertes Wirhaftes. Es besteht im Bewußtsein, dem von den richtigen Ideen geleiteten Ganzen anzugehören, — in der von den höchsten Werten bestimmten Gemeinschaft zu leben. Wobei natürlich die Auffassungen über das Richtige und Höchste von Gemeinschaft zu Gemeinschaft wechseln können, aber gerade daraus das kritische Stellungnehmen zur inneren Pflicht wird.

48.7 Besteht nicht die Gefahr, daß der Einzelne, indem er sich als in eine Großgemeinschaft einbezogen und in ihr wirkend erlebt, ja sich vielleicht mit einem Führer identifiziert, zu aufgeblähter Selbstauffassung kommt? Oder daß er wegen des Gemeinschaftserlebens auf Wertvolles, zumal Geistig-Selbstzweckhaftes verzichtet, das er in seinem engeren, persönlichen Bereich verwirklichen könnte?

Beides ist möglich, — Grund, auch in diesen Richtungen kritisch zu sein.

48.8   In unserer Zeit wird das Nationale durch Übernationales ergänzt und teilweise abgelöst; es ergibt sich daraus, daß die Einzelnen sich selbst auch als Angehörige eines übernationalen Ganzen verstehen und erleben: einer Ländergruppe, eines Kulturkreises, ja der Menschheit.

Dem entspricht, daß jetzt viele Menschen das Bewußtsein haben, in einer weit über ihr eigenes Land hinausgreifenden Schicksalsgemeinschaft zu stehen: das großgemeinschaftliche Wir bekommt damit einen neuen Sinn.

48.9   Das Geistig-Eigenwerte, das für den Einzelnen im großgemeinschaftlichen Wir wirklich ist oder erstrebt wird, wird ein Geistesmenschliches, wenn es hauptsächlicher oder wesentlicher Inhalt der geistigen Erfüllung ist.

Solche Verwirklichung erreicht die Stufe des Geistesmenschentums, wenn sie vom Verwirklichenden in großer Weite oder Tiefe oder Weite-und-Tiefe, dazu mit großer Intensität und hohem Anspruch vollzogen wird.

Geistesmenschliche Gemeinschaft — geistesmenschliche Bewußtheit

49.1   Zweifach ist die Beziehung zwischen der Gemeinschaft und der Bewußtheit:
— erstens: die Gemeinschaft wirkt bewußtheitsfördernd,
— zweitens: die Bewußtheit wirkt gemeinschaftsfördernd.

Bewußtheitsfördernd wirkt die Gemeinschaft, indem der Einzelne dank seinem In-der-Gemeinschaft-Sein zu weiterer, tieferer, klarerer, intensiverer Bewußtheit gelangt.

Gemeinschaftsfördernd wirkt die Bewußtheit, indem der Einzelne dank ihr sich klar bewußt als in Gemeinschaften stehend erlebt und diese eben dadurch für ihn ihren vollen Wert bekommen.

Beiderlei Förderung geschieht auch auf der Ebene des Geistesmenschlichen.

49.2   Die Ehe, als ein Tag für Tag weiterlaufendes Geschehen, wirkt sich auf das Bewußtwerden und -sein der Ehepartner, insbesondere das geistesmenschliche, stark fördernd aus: indem die Ehepartner gegenseitig an ihrer Bewußtheitsweise teilhaben und dadurch in ihrem geistigen Wesen weiter und tiefer werden.

Anderseits kann die Bewußtheit die Ehe und insbesondere deren geistesmenschliches Wirhaftes fördern: indem hell bewußte Ehepartner dem Sinn und Wert der Ehe als einer geistigen Gemeinschaft aufgeschlossen sind.

49.3   Bewußtheitsfördernd ist, auch auf der Ebene des Geistesmenschlichen, die Eltern-Kinder-Beziehung: indem die Kinder am Bewußtsein der Eltern und die Eltern am Bewußtsein der Kinder teilhaben.

Anderseits fördert die Bewußtheit die Eltern-Kinder-Gemeinschaft, insbesondere als eine geistesmenschliche Verwirklichung: je klarer das gegenseitige Verstehen, desto reicher die Gemeinschaft.

Ähnliches gilt für die Geschwisterbeziehung.

49.4   Bewußtheitsfördernd, auch und vor allem auf der Ebene des Geistesmenschlichen, ist die Freundschaft: indem jeder der Freunde am Sein, am Denken und Erleben des andern teilhat und dadurch in seinem eigenen Denken und Erleben beeinflußt wird.

Die Freundschaft und insbesondere ihr Geistesmenschlich-Wirhaftes fördernd ist die Bewußtheit: diese gibt der Freundesbeziehung geistige Lebendigkeit und Intensität, überdies kann sie zur Hochschätzung der Freundschaft als solcher führen.

49.5   Bewußtheitsfördernd, vor allem auf der Ebene des Geistesmenschlichen, ist die Bekanntenbeziehung: auch sie ermöglicht jedem der Beteiligten das Teilhaben an Sein, Denken und Erleben, Wissen und Erfahrung des andern.

Und je mehr die Bewußtheit ausgebildet ist oder weiter ausgebildet werden soll, desto reicher und vielfältiger werden die Bekanntenbeziehungen, damit auch das in ihnen enthaltene Geistesmenschliche.

49.6 Bewußtheitsfördernd ist, in erster Linie auf der Ebene des Geistesmenschlichen, die Beziehung des Einzelnen zur Großgemeinschaft: zu Volksgruppe, Volk, übernationaler Gesamtheit, Kulturgemeinschaft, Menschheit. Indem der Einzelne sich als einer Großgemeinschaft angehörend erlebt, wird ihm alles, was für diese wesentlich ist oder sonst Bedeutung hat, als ein Wichtiges bewußt, wogegen es beim Fehlen solcher Beziehung geringeren Ranges bliebe.

Anderseits ist es die Bewußtheit, welche die Beziehung zur Großgemeinschaft, damit auch das entsprechende geistesmenschliche Wirhafte, entstehen läßt oder erweitert und festigt. Denkend, verstehend und erlebend wird sich der Einzelne bewußt, daß die andern Menschen der Großgemeinschaft mit ihm im Wesen gleich sind, daß sie gleiche Auffassungen vertreten und gleiche Ziele haben, daß ihr Schicksal auch das seine ist.

49.7 In sehr vielen Einzelverwirklichungen ist Eigenwertes der Gemeinschaft mit Eigenwertem der Bewußtheit engst und untrennbar verbunden. Das Selbstzweckhafte gehört dann zugleich dem Bewußtheits- und dem Gemeinschaftsbereich an, — ist zugleich Bewußtheits- und Gemeinschaftsverwirklichung.

Geistesmenschliche Gemeinschaft — geistesmenschliche Leistung

50.1 Zweifach ist die Beziehung zwischen der Gemeinschaft und der Leistung, auch auf der Ebene des Geistesmenschlichen:
— erstens: die Gemeinschaft wirkt leistungsfördernd,
— zweitens: die Leistung wirkt gemeinschaftsfördernd.

Leistungsfördernd wirkt die Gemeinschaft, indem der Einzelne es als sinnvoll auffaßt, für die Gemeinschaft zu arbeiten, — indem sich also aus dem In-der-Gemeinschaft-Sein der Leistungsantrieb ergibt.

Gemeinschaftsfördernd wirkt die Leistung, indem sie den Leistenden gemeinschaftsbewußter macht, ihn mit andern Leistenden in engere Verbindung bringt und auch indem sie das für die Gemeinschaftszwecke Nützliche bereitstellt.

50.2   Leistungsfördernd, und damit auch das Geistesmensch-
liche der Leistung fördernd, ist die Familiengemeinschaft: eine
Familie zu haben, für die Familie zu sorgen ist ein mächtiger
Leistungsantrieb.

Anderseits fördert die Leistung die Familiengemeinschaft und
damit ihr Geistesmenschliches: indem der Leistende mit seiner
Familie und diese mit ihm enger verbunden wird und indem die
Lebensgrundlagen der Familie gesichert werden.

50.3   Leistungsfördernd sind Freundschaft und Bekanntenbeziehung, indem sich aus diesen mannigfache Anregungen in
Hinsicht auf das Handeln ergeben.

Anderseits geht von der Leistung mannigfache Förderung
von Freundschaft und Bekanntenbeziehung aus: diese sind mit
leistendem Tun häufig eng verbunden.

In beiden Bereichen ergeben sich so positive Beeinflussungen
des geistesmenschlichen Seins.

50.4   Stark leistungsfördernd, damit auch stark die in der
Leistung liegende geistesmenschliche Verwirklichung fördernd,
können die Großgemeinschaften sein: von diesen gehen in
großer Vielfalt Anregung, Auftrag, Zielsetzung und Sinngebung
in Hinsicht auf Leistungen aus.

Anderseits wird der Leistende durch seine Leistung, wenn er
ihres Sinnes klar bewußt ist, auf die Großgemeinschaft bezogen
und damit insbesondere zu entsprechender geistesmenschlicher
Wir-Einstellung gebracht.

50.5   In sehr vielen Einzelverwirklichungen ist Eigenwertes
der Gemeinschaft mit Eigenwertem der Leistung engst und untrennbar verbunden.

50.6   Und sehr häufig besteht die Verbindung aller drei Verwirklichungsbereiche: vor allem darum, weil gemeinschafts-
wichtige Leistung hochausgebildete Bewußtheit voraussetzt oder
herbeiführt.

GRADUNTERSCHIEDE

51.1 Nicht für alle Einzelnen, die Geistesmenschliches verwirklichen, ist diese Verwirklichung gleich wichtig: für manche
ist sie nur von geringer, für andere von einigermaßen erheblicher, für andere von sehr großer Bedeutung.

Zwar gehört es zum Wesen der geistesmenschlichen Verwirklichung, daß sie als vorranghabend aufgefaßt wird: aber bei
manchen ist das vorranghabende Geistige das einzige Wichtige,
bei andern steht neben ihm erheblich-wichtiges Nichtgeistiges,
— zudem ist das Geistige bei manchen dauernd, bei andern nur
zeitweilig, vielleicht sogar nur selten und ausnahmsweise wichtig.

51.2 Verschiedenheiten bestehen zwischen den Geistesmenschliches Verwirklichenden zweitens in der Weite der Verwirk-
lichungsinhalte.

Vergleichbar sind hier zunächst nur Inhalte des gleichen Sachgebietes, etwa eines bestimmten Bewußtheits- oder Leistungs-
gebietes.

Aber es lassen sich auch allgemeinere Vergleiche anstellen:
jedenfalls in bezug auf die Weite der Bewußtseinsverwirklichun-
gen überhaupt und auf die Weite der Leistungsverwirklichungen
überhaupt, — denn jene erstrecken sich praktisch immer, diese
sehr häufig auf mehr als ein Sachgebiet: dort wie hier wird man
auch die Weite der Gesamtverwirklichungen würdigen.

Unterscheiden wird man etwa zwischen engen, mittelweiten
und weiten Verwirklichungen.

51.3 Verschiedenheiten bestehen zwischen den Geistesmenschliches Verwirklichenden drittens in Hinsicht auf das Tiefdringen
der Verwirklichung: im Sinne der Erfassung, Darstellung oder
Meisterung verborgenen, schwer zugänglichen Wesens.

Manche bleiben an der Oberfläche, andere dringen in mitt-
lere, einige in große Tiefe vor.

Wiederum gibt es Gegenüberstellungen zunächst innerhalb des gleichen Sachgebietes, dann aber auch zwischen Verwirklichungen, die sich über verschiedene Sachgebiete erstrecken.

51.4 Da die Verwirklichungen zugleich Weite und Tiefe bestimmten Ausmaßes haben, bestehen mancherlei Verschiedenheiten in bezug auf die Weite-und-Tiefe, d. h. die aus Weite und Tiefe gebildete Gesamtqualität.

Im niedrigsten Rang stehen hier die engen und oberflächlichen, im höchsten die zugleich sehr weiten und sehr tiefen Verwirklichungen; zwischen diesen Extremen sind zahlreiche Zwischenstufen denkbar.

51.5 Verschiedenheiten bestehen zwischen den Geistesmenschliches Verwirklichenden viertens in der Intensität des Einsatzes innerer Kraft und äußerer Mittel, wobei von vornherein Verwirklichungen verschiedener Sachgebiete vergleichbar sind.

Zu unterscheiden sind hier Verwirklichungen von nur geringer, solche von einigermaßen erheblicher und solche von großer Intensität.

51.6 Verschiedenheiten bestehen zwischen den Geistesmenschliches Verwirklichenden fünftens in der Schwierigkeit ihrer Verwirklichungen.

Wiederum gibt es Gegenüberstellungen zunächst innerhalb des gleichen, aber auch zwischen verschiedenen Sachgebieten.

Über den einfachen stehen hier die einigermaßen schwierigen, über diesen die sehr schwierigen Verwirklichungen, — bis zu den schwierigsten, insbesondere der Leistung, die nur ganz wenigen Einzelnen von höchster Begabung möglich sind.

51.7 Die Gradverschiedenheiten ergeben sich zum Teil aus den Inhalten: Weite, Tiefe und Schwierigkeit der Verwirklichung hangen großenteils von der Eigenart des betreffenden Inhaltes ab.

Dagegen sind die Wichtigkeit, die der Verwirklichende einer Verwirklichung beimißt, und die Intensität, mit der er sie verfolgt, nicht vom Inhalt abhängig: Verwirklichungen jedes Inhaltes können für mehr oder weniger wichtig gehalten und mit mehr oder weniger großer Intensität verfolgt werden.

51.8 Weite, Tiefe und Schwierigkeit vieler Verwirklichungs-arten vermindern sich mit der Zeit dank des fortschreitenden Aufbaues von Wissenschaft, Technik und Wirtschaft: manches, das früher weit oder tief oder schwierig war, ist es jetzt in ge-ringerem Maße oder nicht mehr.

51.9 Geistesmenschentum als die geistesmenschliche Verwirk-lichung von großer Weite, Tiefe oder Weite-und-Tiefe, von großer Intensität und hohem Anspruch (also zumeist auch von erheblicher Schwierigkeit) ist den geistesmenschlichen Verwirk-lichungen gegenüberzustellen, die nicht alle diese Anforderun-gen erfüllen: dort geschieht geistesmenschliche Verwirklichung auf der Höchststufe des Praktisch-Erreichbaren, — hier unterhalb dieses Höchsten.

Aber innerhalb des zweiten, niedrigeren Bereiches sind sehr viele Stufen und Ränge: vom kaum bestehenden geistesmensch-lichen Sein bis zur Verwirklichung nahe dem Geistesmenschen-tum.

51.10 Und auf den von den Erreichnissen von Wissenschaft, Technik und Wirtschaft beeinflußten Verwirklichungsgebieten besteht die Tendenz, daß die konkreten Verwirklichungen im Rang sinken: was den ganzen Scharfsinn des Aristoteles er-forderte, kann heute für einen Durchschnittlich-Begabten leicht sein.

Dem entspricht, daß auf diesen Gebieten die Verwirklichun-gen hohen Ranges ständig in neue Weite und Tiefe dringen und neue Schwierigkeiten meistern müssen.

51.11 Daß die geistesmenschlichen Verwirklichungen jeder Rangstufe sehr zahlreiche verschiedene Inhalte haben können, ist bei diesen Feststellungen vorausgesetzt.

Festzuhalten ist insbesondere, daß die Verwirklichungen der Höchststufe — der Stufe des Geistesmenschentums — inhaltlich sehr vielfältig sein können und tatsächlich sind.

51.12 Für jeden, der in seinem geistesmenschlichen Sein noch unterhalb des Geistesmenschentums steht, sind Möglichkeiten des Aufstieges in Richtung auf dieses offen und ist vom Geistesmenschentumsideal die fortschreitend höhere Verwirklichung geboten.

Und selbst die wenigen, die Geistesmenschentum tatsächlich erreicht haben, werden auf ihrer hohen Stufe immer wieder Neues, zumal Umfassenderes, Weitergreifendes, Tieferdringendes, zu größerer Vollständigkeit Führendes, insgesamt Meisterlicheres, zu verwirklichen trachten.

Geistesmenschlichkeit, richtig verstanden, ist ein Vervollkommnungsprinzip.

VORAUSSETZUNGEN

52.1 Das geistesmenschliche Sein ist Verwirklichung bestimmter, konkreter Inhalte und setzt darum beim Einzelnen entsprechende Begabung voraus.

Da es sich aber auf sehr viele verschiedenartige Inhalte erstrecken kann, hat tatsächlich jeder einigermaßen Begabte solche Begabung und damit die Möglichkeit zu geistesmenschlichem Sein.

52.2 Begabung zu geistesmenschlicher Bewußtheitsverwirklichung besteht bei allen Jugendlichen und Erwachsenen (abgesehen von den eigentlich Schwachbegabten): für sie alle ist von der Begabung her geistesmenschliche Bewußtheit erreichbar.

Das gleiche gilt für die Begabung zu geistesmenschlicher Leistungsverwirklichung, — wobei zwischen den Einzelnen vielerlei inhaltliche Verschiedenheiten bestehen.

Ebenso ist die Begabung zu geistesmenschlicher Gemeinschaftsverwirklichung allgemein vorhanden.

52.3 Damit vorhandene Begabung zu tatsächlicher geistesmenschlicher Verwirklichung führe, ist zumeist ihre Ausbildung unerläßlich; und fast immer wird die Verwirklichung vollkommener sein, wenn die Ausbildung besser war.

In der Ausbildung wird, was die geistesmenschlichen Verwirklichungen anbelangt, dreierlei erreicht:
— erstens der Begabung entsprechende Verwirklichungsfähigkeit (zu welcher die Begabung zunächst nur eine Anlage ist),
— zweitens Geschicklichkeit im konkreten Verwirklichungshandeln,
— drittens Sicherheit in bezug auf Sinn und Ziel des Wollens und Tuns.

52.4 Ausbildung der Begabung zu geistesmenschlichem Sein ist zunächst Sache der Erziehung und Schulung: hier sind es vor

allem die Eltern, die auf ihre Kinder, und die Lehrer, die auf
ihre Schüler einwirken.

Es ergibt sich daraus, daß die Eltern und Lehrer die möglichen Inhalte des geistesmenschlichen Seins kennen und dessen
Wert und Würde verstehen müßten.

52.5 Ausbildung geschieht im weiteren aber auch in dem vom
Einzelnen von sich aus betriebenen Tun und Überlegen, — wo-
bei er sich vielfach mit geltenden oder um Geltung kämpfenden
Auffassungen und mit Lehren, Werken und hervorragenden
Menschen auseinanderzusetzen hat.

Ausbildung in diesem zweiten Sinne ist stark abhängig
— erstens von der geistigen Lebendigkeit des Einzelnen,
— zweitens davon, daß dieser sich mit den Auffassungen, Leh-
    ren, Werken und hervorragenden Menschen zu befassen weiß,
    die ihn in der geistesmenschlichen Verwirklichung am meisten
    fördern.

52.6 Durch die Ausbildung übernimmt der In-Ausbildung-
Stehende Ziele und Werte, die in der Gesellschaft gelten oder zumindest von den ihn Beeinflussenden vertreten werden: Ausbildung bedeutet Von-außen-Bestimmtwerden, — das Sich-
selber-Bestimmen hat hier zurückzutreten.

Solches Von-außen-Bestimmtwerden bringt den Einzelnen in
Übereinstimmung mit Einstellungen, die in seiner Kulturgemeinschaft mehr oder weniger weitgehende Anerkennung
haben, — was das Geistesmenschliche im besondern betrifft: mit
Einstellungen, die während langer Kulturentwicklung von den
Besten vertreten wurden (weshalb ein Großer längst vergangener Zeit auch jetzt noch Aktuell-Wertvolles lehren kann).

52.7 Ein scheinbar widerspruchsvoller Inhalt der Fremdbe-
stimmung: daß der Einzelne frei urteilen und Stellung nehmen,
daß er sich selbst bestimmen solle. Der freie, sich selbst bestimmende Mensch kann das Ideal sein, welchem die ausbildende
Beeinflussung verpflichtet ist, — ein hohes Erreichnis langer
Geistesentwicklung, in das der Einzelne eben dank der ihm
gegebenen Ausbildung hineinwachsen darf.

298

52.8   Das geistesmenschliche Sein, als Verwirklichung bestimmter, konkreter Inhalte, steht unter mancherlei äußeren Bedingtheiten, die sich einerseits aus der Naturwelt, anderseits aus der Kulturwelt ergeben. Jede Verwirklichung ist durch die für den Verwirklichenden vorhandenen natürlichen und kulturellen Gegebenheiten begrenzt.

Aber diese äußeren Bedingtheiten sind großenteils nicht unabänderlich fest, sondern durch vom leistenden Menschen ausgehende Beeinflussung umgestaltbar: es folgt daraus die Zielsetzung, daß sie in einer dem geistesmenschlichen Sein günstigen Weise zu beeinflussen seien.

52.9   Fast alle menschlichen und auch die meisten geistesmenschlichen Verwirklichungen sind davon abhängig, daß die verwirklichenden Einzelnen und Gruppen über zweckdienliche Sachgüter und Dienstleistungen — und über das zu deren Beschaffung nötige Geld — verfügen, daß also Technik und Wirtschaft auf entsprechenden Stand gebracht und ihre Erzeugnisse den Verwirklichungsuchenden zugänglich sind.

Hoher Stand von Technik und Wirtschaft ist die Voraussetzung reicher, vielfältiger geistesmenschlicher Verwirklichung — und also Ziel der auf Erweiterung und Vervollkommnung des geistesmenschlichen Seins möglichst vieler Menschen gerichteten wissenschaftlichen, technischen, wirtschaftlichen und politischen Leistung.

52.10   Fast alle menschlichen und auch die meisten geistesmenschlichen Verwirklichungen haben Gesellschaftliches, Staatliches und Rechtliches zur Voraussetzung: es muß das Gesellschaftlich-Gebotene und es kann nur das Gesellschaftlich-Mögliche und -Erlaubte getan werden.

Dem Geistesmenschlichen günstige Ordnung des Gesellschaftlichen, Staatlichen und Rechtlichen ist Voraussetzung reicher, vielfältiger geistesmenschlicher Verwirklichung — und also Ziel der auf Erweiterung und Vervollkommnung des geistesmenschlichen Seins möglichst vieler Menschen gerichteten Arbeit in Gesellschaft und Staat.

52.11   Fast alle menschlichen und auch die meisten geistesmenschlichen Verwirklichungen haben Wissen und im Wissen
begründetes Können zur Voraussetzung: je höher in dieser Hinsicht der Stand der gegebenen Kultur, desto weiter und reicher
die Verwirklichungsmöglichkeiten der Einzelnen.

Ziel der auf Erweiterung und Vervollkommnung des geistesmenschlichen Seins möglichst vieler Einzelner gerichteten Arbeit
ist damit auch: ständig fortschreitender Ausbau des Wissens und
Könnens.

52.12   Je günstiger für die geistesmenschlichen Verwirklichungen die Voraussetzungen in den Bereichen erstens der Sachgüter,
Dienstleistungen und des Geldes, zweitens des Gesellschaftlichen,
Staatlichen und Rechtlichen, drittens von Wissen und Können
sind, desto leichter ist es für den Verwirklichenden, seine Ziele
zu erreichen, — desto mehr ist er von den äußeren Voraussetzungen und Bedingtheiten her zu der erstrebten Verwirklichung frei.

Menschen solche Freiheit zu tatsächlicher geistesmenschlicher
Verwirklichung zu geben ist ein allgemeines Hauptziel der
geistesmenschlichen Leistung.

INHALT

ERSTER TEIL: UNSERE ZWECKE

ZWEITER TEIL: DIE MÖGLICHEN INHALTE
DES GEISTESMENSCHLICHEN SEINS